Thomas' Entscheidung ist ein fiktives Werk. Namen, Charaktere, Orte und Geschehnisse wurden erfunden. Jegliche Ähnlichkeit mit wirklichen Orten, Ereignissen, oder Personen, lebend oder verstorben, sind zufällig.

Die Amerikanische Originalausgabe erschien 2013 unter dem Titel *Thomas's Choice.*

Cover design: Leah Kaye Suttle

Autorenfoto: ©Marti Corn Photography

BÜCHER VON TINA FOLSOM

Samsons Sterbliche Geliebte (Scanguards Vampire – Buch 1)

Amaurys Hitzköpfige Rebellin (Scanguards Vampire – Buch 2)

Gabriels Gefährtin (Scanguards Vampire – Buch 3)

Yvettes Verzauberung (Scanguards Vampire – Buch 4)

Zanes Erlösung (Scanguards Vampire – Buch 5)

Quinns Unendliche Liebe (Scanguards Vampire – Buch 6)

Olivers Versuchung (Scanguards Vampire – Buch 7)

Thomas' Entscheidung (Scanguards Vampire – Buch 8)

Ewiger Biss (Scanguards Vampire – Buch 8 1/2)

Cains Geheimnis (Scanguards Vampire – Buch 9)

Luthers Rückkehr (Scanguards Vampire – Buch 10)

Brennender Wunsch (Eine Scanguards Hochzeit)

Blakes Versprechen (Scanguards Vampire – Buch 11)

Schicksalhafter Bund (Scanguards Vampire – Buch 11 1/2)

Johns Sehnsucht (Scanguards Vampire – Buch 12)

Ryders Rhapsodie (Scanguards Vampire – Buch 13)

Damians Eroberung (Scanguards Vampire – Buch 14)

Graysons Herausforderung (Scanguards Vampire – Buch 15)

Geliebter Unsichtbarer (Hüter der Nacht – Buch 1)

Entfesselter Bodyguard (Hüter der Nacht – Buch 2)

Vertrauter Hexer (Hüter der Nacht – Buch 3)

Verbotener Beschützer (Hüter der Nacht – Buch 4)

Verlockender Unsterblicher (Hüter der Nacht – Buch 5)

Übersinnlicher Retter (Hüter der Nacht – Buch 6)

Unwiderstehlicher Dämon (Hüter der Nacht – Buch 7)

Ace – Auf der Flucht (Codename Stargate – Band 1)

Fox – Unter Feinden (Codename Stargate – Band 2)

Yankee – Untergetaucht (Codename Stargate – Band 3)

Tiger – Auf der Lauer (Codename Stargate – Band 4)

Ein Grieche für alle Fälle (Jenseits des Olymps – Buch 1)

Ein Grieche zum Heiraten (Jenseits des Olymps – Buch 2)

Ein Grieche im 7. Himmel (Jenseits des Olymps – Buch 3

Ein Grieche für immer (Jenseits des Olymps - Buch 4)

Der Clan der Vampire (Venedig 1 – 5)

Begleiterin für eine Nacht (Der Club der Ewigen Junggesellen – Buch 1)

Begleiterin für tausend Nächte (Der Club der Ewigen Junggesellen – Buch 2)

Begleiterin für alle Zeit (Der Club der Ewigen Junggesellen – Buch 3)

Eine unvergessliche Nacht (Der Club der Ewigen Junggesellen – Buch 4)

Eine langsame Verführung (Der Club der Ewigen Junggesellen – Buch 5)

Eine hemmungslose Berührung (Der Club der Ewigen Junggesellen – Buch 6)

THOMAS' ENTSCHEIDUNG

SCANGUARDS VAMPIRE - BAND 8

TINA FOLSOM

AN ALL MEINE WUNDERVOLLEN LESER*INNEN

Danke dafür, dass ihr meine Arbeit unterstützt und mir somit erlaubt, euch mit den fiktiven Welten, die ich erschaffe, zu unterhalten.

Dies ist wahrlich der beste Beruf in der ganzen Welt!

Tina Folsom

1

Mit dem Mädchen namens Jessica in seinen Armen stolperte Eddie in das Studio-Apartment. Sie hatte ihn in der Diskothek angemacht, wo er auf Patrouille gewesen war. Jessica schlug hinter ihm die Tür zu. Mit ihrem heißen Mund auf seinen Lippen küsste sie ihn leidenschaftlich, während ihre Hände über seinen Körper streiften und unter seinem T-Shirt seine nackte Brust streichelten.

Gleichzeitig drückte sie ihren kurvenreichen Körper an seinen und presste ihren großzügigen Busen an seine Brust. Der Duft ihrer Erregung füllte den kleinen Raum, der mit einem Bett, einer Kommode und einem kleinen Tisch mit zwei Stühlen eingerichtet war. Eine offene Tür führte zu einer Küche, kaum größer als eine Briefmarke, und eine weitere Tür deutete darauf hin, dass es ein Bad gab, das wahrscheinlich genauso klein war. Seine Schwester Nina hatte in einer ähnlichen Wohnung gelebt, bevor sie ihrem Gefährten begegnet war.

Jessica war hübsch: lange, blonde Locken, volle Lippen, unschuldig dreinblickende blaue Augen. Alles, was ein Mann sich wünschen konnte. Und das Beste war: Sie war bereit, sofort zur Sache zu kommen. Keinerlei Nötigung oder Verführung war erforderlich. In der Tat war sie sehr gierig, und diejenige, die die Führung übernahm, so wie sie sich jetzt ihr T-Shirt über den Kopf streifte und es auf einen Stuhl in der Nähe warf. Vermutlich war es für sie ganz normal, sich in einem Club einen Kerl aufzureißen und dann für wilden Sex nach Hause zu schleppen. Tja, er beschwerte sich ja auch nicht!

Jessica ergriff seine Hände, die auf ihrem Rücken gelegen waren, und führte sie zu ihren BH-bekleideten Brüsten. Vielleicht war *bekleidet* das falsche Wort – was sie trug, konnte kaum als BH bezeichnet werden, eher als eine Ansammlung von winzigen Stofffetzen, Fäden und einem Metallbügel, der alles zusammenhielt. Ihre Brustwarzen waren noch nicht einmal bedeckt. Stattdessen wurden ihre Brüste hochgeschoben, als wollte sie sie auf einem Silbertablett präsentieren. Wie ein Schmaus, an dem er sich frönen sollte.

Er blickte zu seinen Händen, die das üppige Fleisch auf fast mechanische Weise kneteten, als wäre nicht er derjenige, der sie berührte. Er fühlte sich, als betrachtete er einen mittelmäßigen Pornofilm – explizit, doch kaum verlockend.

Sie warf den Kopf zurück und schloss die Augen. „Oh ja, Baby!“, rief sie aus und presste ihre Hände auf seine, damit er ihre Brüste härter drückte.

Er kam ihrem Wunsch nach, wenn auch nur, weil es von ihm erwartet wurde, und nicht aus purer Lust dazu. Vielleicht, wenn er sie weiter küsste, würde er mehr Gefallen an der ganzen Sache finden. Immerhin war er etwas außer Übung. Genau genommen war er, seit er vor über einem Jahr zum Vampir verwandelt worden war, mit keiner Frau mehr zusammen gewesen. Komisch, dass ihm dies erst jetzt auffiel. Nun ja, das bedeutete aber nicht, dass er seither keinerlei sexuelle Befriedigung gefunden hätte. Wie jeder andere Mann verschaffte er sich mit eigener Hand Erleichterung, wann immer ihm danach war, nach dem Aufwachen in der Dusche oder vor dem Einschlafen.

Eddie schob seine Hand auf Jessicas Nacken und zog sie an sich. Er presste seine Lippen auf ihren wartenden Mund und küsste sie. Seine Zunge erforschte ihre, doch die Erregung, die dabei durch seine Adern schießen sollte, blieb aus. Sein Herz schlug gleichmäßig wie zuvor, zwar doppelt so schnell wie das eines Menschen, doch für einen Vampir völlig normal.

Um die Sache voranzutreiben, zog er an ihrem BH und riss ihn ihr herunter, sodass ihre Brüste aus dem notdürftigen Käfig fielen. Sie sackten nicht herunter und standen fast starr nach vorne. Er fragte sich, ob sie echt waren. Ein Mädchen ihres Alters – sie konnte nicht älter als zweiundzwanzig sein – konnte doch unmöglich Silikonimplantate haben. Warum würde jemand so etwas Künstliches in seinen Körper implantieren lassen? Er starrte sie an und überdachte seine Frage.

Jessicas Hand in seinem Schritt riss ihn aus seinen Gedanken zurück in die Realität. Mit ihren Fingern strich sie langsam entlang des Reißverschlusses seiner Cargo-Hose.

„Oh!" Der enttäuschte Seufzer, den sie ausstieß, als sie ihn drückte, machte ihm klar, dass etwas gerade nicht dem Drehbuch entsprach.

Wieder rieb sie ihre Hand über ihn, aber Eddie schnappte sie schnell, um sie von weiteren Berührungen abzuhalten.

„Stimmt etwas nicht?", fragte sie mit schmollendem Mund.

Überhaupt nichts stimmte. Er war nicht hart! Er sollte eine tobende Erektion haben. Wie jeder fünfundzwanzigjährige Typ in so einer Situation. Als er noch ein Mensch gewesen war, hatte ein leidenschaftlicher Kuss genug Blut in seinen Schwanz gepumpt, um sofort zur Sache zu kommen. Und jetzt, mit einem halb-nacktem Mädchen in seinen Armen, das absolut scharf auf ihn war, hing sein Schwanz herunter wie ein alter Lappen, schlaff und unbeteiligt. Als gehörte dieses Anhängsel nicht zu ihm.

Warum verdammt noch mal wurde er nicht hart? Warum schlief sein Schwanz? Was zum Teufel war mit ihm los?

Er schloss die Augen und versuchte, Bilder vor sein geistiges Auge zu zaubern, die jeden Mann geil machen würden: nackte Frauen über Möbelstücke gebeugt, Frauen, die einen Striptease vorführten, sogar Frauen, die es mit anderen Frauen trieben. Dennoch erwachte sein Schwanz nicht aus seinem todesähnlichen Zustand und nicht ein einziger Blutstropfen pumpte in ihn hinein.

Wie aus dem Nichts drangen Ereignisse wieder zu ihm durch, die ein paar Wochen zuvor geschehen waren. Erinnerungen, die er immer sofort wegzuschieben versucht hatte, wenn sie emporkamen. Nur dieses Mal konnte er sie nicht mehr verdrängen. Er musste sich ihnen stellen.

Einige Wochen vorher

Eddie marschierte den Gang entlang in Richtung des Konferenzraumes auf der Chefetage von Scanguards' Hauptquartier im Missionsbezirk. Irgendetwas Großes war im Gange und er wollte es nicht verpassen. Er liebte diesen Job, die Kameradschaft mit den anderen Vampiren, die Freundschaft mit seinem Mentor und die Bewunderung seiner Schwester. Er hatte es endlich geschafft, dass Nina stolz auf ihn war und auf all das, was er erreicht hatte, nachdem er alles daran gesetzt hatte, ein Vampir zu werden. Endlich war jeder glücklich: Nina war mit Amaury, einem der Partner bei Scanguards, blutgebunden und allem Anschein nach war dieser völlig verrückt nach ihr. Er war noch nie einem Mann begegnet, der so in eine Frau verliebt war. Diese Tatsache hatte auch Eddies Zweifel darüber ausgelöscht, ob eine Beziehung zwischen einem Menschen und einem Vampir auf lange Sicht funktionieren könnte. Nina und Amaury hatten ihn überzeugt. Sie schienen wie füreinander geschaffen.

Als er den Flur entlang ging, bebten seine Nasenflügel plötzlich. Irgendwo auf dieser Etage befand sich ein Mensch. Und das war ein Verstoß gegen die Sicherheitsregeln.

„Wer sonst könnte es wissen?“

Eddie erkannte Blakes Stimme. Obwohl Blake Quinns Enkel und Quinn Direktor bei Scanguards war, erklärte das immer noch nicht, warum er sich auf dieser Etage aufhielt. Es war Eddies Pflicht, der Sache nachzugehen und die Situation notfalls unter Kontrolle zu bringen.

„Thomas. Aber er sagt auch nichts. Ich habe es bereits versucht. Und dir wird er’s auch nicht verraten“, antwortete Oliver, dessen Stimme aus einer kleinen Nische hervordrang, in der ein Kühlschrank und ein paar Regale untergebracht waren.

„Aber vielleicht erzählt er es Eddie.“

Beim Klang seines Namens hielt Eddie inne. Was würde Thomas ihm erzählen? Welche Geheimnisse besprachen die beiden da? Er konnte nicht umhin, stehenzubleiben, wo die beiden ihn nicht sehen konnten, und zu lauschen. Er wusste, dass es unhöflich war, aber hier war etwas faul und er würde herausfinden, um was es ging.

„Eddie? Mein Gott, du hast recht. Warum habe ich nicht daran gedacht? Thomas kann Eddie nichts ausschlagen. Jeder weiß doch, wie scharf er auf ihn ist.“

Die Luft entwich Eddies Lunge. Vor seinen Augen verschwamm alles und sein Herz hörte auf zu schlagen. Er konnte sich nicht bewegen, konnte nicht reagieren, obwohl er einen Ton von sich gegeben haben musste, denn Oliver trat plötzlich aus der Nische und wirbelte seinen Kopf in Eddies Richtung.

„Oh Mist!“, fluchte Oliver.

Blake stieß einen schweren Atemzug aus und blickte ihn entsetzt an.

„Thomas ... ähh ...“ Eddie schüttelte den Kopf.

Nein, das konnte nicht wahr sein! Thomas konnte sich nicht zu ihm hingezogen fühlen. Das durfte nicht wahr sein! Sein Mentor, der Mann, mit dem er sich ein Haus teilte, wollte ihn vögeln? Nein, verdammt noch mal!

Natürlich hatte Eddie immer gewusst, dass Thomas schwul war. Verdammt, jeder wusste das. Niemand hatte jemals ein Geheimnis daraus gemacht. Und jeder akzeptierte Thomas so wie er war: ein großzügiger Mann mit einem großen Herzen und einem brillanten Verstand. Niemand behandelte ihn anders als alle anderen. Genauso wenig wie Eddie ihn je anders behandelt hatte. Er hatte sich sofort mit ihm wohl gefühlt, seit er ihm zum ersten Mal begegnet war und ihm Thomas als sein Mentor vorgestellt worden war, der ihm helfen würde, sich an sein neues Leben als Vampir zu gewöhnen.

„Hör zu, Eddie, vergiss, was du gehört hast", versuchte Oliver ihn zu beruhigen.

Die Sehnen in seinem Hals traten hervor. „Wie zum Teufel könnte ich so etwas einfach vergessen?" Niemand konnte diese Worte zurücknehmen, Worte, die sein gemütliches Zusammenleben mit Thomas erschütterten. Er wohnte in Thomas' Villa mit dem herrlichen Ausblick von Twin Peaks auf die Stadt hinunter. Sie waren die idealen Mitbewohner und teilten ihre Liebe für Motorräder und Elektronikbasteleien.

„Bitte glaube mir, Thomas ist ein Ehrenmann. Er wird sich nie von diesen Gefühlen leiten lassen, da er weiß, dass sie nicht erwidert werden."

Eddie warf Oliver einen wütenden Blick zu. „Oh Gott, ich wünschte, ich hätte es nie herausgefunden." Unwissenheit war ein Segen; das war ihm jetzt klar.

„Es tut mir leid." Oliver legte eine Hand auf seine Schulter.

Die Berührung erboste ihn noch mehr, und er entzog sich ihr. Er wollte nicht berührt werden, nicht von einem Mann! „Fass mich nicht an!"

Eddie machte auf den Fersen kehrt und lief zum Ausgang.

Er hatte immer zu Thomas aufgeblickt und seine Intelligenz, seine Cleverness sowie seine absolute Loyalität Scanguards gegenüber bewundert. Nie hatte er Thomas' Motive, ihn aufzunehmen und sein Leben umzukrempeln, um einem neuen Vampir den Weg zu weisen, in Frage gestellt. Aber all das war jetzt anders. Hatte Thomas die Anordnung von Samson, Scanguards' Eigentümer, nur befolgt, weil er schon damals scharf auf ihn gewesen war? Waren Thomas' Motive nicht so altruistisch gewesen, wie Eddie immer angenommen hatte?

Er konnte sich nicht helfen und wunderte sich jetzt über all die Vorfälle, wo er Thomas nur halb angezogen gesehen hatte. Hatte sein Mentor es mit Absicht getan, um ihn zu reizen, ans andere Ufer zu wechseln? Hatte Thomas versucht, ihn zu verführen, und Eddie war nur zu blind gewesen, es zu bemerken?

Eddie erinnerte sich an einen bestimmten Vorfall nur allzu gut. Er hatte den Tag in Hollys Apartment verbracht – Rickys Ex-Freundin –, weil es zu spät geworden war und er den Sonnenaufgang verpasst hatte. Als er nach Hause gekommen war, war Thomas nur mit einem Handtuch bekleidet im Wohnzimmer gestanden, wo er sich mit Gabriel unterhielt, der Hilfe bei der Bewachung der Frau brauchte, die später seine Gefährtin geworden war.

Thomas' Haut glitzerte noch feucht von der Dusche, und als er seine Arme über den Kopf gestreckt hatte, schien es wie eine lockere Geste gewesen zu sein. Eddie hatte die definierten Muskeln seines Bauches und Oberkörpers bewundert und in ihm hatte sich sofort etwas gerührt. Hatte Thomas versucht, ihn mit der Pose in Versuchung zu führen? Hatte er absichtlich seinen herrlichen Körper zur Schau gestellt, weil er es genoss, von Eddie betrachtet zu werden?

Und wie oft war Thomas nur mit seinen Boxershorts und einem vorne offenen Bademantel zum Kühlschrank gegangen? Verhielt Thomas sich so, weil er zuhause war, oder weil er wollte, dass Eddie ihn ansah?

Was sollte er jetzt tun? Wie konnte er weiterhin mit Thomas zusammenleben, jetzt wo er diese Sachen wusste? Ab sofort steckte in jedem Blick auf seinen Mentor das Wissen, dass Thomas auf ihn scharf war, dass Thomas ihn nackt ausziehen, ihn berühren, ihn küssen und mit ihm schlafen wollte.

„Na schau mal, ich wusste ja, es würde funktionieren", riss ihn eine weibliche Stimme aus seinen Gedanken und brachte ihn zurück in die Gegenwart.

Eddie öffnete die Augen und starrte Jessica an. Sie hatte seinen Reißverschluss geöffnet und seinen Schwanz befreit – seinen voll erigierten Schwanz – und nun legte sie ihre Hand um ihn herum. Er war hart wie eine Eisenstange, aber er wusste, es war nicht richtig, denn *sie* war nicht der Grund dafür. Er war bei dem Gedanken an Thomas hart geworden. Bei dem Gedanken an einen Mann!

Angewidert von sich selbst packte er ihre Hand und zog sie weg von sich. „Ich kann nicht."

„Natürlich kannst du", schnurrte sie und rieb ihre nackten Brüste gegen ihn, eine Handlung, die ihn völlig unberührt ließ, wenn er doch seinen Kopf auf ihre Brüste hätte senken und ihre harten Nippel in seinen Mund hätte saugen sollen.

Warum machte er nicht, was sie von ihm wollte? Warum vögelte er sie nicht? Zumindest könnte er sich dann selbst beweisen, dass mit ihm alles in Ordnung war und er immer noch die gleiche Person war, die er schon immer war: ein Mann, der Frauen begehrte.

Jessica legte ihre Hände auf seinen Hintern und zog ihn näher. „Komm schon, Eddie, ich weiß, du willst es."

Ja, er wollte es, aber nicht mit ihr. Er war geil wie nie zuvor, aber instinktiv wusste er, dass sein Schwanz wieder wie eine vertrocknete Blume verwelken würde, wenn er versuchte, mit Jessica zu schlafen. Und er hatte nicht vor, seiner bereits angeschlagenen Psyche diese Art von Demütigung hinzuzufügen.

Nein, er musste all dies verdrängen, so tun, als wäre es niemals passiert und einfach wie gewohnt weitermachen. Das hatte er in den letzten Wochen auch getan und er würde auf die gleiche Weise fortfahren – indem er es so gut er konnte vermied, mit Thomas allein zu sein und indem er versuchte zu vergessen, was er gehört hatte.

Vielleicht lagen Oliver und Blake ja falsch. Vielleicht bildeten sie sich all das nur ein. Was wussten sie schon über Thomas? Sie waren nicht diejenigen, die mit ihm zusammenlebten. Sie waren nicht diejenigen, die außerhalb der Arbeit Zeit mit ihm verbrachten. Und selbst in der Arbeit sahen sie ihn kaum, da Thomas nur selten auf Missionen ging und die meiste Zeit an IT-Projekten arbeitete, während Oliver und Blake immer auf Patrouillen waren oder Klienten beschützten.

Eddie starrte in Jessicas Augen. „Hör mir zu", begann er, dann schickte er seine Gedanken in ihr Gehirn und löschte jegliche Erinnerung an ihn aus.

Sollte er sie je wiedersehen, würde sie nicht mehr wissen, was zwischen ihnen passiert war. Niemand würde je erfahren, dass er nicht in der Lage gewesen war, es mit ihr zu treiben –niemand außer ihm selbst. Und sich selbst konnte er anlügen und behaupten, alles wäre in Ordnung.

2

Thomas klickte die Fernbedienung für das Garagentor aus fünfzig Metern Entfernung und sah zu, wie sich das Tor öffnete. Er verlangsamte sein Motorrad nur geringfügig, fuhr hinein und stellte den Motor ab, als er in seiner übergroßen Garage, in der nicht nur mehrere Motorräder, sondern auch ein großer Blackout SUV untergebracht waren, zum Stehen kam. Er benutzte den SUV selten, sondern fuhr lieber seine Motorräder. Den vibrierenden Motor zwischen seinen Beinen und den Wind durch seine kurzen blonden Haare blasen zu spüren, gab ihm ein Gefühl von Freiheit, ein Gefühl von einem Leben ohne Zwänge. Selbst wenn alles Illusion war, denn weder war er frei, noch lebte er ein Leben ohne Zwänge.

Er war zufrieden mit dem, was er erreicht hatte, nicht glücklich, aber wer war schon wirklich glücklich mit seiner Situation? Kopfschüttelnd vertrieb er seine Gedanken und stieg von seiner Ducati. Fast die ganze Nacht hatte er in seinem Büro in Scanguards' Hauptsitz im Missionsbezirk verbracht und kaum mit jemandem gesprochen. Jetzt freute er sich auf eine kalte Flasche Blut und ein paar Worte mit Eddie, bevor er zu Bett gehen würde.

Seine Unterhaltungen mit Eddie waren etwas, das ihn jedes Mal beim Nachhausekommen mit Vorfreude erfüllte. Obwohl sein Zuhause nicht der einzige Ort war, an dem sie sich begegneten. Da er Eddie immer noch als Mentor betreute, nahm er ihn oft mit auf Ausbildungsmissionen. Bei anderen

Gelegenheiten wurden sie als Team zu Aufträgen geschickt, bei denen Eddie das Erlernte anwenden konnte. Thomas lebte für diese Aufträge.

Stolz erfüllte ihn jedes Mal, wenn Eddie zeigte, dass er schnell umsetzen konnte, was Thomas ihn gelehrt hatte. Es erwärmte Thomas' Herz zu sehen, dass sein Schützling sich zu einem herausragenden Leibwächter mit einer schnellen Auffassungsgabe und einer ruhigen Hand entwickelte. Aber es war nicht nur sein Herz, das betroffen war; sein Schwanz war genauso beteiligt. Ein kurzer Blick auf den jungen Vampir mit den tiefen Grübchen in seinen Wangen, die sich zeigten, wenn er lächelte, machte ihn in Sekundenschnelle hart. Und Eddie lächelte oft. Er war ein zufriedener Kerl, gelassen und entspannt.

Seit über einem Jahr versuchte Thomas nun schon, seine Gefühle zu unterdrücken – ohne Erfolg. Er war unwiderruflich und hoffnungslos in Eddie verliebt. Und es gab nichts, was er dagegen tun konnte.

Thomas stieg die Treppe zum ersten Stock des Hauses hoch und ließ die Garage und seine Motorräder – darunter einige restaurierte Antiquitäten von unschätzbarem Wert – hinter sich. Als er den Wohnraum erreichte, der mit einer offenen Küche kombiniert war, fand er ihn leer vor. Er lauschte, hörte jedoch keine Geräusche im Haus. Eddie war noch nicht von der Arbeit zurückgekehrt.

Enttäuscht blickte er auf die Uhr auf dem Kaminsims. In weniger als einer Stunde würde die Sonne aufgehen und die vom Boden bis zur Decke reichenden Fenster, die eine ganze Wand des großen Raumes dominierten, würden die erwachende Stadt zu seinen Füßen zeigen. Im Augenblick blitzte die Skyline von San Francisco in der Dunkelheit. Allerdings waren die Fenster nicht echt: Sie waren Monitore, die Live-Videos von den Kameras, die außen an seinem Haus montiert waren, abspielten. Eine schöne und realistische Illusion, und die einzige Möglichkeit, wie er tagsüber nach draußen sehen konnte, ohne dass UV-Licht in sein Haus eindrang und ihn verbrannte.

Trotzdem war es eine Illusion, eine, die ihm half vorzugeben, ein normales Leben zu leben, wenn doch nichts in seinem Leben normal war. Er war ein Vampir. Er war homosexuell. Und er liebte einen Mann, den er kein Recht hatte zu begehren. Und unter all dem schlummerte seine dunkle Macht, die jeden Moment zu erwachen drohte, wenn er das Tier nicht in Schach hielt. Es war eine Aufgabe, die mit jedem Jahr schwieriger wurde, fast so, als wäre er ein schlafender Vulkan und die Macht in ihm das Magma, das sich bildete, bis der Druck zu stark wurde und es an die Oberfläche schießen musste.

Thomas öffnete den Kühlschrank und holte eine Flasche Blut heraus. Langsam drehte er den Deckel herunter und setzte die Flasche an seine Lippen. Er trank die kalte Flüssigkeit und ließ sie seine trockene Kehle ummanteln. Mit geschlossenen Augen erlaubte er, seinem Herzen Bilder hervorzuzaubern, die seinen Puls zum Rasen brachten und seinen Schwanz anschwellen ließen. Seine Reißzähne verlängerten sich unwillkürlich, als die Bilder intensiver wurden und sich in einer einzigen Fantasie vereinten: Eddie lag unter ihm, sein Kopf zur Seite geneigt, und bot ihm seine Ader für einen Biss an. Und weiter unten pochten im gleichen Rhythmus zwei Schwänze, die sich in begieriger Erwartung darauf, was als Nächstes passieren würde, aneinander rieben.

Er schüttelte den Gedanken ab – es würde nie passieren, und er wäre besser dran, wenn er aufhörte, darüber zu fantasieren. Es machte das Verlangen nur noch schlimmer. Frustration heulte durch ihn hindurch.

Thomas schluckte den Rest des Blutes hinunter und warf die Flasche in den Abfalleimer, wo sie gegen die anderen leeren Flaschen klirrte und ihn daran erinnerte, dass er das Leergut bald entsorgen musste. Dann ging er zu der großen Ledercouch, ließ sich darauf fallen und schnappte sich die Fernbedienung vom Wohnzimmertisch. Er richtete sie auf den Flachbild-Fernseher und schaltete ihn an, als er plötzlich aus seinem Augenwinkel etwas wahrnahm. Sein Kopf wirbelte in Richtung der Eingangstür, die er nur selten verwendete, da er sein Haus fast immer durch die Garage betrat.

Seine Vampirsehkraft fokussierte sich auf ein Objekt, das unter der Tür durchgeschoben worden war: Ein weißer Umschlag lag auf dem dunklen Holzfußboden.

Er erhob sich in einer fließenden Bewegung, näherte sich der Tür und schnupperte daran, aber wer auch immer den Umschlag durch den Spalt geschoben hatte, war schon lange weg. Kein Geruch war mehr wahrzunehmen. Thomas bückte sich und hob den Umschlag auf, prüfte ihn auf allen Seiten. Er war nicht adressiert.

Neugierig riss er ihn auf und entnahm ein einziges Blatt Papier. Nur ein paar Worte waren in einer gepflegten, aber altmodischen Handschrift darauf geschrieben: *Du kannst dich nicht ewig verstecken. Eines Tages wirst du zugeben müssen, wer du bist.*

Der Brief war nicht unterschrieben.

Das Papier entglitt seinen bebenden Händen. Sie hatten ihn schließlich gefunden. Wie, das wusste er nicht. Er hatte seinen Nachnamen sowie seine Identität geändert, und war sogar in ein anderes Land umgezogen, immer darauf bedacht, keine Spuren zu hinterlassen. Doch selbst er konnte sich nicht ewig verstecken. Er hatte immer gewusst, dass dies eines Tages passieren würde. Aber es war zu früh. Er war noch nicht bereit, sich der Wahrheit zu stellen, der Wahrheit über das, was er war, was er immer sein würde, egal wie lange und wie hart er es bekämpfte.

Er sank auf die Knie und ließ seinen Kopf in seine Handflächen sinken. Wie lange hatte er noch, bis sie ihn holten? Und wenn sie ihn erst einmal hatten, würde er sich ihnen dann anschließen und der dunklen Macht, die in ihm schlummerte, erliegen? Oder hatte er genug Kraft übrig, um sie zu bekämpfen?

~

London, England, Frühling 1895

Thomas saß in der Galerie von Old Bailey, dem Strafgericht von London, und beobachtete sorgsam das Verfahren, das sich unter ihm abspielte. Er war fast jeden Tag hier, um die Verhandlung zu verfolgen, nicht aus morbider Neugier wie die meisten anderen Zuschauer, sondern weil ihm nahelag, wie das Urteil ausfallen würde. Selbst wenn er den Angeklagten Oscar Wilde nicht persönlich kannte, bedeutete Thomas dessen Zwangslage viel.

Oscar Wilde, der berühmte Dramatiker war homosexuell und wegen grober Unanständigkeit angeklagt, und was mit einem Mann seiner Berühmtheit geschah, würde einen bleibenden Einfluss auf die homosexuelle Gesellschaft von London haben. Eine Gesellschaft, der Thomas angehörte, ob er wollte oder nicht.

Thomas hatte immer gewusst, dass er anders war, doch die Bestätigung erhielt er während seines ersten Jahres in Oxford: Er liebte Männer, nicht Frauen. Zuerst hatte er versucht, es zu leugnen, doch jegliche Anstrengung, sich selbst zu belügen, war gescheitert. Er war, was er war: ein Homosexueller. Ein Warmer, ein Schwuler, ein Homo. Kein richtiger Mann, sondern einer, der sich und andere Männer degradierte, indem er Unzucht betrieb.

Doch das war nichts, das er einfach abschalten konnte. Seine Erfahrungen mit einem jungen Mann in Oxford hatten ihm die Augen zu den Freuden der körperlichen Liebe geöffnet und ihm fleischliche Genüsse nahegebracht. Und als er erst einmal von dieser verbotenen Frucht gekostet hatte, konnte er nicht mehr leugnen, was er begehrte: die Liebe eines Mannes, egal wie verboten sie war.

Er versteckte seine Neigung so gut er konnte, zog sich nie so extravagant an wie andere Schwule und nahm immer an den männlichsten Sport- und Unterhaltungsprogrammen teil, um seinen unnatürlichen Trieb zu kompensieren. Er hofierte sogar Frauen der aristokratischen Kreise Englands und war einer der begehrtesten Junggesellen, nicht nur wegen seiner Herkunft und seiner Beziehungen in der Gesellschaft, sondern auch aufgrund seines Witzes und Charmes, mit dem er bedenkenlos jede unschuldige Debütantin umschwärmte. Sie himmelten ihn nur so an. Wenn sie wüssten, dass ihr kokettes Lächeln, ihre geröteten Wangen und schnell wedelnden Fächer ihn genauso kalt ließen wie ein morgendliches Bad in einem eisbedeckten Bach im Winter.

Unter all der Täuschung fand er Zeit, sich mit Männern zu treffen, die dieselben Bedürfnisse wie er hatten, und seinen fleischlichen Begierden freien Lauf zu lassen. In jenen Stunden fühlte er sich am friedlichsten und gleichzeitig geriet er mit sich selbst am meisten in Konflikt. Gefühle von Schuld und Scham waren nie weit entfernt, doch wenn er mit einem Mann Liebe machte, wusste er, dass alles Leugnen seines Selbst sinnlos war. Er hatte keine andere Wahl und musste so weitermachen.

„Möge der Angeklagte sich erheben“, ertönte eine Stimme aus dem Gerichtssaal von unten.

Thomas beugte sich nach vorne, begierig darauf, das Urteil des Gerichts zu hören. Andere taten es ihm gleich und warteten mit angehaltenem Atem auf die Entscheidung des Richters. Diese kam wie ein Hammer auf einen Amboss, genauso laut und niederschmetternd. Wilde war nicht der Unzucht angeklagt gewesen, doch hätte das genauso gut der Fall sein können.

„Oscar Wilde, Sie sind schuldig befunden worden in fünfundzwanzig Fällen grober Unanständigkeit oder der Absicht, grobe Unanständigkeit zu begehen.“

Ein Aufschrei ging durch die Menge. Stimmen von unten und von der Galerie hallten gegen die Wände des Gerichtssaals und wurden dadurch verstärkt. Obwohl der Richter für Ordnung im Gerichtssaal appellierte, verstummten die Aufschreie nicht.

„Schande!", rief ein junger Mann neben Thomas aus, doch hinter ihm stimmten andere dem Urteil zu.

„Geschieht dem Kerl recht!", verkündete ein Mann und schob den jungen Mann zur Seite. „Du bist auch so einer, oder?"

Thomas versuchte aufzustehen, da stieß der junge Mann plötzlich gegen ihn. Als er die Schultern des Mannes ergriff, um nicht zu fallen, blickte dieser ihn mit erschrockenen Augen an. Für einen Moment war Thomas bewegungsunfähig. Das würde ihnen allen passieren: Leute würden sie als Homosexuelle beschimpfen. Sowohl er als auch der junge Mann, der ihn anblickte, wusste das.

„Ja, ihr beide!", fuhr der Mann hinter ihm mit seiner Schimpftirade fort.

Zu Thomas' Entsetzen schlossen sich andere an und zeigten mit den Fingern auf ihn und den Mann, dessen Schultern er immer noch umklammerte. Ihre Augen waren mit Abscheu gefüllt und ihre Münder im Hohn verzogen.

Thomas ließ die Schultern des jungen Mannes los und stieß ihn von sich. Aber es war zu spät. Sie hatten alle den Anflug von Mitgefühl gesehen, den er für den jungen Schwulen empfunden hatte, als dieser seine Meinung über das Urteil zum Ausdruck gebracht hatte. Sie hatten alle gesehen, dass Thomas genauso dachte. Weil er genauso war. Er war nicht besser als Oscar Wilde oder die unzähligen anderen, die sich irgendwo jede Nacht der Unzucht hingaben. Der einzige Unterschied war, dass er mit seinen Affären vorsichtiger war und seine wahre Natur besser als andere vor der guten Gesellschaft verbarg.

Thomas rannte zum Ausgang, verzweifelt versuchend, der Musterung der Menschen zu entgehen. Hatte ihn jemand erkannt? Er blickte sich um und sah die unbekannten Gesichter, an denen er vorbeilief. Nein, kein Mitglied der Aristokratie würde im Gerichtssaal gewesen sein. Sie fanden solche Ereignisse geschmacklos. Das war sein einziger Trost.

Schreie folgten ihm auf seinem Weg nach draußen. Er konnte sie nicht ausblenden.

„Schwuchtel!"

„Homo!"

Seine Lunge brannte vor Anstrengung, als er die breite Treppe hinuntereilte und das Foyer des Gerichtsgebäudes durchquerte. Er sprintete zwischen den Marmorsäulen hindurch, die den Eingang flankierten und verließ das Gebäude. Es war bereits Nacht und dafür war er dankbar. Er könnte in der Menge, die sich um die Stufen vor dem Gebäude versammelt hatte und auf Nachricht über das Urteil wartete, untertauchen.

Er hielt den Kopf gesenkt, um keinerlei Aufmerksamkeit auf sich zu ziehen. Unbekannte Gesichter flogen an ihm vorbei, und Stimmen drifteten an seine Ohren. Aber er marschierte weiter, ohne sich auf ein Gespräch einzulassen oder anzuhalten. Er ignorierte das Treiben um sich herum. Obwohl es ihn nicht unbekümmert ließ. Das Urteil hatte alles verändert. Von nun an würden Homosexuelle wie er mit noch weniger Toleranz als bisher behandelt werden. Die Leute würden nicht mehr wegsehen, wenn sie vermuteten, dass ein Mann eine intime Beziehung mit einem anderen Mann hatte. Von nun an musste er noch vorsichtiger sein oder er würde wie Wilde enden – im Gefängnis.

„Warten Sie!", rief ihm jemand hinterher, aber Thomas eilte weiter, ohne sich umzudrehen.

Nur noch ein paar Schritte, und er würde Fleet Street überqueren und in einer der vielen dunklen Gassen in London verschwinden. Dann könnte er eine Droschke mieten und sich zu seinen Zimmern beim St. James' Park begeben. Und niemand würde wissen, was heute passiert war.

„Junger Mann!" Jemand mit einer seltsam eindringlichen Stimme folgte ihm.

Er fühlte sich gezwungen, sich umzuwenden, konnte aber nicht erkennen, wer gesprochen hatte. Niemand sah ihn direkt an. Seinen Kopf in Verwirrung schüttelnd, drehte er sich zurück und stieß mit jemandem zusammen.

Starke Hände packten seine Schultern. Thomas' Blick wirbelte zu der Person, die ihn gestoppt hatte. Panik stieg in ihm hoch und machte sich in Form eines Keuchens bemerkbar. Als Thomas seinen Kopf ein wenig zurückzog, wurde das glattrasierte Gesicht eines Mannes schärfer und durchdringende braune Augen blickten ihn an.

„Na, na", sagte der gut gekleidete Fremde mit einer überraschend beruhigenden Stimme, einer Stimme, die wie reichhaltiger Wein oder der beruhigende Geruch einer Zigarre in Thomas' Körper sickerte.

Die Spannung in seinem Körper ließ nach, als der Fremde mit seinen Händen über Thomas' Schultern strich, ihn fast streichelte, als versuchte er, die Angst aus seinem Körper heraus zu massieren. Ein angenehmes Kribbeln lief seine Arme hinab und verbreitete trotz des kühlen Frühlingsabends Wärme in seinem Körper.

„Es gibt keinen Grund, den Mob da hinten zu fürchten", fuhr der Mann fort und warf einen Blick über Thomas' Schulter.

Während der ganzen Zeit streichelten seine Hände ihn und Thomas erlaubte es, wo er ihn doch wegstoßen sollte. Sie befanden sich in der Öffentlichkeit, obwohl der Fremde ihn in die Eingangsnische eines geschlossenen Ladens gezogen hatte. Sie standen im Schatten, aber ein aufmerksamer Passant wäre leicht in der Lage gewesen, sie zu sehen. Doch Thomas hatte nicht die Kraft, der Berührung des Mannes zu widerstehen. Ebenso wenig dem Druck seiner Oberschenkel, als er noch näher kam.

„So schön", gurrte der Fremde und seine Augen schweiften über Thomas' Gesicht und Körper. „Es wäre eine Schande, wenn sie dich einsperrten für das, was du bist."

Thomas' Atem stockte. Verspottete ihn dieser Mann? War er ein Polizist, als Gentleman getarnt, um die Schwulen der Gesellschaft aufzuspüren? Hatte die Hexenjagd bereits begonnen?

In dem Versuch, die Hände des Mannes abzuschütteln, straffte Thomas seine Schultern. „Sir, ich muss Sie bitten, mich loszulassen. Sie haben sich getäuscht."

Das Gesicht des Mannes kam näher, seine Augen zogen ihn wie Magnete an. „Nein, bestimmt nicht." Seine Lippen öffneten sich und der Duft reiner Männlichkeit blies gegen Thomas' Gesicht und schwächte seine Beine.

Sein Magen verkrampfte sich und weiter südlich zuckte sein Schwanz in Vorfreude. Der Fremde bestätigte mit einem wissenden Lächeln, dass er sich Thomas' wachsender Erregung voll und ganz bewusst war.

„Ich habe mich bestimmt nicht getäuscht." Eine Hand löste sich von seiner Schulter und glitt ganz langsam Thomas' Oberkörper hinab.

Thomas wusste nur zu gut, was der Fremde vorhatte, aber er konnte ihn nicht aufhalten. Nein, nicht *können*, er wollte nicht. Aus irgendeinem perversen Grund sehnte sich Thomas nach seiner Berührung. Er musste sich selbst bestätigen, was er war: ein Mann, der Männer liebte, und dass es sich gut anfühlte, egal, was der Mob vor dem Gerichtsgebäude dachte.

Als eine heiße Handfläche über seinen nun voll erigierten Schwanz glitt, stöhnte Thomas und drückte dagegen. „Jesus Maria und Joseph!"

Der Mann lachte leise. „So heiße ich zwar nicht, aber das ist ja egal.“ Dann drückte er härter.

Thomas’ Herz raste, seine Brust hob und senkte sich, um dringend benötigte Luft in seinen Körper zu pumpen, und seine Hände umklammerten das Revers des Mantels des Fremden, als er ihn näher zog. Mit jedem Streicheln keuchte er unkontrollierbarer. Und mit jeder Sekunde entglitt ihm seine Beherrschung immer mehr.

„Dabei habe ich noch nicht einmal angefangen.“

Als ob der Fremde seine Worte unterstreichen wollte, knöpfte er Thomas’ Hose auf, schob seine Unterwäsche beiseite, und nahm seinen Schaft in die Hand. Der feste Griff, der Kontakt von Fleisch auf Fleisch ließ ihn fast kommen. Thomas’ Kopf fiel gegen die Wand hinter sich. Er schloss seine Augen und gab sich der verführerischen Berührung hin, wohl wissend, dass er nicht länger gegen seine Begierden ankämpfen konnte.

Zärtliche Worte wanderten zu seinen Ohren, was ihm die Illusion des Schwebens gab. Er hatte noch nie so etwas verspürt, nicht einmal während seiner stärksten Orgasmen. Aber die Art und Weise wie dieser Fremde seinen Schwanz streichelte und ihm süße Worte ins Ohr flüsterte, während er Thomas’ Hals küsste, ließ ihn alle Zurückhaltung vergessen.

Vergessen war die Tatsache, dass jemand im Vorbeigehen sehen konnte, dass sie eine unanständige Handlung vollzogen, eine Handlung, für die sie beide im Gefängnis landen könnten. Vergessen war die Tatsache, dass er nicht einmal den Namen dieses Mannes kannte. Nichts zählte im Moment. Nichts außer des unmittelbaren Vergnügens, das dieser Mann ihm bereitete, ohne etwas im Gegenzug zu verlangen.

„Mehr“, bat Thomas. „Härter!“

Sein Begleiter kam seinem Wunsch ohne Protest nach und streichelte ihn fester, drückte ihn härter und schneller und brachte ihn somit immer näher an den Höhepunkt.

„Ja, ja, so ist es gut.“

Lippen leckten an seiner Halsbeuge, und Zähne kratzten sanft gegen Thomas’ erhitzte Haut. Von irgendwoher drang eine Stimme zu ihm.

„Ja, komm, mein junger Freund. Komm für mich. Gib dich mir hin.“

Hingabe. Ja, das war es, was er wollte. Sich der Berührung dieses Mannes hingeben, dem Vergnügen erliegen, in der Lust des Augenblicks schwelgen. Ohne nachzudenken, ohne Reue. Einfach nur spüren.

Seine Hoden zogen sich zusammen und sein Schwanz zuckte. Dann spürte er den Ansturm seines Samens, wie dieser durch seinen Schwanz strömte und wie aus einer Pistole geschossen hervorbrach. Wellen der Lust überkamen ihn und hoben ihn hoch, als ob er schwebte. Gleichzeitig schoss ein stechender Schmerz durch seinen Hals. Er war flüchtig, zu flüchtig, um echt zu sein. Er halluzinierte vermutlich, denn das Vergnügen, das ihm dieser Fremde beschert hatte, machte ihn betrunken, betrunken von Lust, Begierde und Sex. Betrunken von der Empfindung, die die Lippen dieses Mannes auf seinem Hals auslösten, als er ihn auf eine Weise küsste, die sich surreal anfühlte.

Als ob der Kuss ein Biss wäre.

3

Thomas öffnete die Augen und sah sich um. Erschrocken setzte er sich auf einem Diwan auf. Er war nicht mehr in der Gasse. Stattdessen befand er sich in einem luxuriös eingerichteten Salon. Und er war nicht allein. Ganz und gar nicht.

Er versuchte, das was er sah, aufzunehmen, aber sein Verstand brauchte ein paar Sekunden, um die Szene vor seinen Augen zu verarbeiten. Es waren etwa ein Dutzend Personen in dem Raum – nur teilweise bekleidete Menschen, die meisten waren Männer, aber es gab auch mehrere Frauen unter ihnen. Wäre er prüde, würde er die gesamte Szenerie skandalös finden, aber so ein Gefühl stellte sich nicht ein. Stattdessen schaute er sich interessiert um. Ein Mann hatte seine Hose bis zu den Knien hinuntergeschoben und seinen nackten Arsch entblößt, während er die Hüften eines anderen Mannes ergriff und vor und zurück stieß. Thomas musste sich nicht nähern um zu erkennen, dass er den anderen Mann fickte.

Niemand schien Notiz von den beiden zu nehmen, deutlich zu sehr mit ähnlichen sexuellen Akten beschäftigt. Thomas' Blick fiel auf einen jungen Mann, der auf ein paar Kissen auf dem Boden vor dem Kamin lag. Sein Hemd war offen und ein älterer Mann küsste seine Brust und zwickte seine Brustwarzen, während er seine Lenden an den jüngeren Mann rieb. Thomas beobachtete die beiden weiter und spürte, wie sich sein eigener Schwanz bei dem erotischen Anblick regte. Er wurde noch härter, als der junge Mann seine Hose öffnete und sie nach unten über seine Hüften schob und damit seinen harten Schwanz hervorragen ließ. Der andere Mann über ihm stöhnte, beugte sich über den Schwanz des jungen Mannes und saugte ihn in seinen Mund.

Unwillkürlich legte Thomas seine Hand auf die Beule, die sich unter seiner Hose gebildet hatte.

„Aha, du bist wach."

Beim Klang der Stimme wirbelte Thomas herum. Es dauerte nur einen Sekundenbruchteil den Mann zu erkennen, der ihn offensichtlich hierher gebracht hatte: der Fremde, der seinen Schwanz mit solchem Geschick gestreichelt hatte, dass Thomas bei seinem Höhepunkt ohnmächtig geworden sein musste.

Mit weit aufgerissenen Augen starrte Thomas ihn an. Er saß in einem großen Sessel, sein Hemd war offen, seine starke, dunkel behaarte Brust entblößt, und seine Hose fehlte. Zwischen seinen Beinen kniete eine halb nackte Frau, deren Kopf sich über seinem Schoß auf und ab bewegte, seinen Schwanz bearbeitend.

Der Fremde fasste mit seiner Hand die Rückseite ihres Kopfes und zog sie an den Haaren hoch, dann erteilt er ihr mit zusammengebissenen Zähnen seinen Befehl. „Tu wenigstens so, als mache es dir Spaß!" Dann schweifte sein Blick zurück zu Thomas und er winkte ihn heran.

Fasziniert erhob sich Thomas und ging auf ihn zu.

„Ich heiße Kasper", stellte sich der Mann vor.

„Thomas." Er starrte auf die Frau. Warum hatte er angenommen, dass Kasper genauso wie er schwul war? Offensichtlich mochte er Frauen.

Vielleicht hatte sein Gesichtsausdruck ihn verraten, denn Kasper schmunzelte. „Oh, das?" Er deutete auf die Frau, die ihn hart bearbeitete. „Weder diskriminiere ich, noch verurteile ich andere. Was immer mir Vergnügen bereitet." Er machte eine Pause und ließ seinen Blick auf Thomas' Lenden fallen. „Du hast mir vorher Vergnügen bereitet, mein junger Freund. Ich darf dich doch Freund nennen, oder nicht?"

Thomas nickte automatisch.

„Und es macht mir Vergnügen, anderen zuzusehen." Er deutete mit der Hand auf die anderen Paare, die sich inmitten ähnlicher Akte befanden. Männer vergnügten sich mit Männern, sogar zwei Frauen berührten einander intim und rieben ihre nackten Körper aneinander.

„Wer bist du?“, fragte Thomas. „Und wo sind wir?“ Er war noch nie an einem Ort wie diesem gewesen, wo Leute ohne Hemmungen handelten, ohne Angst, entdeckt zu werden. Es schien wie eine Oase. Wie im Paradies.

„In Sicherheit“, sagte Kasper. „Niemand wird uns hier finden. Wir können tun, was wir wollen. Unseren wildesten Fantasien nachgehen. Willst du das nicht auch? Wovon du schon immer geträumt hast?“

Kaspers durchdringender Blick ließ ihn erstarren. Thomas fühlte sich von seinen Augen gefangen, als wären diese Fesseln, die ihn an einen Zaun ketteten, von dem aus er gezwungen war, das Treiben um sich herum zu verfolgen.

Argwohn durchdrang ihn. „Woher solltest du das wissen?“

„Ich kann es in deinen Augen sehen. Jeder, der sich die Mühe macht, genau hinzusehen, kann es erkennen. Ich beobachte dich schon seit ein paar Tagen. Du hast etwas an dir, das mich fasziniert. So viel Leidenschaft, so viel Schmerz, der in dir begraben ist, und der an die Oberfläche platzen will. So wie es heute Abend schon einmal passiert ist.“

Kasper stöhnte auf und schob seinen Schwanz tiefer in den Mund der Frau. „Als ich dich in meiner Hand hatte, konnte ich spüren, was du brauchst. Du bist so rein, so unverdorben.“ Er ließ seinen Blick durch den Raum schweifen. „Nicht wie die Männer hier. Die haben ihre Unschuld längst verloren. Aber du hast sie noch. Und das ist sehr aufreizend.“ Er schob seine Hüften nach oben und stieß härter in den Mund der Frau. „Und mehr als nur ein wenig erregend. Welcher Mann würde nicht davon kosten wollen?“

Sein suggestiver Blick schickte einen Bolzen Lust durch Thomas’ Körper. Sein anfänglicher Verdacht verblasste. Er musste zugeben, dass er sich geschmeichelt fühlte. Ebenso wie die Situation ihn erregte, nicht nur wegen seiner Umgebung, sondern auch wegen Kaspers Worten. Von einem Mann mit offensichtlicher Macht und Ansehen begehrt zu werden, war aufregend. Er leckte sich die Lippen, begierig auf einen Geschmack von dem, was dieser Mann ihm anbot.

„Ich kann dir sehr viel geben, wenn du es nur willst“, bot Kasper an und senkte seinen Blick zu Thomas’ Schritt. „Ich kann dir gleich jetzt was davon geben.“ Es gab keinen Zweifel daran, was er damit meinte.

Und zum Teufel, wenn Thomas nicht genau das wollte. Ohne zu zögern legte er seine Hand auf die Schulter der Frau und zog sie zurück. „Mach eine Pause. Ich kümmere mich um ihn.“

Kasper lächelte ihn an, als die Frau aufstand und wegging und Thomas ihren Platz einnahm.

„Ich werde dich nicht wie eine Frau lutschen. Was ich mit dir mache, wird viel besser sein“, versprach Thomas und ließ seine Hände von Kaspers Knien bis zum Ansatz seiner Oberschenkel wandern, wo sein herrlicher Schwanz aufrecht stand und vor Feuchtigkeit glitzerte. Das harte Fleisch zuckte, als wollte es die Worte bestätigen.

„Oh, daran zweifle ich nicht.“

Thomas beugte sich über Kaspers Leistengegend und leckte über die Spitze seiner Erektion. Ein Schaudern raste durch seinen Begleiter, und er lächelte in sich hinein. Er würde diesen Mann zu Butter in seinen Händen dahinschmelzen lassen. Ein Gefühl der Macht erschütterte ihn. Es war neu für ihn, doch er mochte das Gefühl zu wissen, dass er diesen Mann in die Knie zwingen konnte. Es war eine Herausforderung, der er sich nicht entziehen würde.

„Aber während ich das tue, wirst du etwas für mich tun. Du wirst mir etwas über dich erzählen. Und mit jedem Stückchen Information, das du mir gibst, werde ich dich härter lutschen.“ Thomas legte seine Lippen um Kaspers Schwanzspitze und glitt bis zur Wurzel an ihm herab.

Kasper erbebte unter ihm, bevor Thomas wieder hochkam. „Fang an“, forderte er und ergriff seine Eier. Er strich mit dem Fingernagel gegen den engen Sack und spürte den Nervenkitzel durch ihn rasen, als Kasper erschauderte und ein Tropfen Feuchtigkeit aus der Spitze seines Schwanzes sickerte.

Kasper keuchte schwer. „Ich bin ein Anführer einer Gruppe von Männern, die gewisse ... Neigungen haben.“

Thomas senkte seinen Mund wieder auf das erigierte Fleisch und schloss seine Lippen um ihn herum, um ihn tief in seinen Mund zu saugen.

Kasper stöhnte und stieß seine Hüften nach oben. „Wir haben unsere Verstecke, sichere Orte, an denen wir uns treffen. Wo wir unseren Fantasien nachgehen.“

Thomas legte seine Hand um die Wurzel von Kaspers Schwanz und saugte weiter. Er ließ Kaspers Erektion aus seinem Mund schlüpfen, aber nur um sie einen Sekundenbruchteil später wieder zurückzunehmen, während er sein Tempo beschleunigte. Er drückte seine Hand um ihn herum, während seine andere Hand sanft mit seinen Eiern spielte. Er hatte noch keinen Mann getroffen, der seiner intimen Berührung widerstehen konnte, einer Berührung von der er wusste, dass sie verlockender war als die einer Frau. Denn er wusste besser als jede Frau, was ein Mann wollte.

„Niemand kann uns etwas anhaben. Wir sind stark. Keiner wird uns je erwischen." Kasper keuchte schwer, seine Hüften arbeiten fieberhaft, um die Reibung zu erhöhen, und er pumpte härter und schneller in Thomas' Mund hinein und heraus. „Oh, fuck, du bist gut!"

Thomas' Brust blähte sich vor Stolz auf. Das war genau, wofür er lebte: Vergnügen zu verspüren und zu geben.

„Und eines Tages werden wir uns nicht mehr verstecken müssen. Eines Tages werden sie uns akzeptieren."

Thomas hörte die Worte und wollte ihnen Glauben schenken, aber das fiel ihm schwer. Niemand würde jemals Abartige wie ihn akzeptieren. Er würde sich immer verstecken müssen. Doch mit dieser Art von Versteck, wo die Sünde immer auf der Speisekarte stand und Lust und Vergnügen zu erwarten waren, konnte er zumindest leben.

Er gab sich seiner Aufgabe hin, leckte und saugte, bis Kasper schließlich kapitulierte und erschauderte. Es dauerte lange Sekunden, bevor sein Körper vollständig ruhig wurde und er den Kopf gegen den Sessel fallen ließ.

Thomas hob den Kopf und sah ihn an. Was er sah, ließ ihn rückwärts auf seinen Hintern fallen. Entsetzt versuchte er, zu entfliehen. Aber er bekam keine Chance. Er landete flach auf dem Boden, während Kasper mit gespreizten Beinen auf ihn sprang. Steinharte Hände umklammerten seine Handgelenke und drückten seine Arme auf den Boden neben seinem Kopf.

Strahlend weiße Zähne blitzten aus Kaspers Mund hervor, als er wie ein Tier knurrte. „Nun, mein Liebster, wirst du mir zuhören. Dein kleiner Versuch, mich zu kontrollieren war ja schön und gut, aber mach keinen Fehler: Ich habe dir erlaubt, mein Vergnügen zu steuern. Denn manchmal werden wir alle gern dominiert. Manchmal genießen wir es, wenn uns jemand kontrolliert und seine Spielchen mit uns treibt. Aber ich entscheide, wann und wo und wie dies geschieht. Verstehst du das?"

Thomas nickte benommen, unfähig zu sprechen, denn alle Luft war aus seiner Lunge gewichen. Was war Kasper? Welche Art von Kreatur war dieser Mann? Nein, er war kein Mensch. Er konnte kein Mensch sein. Er war ein Tier.

„Du interessierst mich." Er drängte seinen noch halb erigierten Schwanz gegen Thomas' Leistengegend. „Und du bist heiß. Aber ich lasse mich nicht von meinen niederen Instinkten steuern. Ich bin der Meister. Ich entscheide, was passiert, wann es passiert und wie es passiert. Und ich habe beschlossen, dich zu meinem ständigen Begleiter zu machen." Er ließ ein Lächeln um seine Lippen spielen. „Und nicht nur, weil du so meisterhaft bläst."

Thomas schauderte unwillkürlich. Trotz der Angst, die er beim Anblick von Kaspers scharfen Zähnen empfand, erregte ihn der Gedanke, dass dieser mächtige Mann ihn begehrte. Er war reif genug, um es sich selbst einzugestehen: Es erregte ihn, von einem anderen Mann kontrolliert zu werden. Es machte ihn an und machte ihn hart.

Kasper rieb sich weiter gegen ihn und Thomas fühlte seinen Schwanz als Folge davon anschwellen. Er schloss die Augen und schluckte die Scham hinunter. Denn er sollte sich schämen für sein Verlangen: von diesem Mann dominiert zu werden.

„Du weißt es, nicht wahr? Wie viel Vergnügen vom Schmerz kommen kann oder von der Scham oder der Angst. Deshalb bist du so perfekt. Perfekt für das, was ich brauche." Kasper ließ eins von Thomas' Handgelenken frei und streichelte seine Knöchel an Thomas' Hals entlang. Damit sandte er Schauer durch Thomas' Körper.

Die Ader an Thomas' Hals begann zu pochen.

„Oh, ja, du weißt ganz genau, was ich bin, nicht wahr?"

Thomas schüttelte den Kopf und versuchte zu leugnen, was sein Verstand ihm bereits mitgeteilt hatte. Es war nicht möglich. Kreaturen wie ihn gab es nicht. Nicht im wirklichen Leben, nicht in London, nirgendwo in England.

„Sag es, mein Liebhaber, sag mir, was ich bin." Ein langer Finger glitt an Thomas' pulsierender Ader entlang.

„Ein Vampir."

Als das Wort heraus war, atmete Thomas schwer aus und spürte, wie der Druck auf seiner Brust abnahm. Kasper setzte sich auf und zog ihn in eine sitzende Position, seine Hand auf Thomas' Nacken.

„Siehst du? Das war doch nicht so hart, oder?" Er drückte einen kurzen Kuss auf Thomas' Lippen. Dann legte er seine Hand über Thomas' Erektion. „Auch wenn andere Dinge wieder hart geworden sind."

Erschrocken versuchte Thomas, sich ihm zu entziehen, doch kam er nicht weit, da Kaspers Hand auf seinem Nacken ihn zurückhielt. „Du gehst nirgendwo hin, verstehst du das nicht? Alles, was du jemals brauchen wirst, ist hier. Mit mir. Ich kann dich beschützen." Er deutete auf eines der Fenster, das mit schweren Samtvorhängen verhangen war. „Dort draußen ist ein Mann wie du immer in Gefahr. Aber ich kann dir helfen. Und gemeinsam werden wir auf die Zeit warten, in der Männer wie wir nicht mehr verfolgt werden. Wir haben die Zeit auf unserer Seite."

Instinktiv wusste Thomas, was Kasper ihm vorschlug.

„Ich kann dir ewiges Leben geben. Willst du nicht in einer Zeit leben, wo Schwule akzeptiert werden? Wo niemand sich darum schert, wen wir ficken? Wo ein Mann einen anderen Mann in der Öffentlichkeit küssen kann, ohne im Gefängnis zu landen?"

Endlich fand Thomas seine Stimme wieder. „Du weißt doch nicht, dass so eine Zeit wirklich jemals kommen wird! Sie werden uns immer mit Abscheu betrachten!"

Kasper schüttelte lächelnd den Kopf. „Wie unrecht du doch hast, mein Freund. Mein süßer Thomas. Wenn du nur glauben würdest, dass die Zukunft wundervoll aussehen wird."

„Wie sollte ich daran glauben, wenn ich nur Elend sehe? Wenn ich vor allen verbergen muss, was ich bin? Wenn sogar meine Schwestern vor mir zurückschrecken würden, wenn sie es herausfänden?"

Kasper streichelte Thomas' Hals. Die Berührung beruhigte ihn mehr, als er zugeben wollte. Vielleicht konnte sein Liebhaber ihm wirklich helfen. Wenn auch nur, um seine Sorgen zu vergessen.

„Alles, worum ich bitte, ist ein wenig Vertrauen. Und Geduld. Unsere Zeit wird kommen. Gemeinsam werden wir emporsteigen. Und in der Zwischenzeit werden wir einander jeden letzten Tropfen der Lust aussaugen."

„Warum ich?" Thomas suchte in den Augen seines Liebhabers nach einer Antwort.

„Weil du Potenzial hast. Du wirst stark sein. So stark wie ich. Und mächtig. Gemeinsam können wir herrschen. Aber du musst so werden wie ich."

Thomas starrte in Kaspers Augen und spürte, wie ihn die Dunkelheit darin wie hypnotisiert anzog. „Du meinst, ein Vampir werden?"

„Ja, ich werde dir dein Blut aussaugen, und dir dann meines geben. Du wirst ein Teil von mir sein. Stark, mächtig, unbesiegbar. Du musst nur ja sagen."

Unfähig, seinen Blick von Kaspers Augen loszureißen, kam Thomas näher und brachte seine Lippen nur ein paar Zentimeter über die seines Liebhabers. „Glaubst du wirklich, es wird eine Zeit kommen, in der wir unseren Gefühlen freien Lauf lassen können, ohne Angst vor Bestrafung zu haben?“

„Ja. Bald wird diese Zeit kommen.“

„Ja.“ Mit einem Atemzug senkte er seine Lippen auf Kaspers und küsste ihn. Er schlang seine Arme um ihn und ließ sich mit Kasper auf sich zurück auf den Boden fallen. „Tu es, während du mich liebst, damit ich es nicht kommen sehe.“

„Was immer du auch willst, mein süßer Geliebter.“

4

H*eute*

Thomas parkte sein Motorrad vor Als Motorradersatzteile-Laden und stellte den Motor ab. Der einzige Vorteil nächtlichen Einkaufens war, dass er fast immer einen Parkplatz in der Nähe fand. Die Nachbarschaft südlich der Market Street war um diese Zeit immer wie ausgestorben. Nur Clubgänger waren noch unterwegs, von denen jedoch die meisten nicht mit dem Auto kamen, sondern sich ein Taxi zu den Clubs in der Gegend nahmen oder zu Fuß gingen.

Al hatte immer bis spät nachts offen. Tatsächlich machte er das Geschäft erst bei Sonnenuntergang auf, obwohl er auch tagsüber die Möglichkeit dazu gehabt hätte. Immerhin war der Laden fensterlos und er wäre dort auch während des Tages vor der Sonne sicher. Aber wie viele Vampire hielt Al sich an die Stunden seiner eigenen Spezies und mied das Tageslicht.

Thomas kaufte schon seit vielen Jahren bei Al ein, jedes Mal, wenn er auf der Suche nach einem seltenen Teil für eines seiner Motorräder war. Erst vor kurzem hatte er die Restauration einer BMW aus dem Zweiten Weltkrieg abgeschlossen und Al war eine große Hilfe gewesen, ihm einige der benötigten Teile zu beschaffen. Es gab keinen vergleichbaren Laden, wenn es darum ging, authentische Teile für seine antiken Motorräder zu bekommen. Woher der Mann die originalen Teile bezog, wusste Thomas nicht, und Al gab seine

Quellen nicht preis. Es spielte keine Rolle. Thomas war bereit, eine Prämie dafür zu zahlen, weiterhin seinem Hobby nachzugehen.

Thomas stieß die Tür zu dem großen Gebäude auf und trat, begleitet vom Klang der Türglocke, ein. Das Innere des Ladens war gut beleuchtet, die endlosen Regale gut sortiert und die Gerüche vertraut: Öl, Lösungsmittel und Lacke. Er blickte zur Theke und erwartete die übliche Begrüßung von Al, traf jedoch stattdessen auf eine Mauer des Schweigens.

Der Mann hinter dem mit verblichenem Linoleum belegten Kassentresen war nicht Al und auch nicht einer von Als Angestellten. Er war ein Vampir, doch Thomas war ihm noch nie zuvor begegnet. Hatte Al jemanden neuen eingestellt? Das wäre sehr untypisch für ihn. Al hasste Veränderungen und hatte schon seit Jahren keinen neuen Mitarbeiter mehr eingestellt. Die meiste Zeit arbeitete er allein.

Der Vampir nickte ihm zu. „Kann ich Ihnen helfen?", fragte er barsch.

Thomas verringerte den Abstand zwischen sich und der Theke und ließ sich seine Verwunderung nicht anmerken. „Ja. Ist Al da?"

Der Vampir schüttelte den Kopf. „Nein!"

„Ist er bald wieder da?"

„Nein!"

Bei der zweiten einsilbigen Antwort knirschte Thomas mit den Zähnen und zwang sich, seinen Unterkiefer zu entspannen, damit er nicht feindselig klang. „Wann dann?"

„Er kommt nicht wieder."

„Warum nicht?"

„Hat den Laden verkauft."

Die Nachricht überraschte ihn. Al hatte nie erwähnt, dass er die Absicht hatte, das Geschäft zu verkaufen. Zu verkaufen bedeutete eine Veränderung, und außer einen Pflock durchs Herz zu bekommen und die aufgehende Sonne auf den Fersen zu haben, hasste Al nichts mehr als Veränderung.

Thomas musterte den anderen Vampir jetzt genauer. Er hatte nichts Außergewöhnliches an sich. Er sah weder sehr mächtig noch sehr klug aus. Tatsächlich ließen ihn sein Sprachmuster und seine Körperhaltung eher wie einen Hinterwäldler aussehen. Wie ein Vampir aus einer Wohnanhängersiedlung, wenn ihn jemand fragte. Der Typ von Mann, aus dem nie etwas werden würde.

„Wann hat er den Laden verkauft?"

Der Typ zuckte mit den Schultern. „Letzte Woche."

„An wen?"

Der Vampir prustete sich auf. „An mich."

Thomas hielt seine Zunge im Zaum, sodass die nächsten Worte nicht über seine Lippen kamen. Niemals im Leben hätte Al dem Kerl hinter der Theke seinen Laden verkauft. Irgendetwas war hier faul. Aber Thomas war klug genug um zu wissen, dass eine weitere Befragung nur Feindseligkeit in dem Kerl hervorrufen würde. Wenn er erst mit ihm ins Geschäft gekommen war, konnte er vielleicht mehr herausfinden.

„Naja, in diesem Fall wende ich mich besser an Sie." Thomas zog ein Stück Papier aus seiner Lederjacke und entfaltete es. Er breitete die Kopie einer alten Zeitschrift vor dem Mann aus und zeigte mit dem Finger auf eine Stelle der Zeichnung. „Ich brauche dieses Teil hier für den vorderen Hauptbremszylinder. Es ist ein 1956er Modell. In Deutschland hergestellt."

Der Vampir blickte nur kurz auf den Zettel. Dann winkte er in Richtung der Regale. „Wenn wir es haben, ist es auf einem der Regale. Sie finden es genauso schnell wie ich." Sein gelangweilter Blick sprach Bände.

Thomas schüttelte den Kopf. „Es wird auf keinem der Regale sein. Es ist ein 1956er Modell. Niemand hat das auf Lager."

„Dann haben wir es nicht."

Thomas stieß einen genervten Atemzug aus. „Das wusste ich schon. Deshalb bin ich ja hier. Damit Sie eins für mich finden können."

„Und wie soll ich das tun? Es mir aus den Fingernägeln saugen?"

„Das nennt sich Sonderauftrag. Sie müssen doch Kontakte zu Lieferanten haben, die Spezialaufträge ausführen."

Der neue Eigentümer von Als Motorradersatzteilen verschränkte die Arme vor der Brust. „Wir machen keine speziellen Aufträge. Wenn Sie's hier nicht finden, dann müssen Sie eben wo anders hingehen."

Thomas kniff die Augen zusammen und beugte sich über die Theke. „Das ist Ihr verdammter Job!"

Der andere Vampir rückte näher. „Ich bestimme, was mein Job ist. Und es ist ganz sicher nicht, Handlanger für Leute wie Sie zu spielen! Ich bin kein Lakai! Haben Sie das kapiert?" Er ließ seine Fänge aufblitzen.

Thomas kniff die Zähne zusammen und nahm sein Blatt Papier und faltete es langsam und bedächtig, während er seinen Zorn unterdrückte. Es wäre so einfach, den Kerl mit einem pulsierenden Blitz von

Gedankenkontrolle umzubringen, so einfach und doch so befriedigend. In seinem Inneren bekämpften sich seine zwei Seiten und rangen um Vorherrschaft. Beide Seiten waren fast gleich stark. Seine Brust hob sich von der Anstrengung, die es ihn kostete, nichts von seinem inneren Kampf nach außen zeigen zu lassen. Er konnte sich nicht so entblößen.

„Ich entschuldige mich", presste er stattdessen heraus. „Ich glaube, ich muss mich anderswo umsehen."

Dann machte er auf den Fersen kehrt und rannte so schnell aus dem Laden, als wäre eine Horde Fanatiker mit Pflöcken in ihren Händen hinter ihm her. Er schwang sich auf sein Motorrad, schoss mit aufheulendem Motor auf die Straße und donnerte wie eine Gewehrkugel die Einbahnstraße hinunter.

Er musste sich der Versuchung entziehen, dem Kerl eine Lektion in Manieren beizubringen – ganz zu schweigen von einer Lehrstunde über Geschäftsbetrieb. Es passierte in letzter Zeit immer häufiger: Die kleinsten Dinge machten ihn wütend und brachten die dunkle Macht in ihm zum Kochen, dass diese überquoll und an die Oberfläche brechen wollte. Seit er Kasper, seinen Schöpfer, getötet hatte – oder Keegan, wie er sich später genannt hatte – verspürte er das Gefühl der Machtgier immer öfter. Und jedes Mal wurde der Kampf, das Böse zu unterdrücken, gewaltiger.

5

In der V-Lounge in Scanguards' Hauptquartier herrschte reges Treiben, als Thomas dort ankam. Jeder machte sich bereit, Haven, Yvettes Gefährten, bei Scanguards willkommen zu heißen. Nach mehreren Monaten, während denen er sich von seinem alten Leben als Vampirjäger verabschiedet hatte, war er endlich zu einer Entscheidung gekommen und hatte die Position, die Samson ihm angeboten hatte, angenommen. Heute war offiziell sein erster Tag, und die Jungs hatten beschlossen, ihm eine kleine Party in der Lounge zu schmeißen.

Thomas sah sich um. Der große Raum wirkte wie die Lounge eines Fünf-Sterne-Hotels mit bequemen Sitzgelegenheiten, einem Kamin und einer Bar inklusive Barkeeper. Nur war die Rückwand der Bar nicht mit Alkoholflaschen gesäumt und auch nicht mit einem Spiegel verziert. Die Getränke, die aus den Edelstahl-Hähnen flossen, waren nicht alkoholisch; die Fässer unter der Theke enthielten verschiedene Arten von Blut, das die heiße Barkeeperin in Kristallgläsern servierte.

Obwohl Thomas schwul war, erkannte er sehr wohl, dass die Frau hinter der Bar das war, was ein Hetero *Sex am Stecken* nennen würde. Außerdem bemerkte er, wie die anderen Vampire sie ansahen: als wollten sie an ihr anstatt aus den Gläsern, die sie ihnen reichte, ihren Durst stillen. Wie geile Hunde umlagerten sie die Bar und versuchten sie aufzureißen. Sie sabberten fast dabei. Sah Thomas genauso aus, wenn er Eddie ansah? Er hoffte, das war nicht der Fall. Erbärmlich genug, dass er in einen Hetero verliebt war.

Die Eisprinzessin, wie einige der Jungs sie hinter ihrem Rücken zu nennen pflegten, blieb trotz der suggestiven Kommentare und den offensichtlichen Anmachversuchen nach außen kühl und höflich, ohne zu zeigen, was in ihr vorging. Mit einem Seufzer näherte Thomas sich und lächelte sie an.

„Roxanne", rief er, um ihre Aufmerksamkeit auf sich zu lenken.

Sie drehte sich zu ihm und schenkte ihm ein echtes Lächeln, bei dem sich ihr Körper sichtlich entspannte. „Thomas, was darf's für dich sein, Schatz?"

Ihr britischer Akzent war noch ausgeprägt, und ließ ihn sofort an zu Hause denken und an seine zwei Schwestern, die er hatte zurücklassen müssen. Wehmut durchströmte ihn. Aber er konnte die Zeit nicht zurückdrehen. Es hatte keinen Sinn, jetzt daran zu denken.

„AB positiv, bitte."

Roxanne nahm ein Glas unter dem Tresen hervor und betätigte einen der Hähne. „Dessert vor dem Abendessen?"

Er grinste. AB positiv galt als eine der süßesten Blutgruppen. Er zwinkerte ihr zu. „Wenn du's nicht weitersagst, mach ich es auch nicht."

Als sie ein warmes Lachen von sich gab, hörte Thomas das neidische Flüstern der anderen Vampire neben sich.

„Was hat er, das wir nicht haben?", murrte einer von ihnen.

Roxannes Kopf schoss in Richtung des Mannes, der gesprochen hatte. Sie nagelte ihn mit einem Blick fest. „Klasse. Das hat er. Also verschwindet." Sie scheuchte sie weg, und zu Thomas' Überraschung befolgten die Männer ihre Anweisung.

„Du musst nicht meine Schlachten für mich kämpfen, Roxanne."

Sie lächelte ihn sanft an. „Du kämpfst doch ständig meine. Ich revanchiere mich nur, mein Lieber."

Thomas deutete mit dem Daumen in Richtung der Vampire, die sich jetzt in der Nähe des Kamins versammelt hatten. „Wenn du sie so anlächeln würdest, wie du mich anlächelst, würden deine Trinkgelder auch besser sein."

„Ich lächle nur, wenn mir danach ist." Sie stellte das Glas Blut vor ihn. „Aufs Haus."

Eine schwere Hand landete auf Thomas' Schulter und ließ ihn herumfahren.

„Versucht Roxanne, dich wieder mal mit Blut zu verführen?", fragte

Samson grinsend.

Thomas lachte. „Wenn es nur funktionieren würde!“, scherzte er, wohl wissend, dass, wenn er hetero wäre, Roxanne es bei ihm versuchen würde. Dennoch respektierte sie, was er war, und obwohl sie sich zu ihm hingezogen fühlte, behandelte sie ihn wie einen Bruder. Das mochte er an ihr.

Er tauschte einen langen Blick mit ihr aus.

„Zumindest will Thomas nicht nur das Eine. Was ich von den Kerlen dort drüben nicht behaupten kann.“ Sie deutete mit ihrem Kopf zum Kamin.

Samson nahm seinen Arm von Thomas’ Schultern und beugte sich über die Theke. „Wenn sie dich belästigen, dann musst du mir das sagen. Ich kann ein Hühnchen mit ihnen rupfen.“

Sie machte eine abweisende Handbewegung. „Und es noch schlimmer machen, weil ich sie verpetzt habe? Ich werde schon fertig mit denen.“

„Wie du willst.“

„Ich würde dir ja einen Drink anbieten, aber da du blutgebunden bist, habe ich wohl nichts, das ich dir geben kann.“

Samson schüttelte lächelnd den Kopf. „Gar nichts.“ Dann zwinkerte er ihr zu. „Auch wenn ich nicht blind bin und verstehen kann, warum die Jungs es immer wieder bei dir versuchen.“ Dann wandte er sich an Thomas. „Wir sind fast soweit. Haven und Yvette dürften jeden Moment kommen.“

Zusammen entfernten sie sich von der Bar.

„Ist Eddie mit dir gekommen?“, fragte Samson.

„Nein, ich musste bei Als Laden vorbeischauen, also bin ich schon früher losgefahren.“ Er ließ seinen Blick durch den Raum schweifen, konnte jedoch Eddie nirgends entdecken.

„Ich bin sicher, dass er rechtzeitig auftaucht. Wie geht’s Al?“

Thomas rieb sich den Nacken und spürte Unbehagen seinen Rücken hochkriechen. „Bin mir nicht sicher.“

„Aber ich dachte, du sagtest –“

Er unterbrach seinen Chef. „Er ist nicht mehr da. Jemand hat ihm den Laden abgekauft.“

Samsons Augenbrauen zogen sich zusammen. „Davon hatte ich noch nichts gehört. Wann ist denn das passiert?“

„Anscheinend letzte Woche.“

„Das habe ich auch gehört. Aber das ist noch nicht alles.“ Thomas drehte seinen Kopf zu der Stimme hinter sich und erblickte Zane.

„Was hast du gehört?“, fragte Thomas.

Zane schob eine Hand in die Hosentasche. „Dass er furchtbar schnell verkauft hat. Jemand sah ein paar Typen in Anzügen in sein Büro marschieren, und eine halbe Stunde später hat Al angefangen zu packen. Sieht nicht koscher aus, wenn du mich fragst.“

Thomas konnte dem nur zustimmen. „Der Typ, der behauptete, den Laden gekauft zu haben, kommt mir nicht arg schlau vor. Meinem Gefühl nach ist er nur eine Marionette. Er kennt sich mit dem Geschäft überhaupt nicht aus und ich kann nicht umhin zu denken, dass er nur ein Strohmann für jemanden ist. Vielleicht sollten wir der Sache nachgehen.“ Er sah Samson an.

Zane unterbrach ihn. „Schon eingeleitet. Ich habe mich umgehört und herausgefunden, dass Al den Laden spottbillig abgegeben hat.“

Samson grunzte missbilligend. „Das gefällt mir gar nicht. Glaubst du, er wurde dazu gezwungen?“

„Sieht so aus“, bestätigte Zane. „Und er hat auf jeden Fall die Stadt verlassen. Ich habe mich in seiner Wohnung umgesehen. Scheinbar war er sehr in Eile. Er hat nur einige persönliche Gegenstände mitgenommen. Seine Möbel sind immer noch da.“

Thomas kratzte sich am Kopf. Was er hörte, gefiel ihm überhaupt nicht. „Al ist nicht der Typ, der übereilte Entscheidungen trifft. Außerdem hasst er jegliche Veränderung, also würde er nicht einfach von einem Tag auf den anderen umziehen. Das passt nicht zu ihm.“

Zane wippte auf den Fersen zurück. „Sieht aus, als hätte er vor etwas Schiss gehabt.“

„Aber wovor?“, fragte Thomas.

„Zane, warum schnappst du dir nicht ein paar Jungs und findest heraus, was da vor sich geht“, schlug Samson vor. „Lass uns wissen, was du findest.“

„Sicher, mach ich.“ Dann deutete er auf die Tür. „Anscheinend ist unser Ehrengast gerade angekommen.“

Thomas blickte zur Tür der Lounge und sah Haven mit Yvette an seiner Seite hereintreten. Der ehemalige Hexer – und jetzige Vampir – war ein großer Mann, breitschultrig und stark. Selbst als Mensch war er in der Lage gewesen, sich gegen seine Angreifer durchzusetzen, aber jetzt als Vampir war er einer der stärksten unter ihnen. Yvette war sowohl seine Gefährtin als auch seine Erschafferin, eine Kombination, die ihre Bindung noch stärker machte, wenn das überhaupt möglich war. Während sie früher ihr Haar stets kurz getragen hatte, hatte sie nach der Begegnung mit Haven aufgehört, es zu schneiden und trug es jetzt wieder in derselben Länge wie zu dem Zeitpunkt ihrer eigenen Verwandlung. Sie sah viel weiblicher aus und die Härte, die sie immer ausgestrahlt hatte, war verschwunden. Haven tat ihr gut.

Haven hatte Bedenken gehabt, Scanguards beizutreten, nachdem er den Großteil seines Lebens Vampirjäger gewesen war. Glücklicherweise hatte seine Liebe zu Yvette ihm zur Erkenntnis verholfen, dass seine schlechte Meinung über Vampire, die von einer Tragödie in seiner Vergangenheit beeinflusst worden war, zu engstirnig war. Jetzt, wo er ihre besondere Gruppe von Vampiren kennengelernt hatte, hatte er endlich akzeptiert, dass auch Vampire gut sein konnten.

Thomas hatte vor, Haven und Yvette zu begrüßen und Samson und Zane folgten ihm. Noch ehe sie die beiden erreichten, öffnete sich die Tür erneut und Eddie trat herein. Sofort begann Thomas' Herz schneller zu schlagen, und seine Reißzähne juckten und wollten sich ausfahren.

Eddie sah so frisch und unschuldig wie immer aus. Er trug einen Kapuzenpulli über seiner Jeans und zog ihn sofort über den Kopf, um sich davon zu befreien, da es in der Lounge übermäßig warm war. Dabei rutschte sein T-Shirt, das er darunter trug, hoch und gab den Blick auf seinen muskulösen Bauch und seine haarlose Brust frei.

Natürlich hatte Thomas Eddies nackten Oberkörper schon gesehen, aber egal, wie oft er einen Blick auf dessen perfekten Körper erhaschte, verursachte dies immer die gleiche viszerale Reaktion in ihm: Sein Mund wurde trocken, seine Handflächen feucht und sein Herz pochte bis zum Hals. Mit aller Kraft musste er dagegen ankämpfen, Eddie zu Boden zu werfen, ihn nackt auszuziehen und seinen schmerzenden Schwanz in ihm zu versenken, während seine Fänge sich in seinen Hals gruben und er seinen Durst an ihm stillte.

Eddie warf das Sweatshirt auf einen Stuhl in der Nähe, zog sein T-Shirt gerade und raubte damit Thomas den Anblick.

Vielleicht war es so besser. Vielleicht sollte er sich einfach der Versuchung entziehen. Dennoch würde dies seine Tagträume nicht auslöschen, genauso wenig wie die Fantasien, die er über Eddie und sich selbst hatte: wie sie zusammen duschten, sich gegenseitig streichelten, wie sie sich ein Bett teilten, sich liebten, wie sie sich aneinander vergnügten und Blut austauschten.

So viele Tagträume, doch kein einziger würde jemals Wirklichkeit werden.

6

Eddie sah, wie Haven und Yvette von seinen Kollegen belagert wurden, wie diese Havens Hand schüttelten und ihm zu seiner neuen Position als Bodyguard bei Scanguards gratulierten. Eddie erinnerte sich, wie stolz er gewesen war, als er Scanguards vor über eineinhalb Jahren beigetreten war. Damals war er ein Mensch gewesen und hatte keine Ahnung von den Vampiren gehabt, die Scanguards führten. Viel war seither passiert. Gute und schlechte Dinge.

Er ging an den Leuten vorbei und sah, dass auch Thomas Havens Hand schüttelte. Er hatte gewusst, dass er Thomas hier finden würde. Dennoch begann sein Herz schneller zu schlagen, und Nervosität schlich sich seine Wirbelsäule hoch und breitete sich über seinen ganzen Körper aus. Er wusste nicht mehr, wie er sich seinem Mentor gegenüber verhalten sollte. Seit er Oliver und Blake belauscht hatte, fühlte er sich im Gespräch mit Thomas immer unbeholfen. Jedes Wort, das er sagte, wägte er vorsichtig ab, um Thomas nicht mit einem unbedachten Satz den Eindruck zu vermitteln, er stehe auf ihn – was ja nicht der Fall war.

Er zwang sich, sich zu beruhigen, marschierte zur Bar und bestellte ein Getränk. „Hallo Roxanne, 0 negativ, bitte."

„Auch zur Party hier?" Sie machte sich dran, sein Getränk zu zapfen.

„Ja, ich verpasse doch nie eine Party. Kostenloses Blut, nicht wahr?“ Er deutete auf die Hähne.

„Natürlich. Übertreib es nur nicht. Der Chef hat mich beauftragt, ein Auge auf euch zu haben. Falls jemand zu viel trinkt, kann ich euch den Hahn zudrehen.“ Sie lächelte.

Er grinste zurück. „Spielverderber!“

Sie stellte das Glas Blut vor ihn und zerzauste sein Haar. „Na dann geh mit den anderen spielen.“

Eddie warf ihr einen schein-empörten Blick zu. „Als ob wir Kinder wären!“

Roxanne kicherte und beugte sich über die Bar. Ihr üppiger Busen kam ihm dabei viel zu nahe. Er blickte kurz darauf, aber nichts rührte sich in seiner Leistengegend. „Das seid ihr doch auch!“

Er verdrehte die Augen. „Ich bin fünfundzwanzig!“

„Baby!“, gurrte sie, als spräche sie mit einem Kind.

Er ergriff das Glas und kippte den Inhalt hinunter. Das reichhaltige Blut umschmeichelte seine Kehle und stillte seinen Hunger. Er fühlte sich sofort besser und ruhiger. Vielleicht war er nur übermäßig hungrig gewesen und deshalb so besorgt darüber, in Thomas’ Nähe zu sein. Hunger konnte viele komische Dinge mit einem Vampir anstellen. Das hatte er auf schmerzliche Weise feststellen müssen, als er verwandelt worden war. Er war in seinem ganzen Leben noch nie so ausgehungert gewesen, geschweige denn so gewalttätig.

Eine Hand klopfte auf seine Schulter. Eddie drehte sich um und stieß erleichtert den Atem aus, als er sah, dass es nicht Thomas’ Hand war, die ihn berührte.

Reiß dich zusammen, züchtigte er sich.

„Hi Cain!“

„Hey, du bist aber zappelig. Was ist denn los?“ Der dunkelhaarige Vampir mit dem permanenten Stoppelbart und den durchdringenden dunklen Augen musterte ihn von oben bis unten.

„Nichts. Was sollte denn los sein? Ich hatte gerade meinen ersten Drink.“

Cain nickte der Barkeeperin zu. “Ich nehme dasselbe wie er.“

Roxanne lächelte. „Kommt sofort.“

Als sie sich den Hähnen zuwandte, fing Eddie den langen, lüsternen Blick auf, den Cain über ihren Körper schweifen ließ. Zuerst verweilte er auf ihren

Brüsten, dann fiel er auf ihren wohlgeformten Hintern. Er konnte deutlich sehen, was sein Kollege dachte. Seltsamerweise fühlte Eddie nichts dergleichen, wenn sein Blick über Roxannes Kurven fegte. Die Frau war außerordentlich schön, aber Eddie fühlte keine Lust in sich aufsteigen und kein Blut in seinen Schwanz pumpen. Sie zu berühren und zu küssen besaß keinen Reiz für ihn, wenn er doch beim Anblick dieses außergewöhnlichen weiblichen Exemplars mit dem gehobenen englischen Akzent die gleichen lustvollen Gefühle hegen sollte wie die meisten der männlichen Vampire in der Lounge.

Vielleicht stimmte etwas nicht mit ihm. Vielleicht waren seine Hormone im Ungleichgewicht. Vielleicht sollte er Maya aufsuchen, damit sie seinen Testosteronspiegel messen konnte. Maya, Gabriels Gefährtin, war die einzige Vampirärztin in San Francisco – abgesehen von dem Psychiater Dr. Drake. Ihre Spezialität, als sie noch eine menschliche Ärztin gewesen war, war Urologie. Wenn sich also jemand mit einen männlichen Körper auskannte, dann war das Maya. Vielleicht sollte er nach der Party kurz mit ihr sprechen und einen Termin vereinbaren.

„Hast du davon gehört?“, drang Cains Stimme zu ihm durch.

Eddie suchte nach einer Antwort. Er hatte nicht mitbekommen, wovon Cain gesprochen hatte. „Entschuldige, kannst du das wiederholen?“

Cain kniff die Augen zusammen und warf ihm einen abschätzenden Blick zu. „Willst du mir endlich sagen, was mit dir los ist? Zuerst bist du zappelig, und jetzt bist du abwesend.“ Sein Kollege beugte sich zu ihm.

Eddies Atem stockte. Vermutete Cain den Grund für seine Zerstreutheit?

„Reiß dich zusammen, Junge! Ich habe das Gefühl, dass hier in Kürze was abgeht. Ich habe gehört, wie Gabriel Samson mitgeteilt hat, dass er heute Abend eine Teamsitzung einberufen wird. Wir müssen all unsere Sinne beieinander haben. Was immer für eine heiße Tante dich also ablenkt, vergiss sie.“

Eddie seufzte innerlich. Wenn es doch nur eine heiße Frau wäre, die seine Gedanken beschäftigte, dann hätte er nichts zu befürchten. Er hatte sich noch nie von einer Frau ablenken lassen. Sicher, er hatte einige gefickt, aber nie war er so versessen darauf gewesen, dass er alles andere vergessen hätte. Schon als Teenager war er lieber mit seinen Kumpels ausgegangen als ein Mädchen in irgendeiner dunklen Gasse zu vernaschen. Seine Freunde hatten ihn immer damit aufgezogen, dass er ein viel zu netter Kerl war. Und nette Kerle hatten wenig Sex. Kein Wunder, dass er schon fast zwanzig war, als er seine Jungfräulichkeit verloren hatte.

Die Sache hatte seine Welt nicht erschüttert. Vielleicht war er einfach kein ausgesprochen sexueller Typ. Er schüttelte den Kopf. Nein, das konnte nicht stimmen. Immerhin masturbierte er täglich. Bewies das nicht, dass sein Sexualtrieb lebendig war? Vielleicht hatte er einfach noch nicht die richtige Frau getroffen. Das musste es sein. Roxanne war einfach nicht sein Typ, deshalb spürte er keinen Funken in seiner Leistengegend, wenn er sie ansah.

„Was flüstert ihr da?"

Hitze stieg in Eddies Wangen, als er Thomas' Stimme hinter sich vernahm. Er nahm einen beruhigenden Atemzug und drehte sich langsam um, während er versuchte, gleichgültig dreinzublicken.

„Cain hat gerade erzählt, dass es heute Abend noch eine Teamsitzung geben soll", wiederholte Eddie Cains Worte.

Thomas zuckte mit den Schultern. „Davon hatte ich noch nichts gehört. Muss sich was in letzter Minute entwickelt haben."

Cain wies in Richtung der Menschenmenge auf Haven und Yvette. „Ich sollte sie mal begrüßen." Aber bevor Cain eine Chance bekam, bat Samson um Ruhe in der Lounge.

„Danke! Und vielen Dank, dass ihr heute Abend alle gekommen seid", fing Samson an. „Es freut mich sehr, unser neuestes Mitglied bei Scanguards zu begrüßen."

Neben ihm stand lächelnd Haven, sein Arm um Yvette geschlungen, die mit Stolz in ihren Augen zu ihm aufblickte. Er beugte sich zu ihrem Ohr und flüsterte ihr etwas zu. Ihre Augen weiteten sich. Eddie konnte nur vermuten, dass es etwas sehr Privates und sehr Erotisches gewesen sein musste.

Thomas klopfte auf Eddies Arm und sandte damit einen Schauer durch seinen Körper. Dann beugte er sich näher und flüsterte ihm zu: „Ich hätte nie gedacht, Yvette jemals so zu sehen."

Eddie zwang sich, ruhig zu bleiben. „Wie zu sehen?"

„So weiblich und weich. Du kennst sie noch nicht so lange wie ich, aber sie war früher ein harter Brocken."

„Sie sieht glücklich aus. Haven ist ein toller Kerl."

Samson fuhr fort: „Haven hat uns schon oft aus vielen schwierigen Situationen geholfen. Und daher freue ich mich sehr zu verkünden, dass er endlich mein Angebot, Scanguards beizutreten, akzeptiert hat. Haven, möchtest du ein paar Worte sagen?“

Haven nickte schnell. „Na gut, jedoch bin ich kein Mann vieler Worte. Ich möchte nur sagen: Ich freue mich auf diese neue Herausforderung. Jetzt lasst uns feiern!“ Er deutete auf eine Ecke der Lounge, wo eine Band ihre Instrumente aufgebaut hatte.

Musik erfüllte plötzlich den Raum. Eddie beobachtete, wie Haven Yvette mit sich in Richtung der Band zog. Dort waren die Möbel entfernt worden, um Platz für eine kleine Tanzfläche zu schaffen. Als Haven und Yvette zu tanzen begannen und auch Zane und seine Ehefrau Portia – eine Hybridin, halb Vampir, halb Mensch – sich ihnen anschlossen, wandte sich Eddie ab. Seine Schwester Nina war nicht hier, genauso wenig wie Delilah. Menschen waren in der Lounge nicht erlaubt. Es war eine strenge Regel, die nicht einmal Samson brach.

Allerdings war der Raum nicht völlig ohne Frauen. Abgesehen von Yvette und Portia waren noch Maya und Rose, beide Vampirinnen, anwesend. Sie mischten sich unter die männlichen Vampire, aber ihre Gefährten waren nie weit entfernt, denn sowohl Gabriel als auch Quinn hielten ein Auge auf die anderen Scanguards-Mitarbeiter, jederzeit bereit einzugreifen, wenn einer der Männer es wagte, ihre Frauen unangebracht anzufassen.

Neben Eddie lachten Cain und Thomas leise. Eddie blickte sich zu ihnen um, um zu sehen, was die beiden so lustig fanden.

„Wie Hunde mit ihrem Knochen, wie?“, kommentierte Thomas und deutete auf Gabriel und Quinn.

Eddie verdrehte die Augen und lächelte. „Erbärmlich!“

„Lasst uns was trinken!“, stimmte Thomas ihm zu und wandte sich zur Theke. „Drei ...“ Er blickte sich fragend um. „Was wollt ihr?“

„0 negativ“, sagte Eddie.

„Das gleiche“, war Cains Antwort.

„Und du selbst?“, fragte Roxanne.

„Also dreimal 0 negativ.“

„Ihr seid aber einfach.“

Cain machte eine Grimasse. „Hat sie uns gerade beleidigt?“

Einer von Thomas‘ Mundwinkel zog sich amüsiert nach oben. „Klang so.“

„Was unternehmen wir dagegen?“, fragte Eddie grinsend, froh, dass sowohl Cains als auch Thomas' Aufmerksamkeit nun der Barkeeperin gehörte. Niemand kümmerte sich mehr um ihn, und das half ihm, sich zu entspannen.

„Ich habe das Gefühl, eine Bestrafung ist angebracht", schlug Cain vor.

Roxanne warf ihnen einen Ihr-spinnt-doch-Blick zu und füllte weiter die Gläser mit Blut.

„Ich glaube nicht, dass sie uns ernst nimmt", hänselte Eddie.

Thomas lachte. „Das ist wahrscheinlich so, weil sie weiß, dass wir sie nie bestrafen würden." Er zwinkerte ihr zu. „Immerhin sitzt sie an der Quelle." Er deutete auf die Hähne. „Und man beißt doch nicht die Hand, die einen füttert. Sprichwörtlich und im übertragenen Sinne."

Roxanne beendete das Zapfen des Blutes. Dann hob sie ein gefülltes Glas hoch und hielt es über das Spülbecken, wobei sie es ein bisschen zur Seite kippte. „Also, wollt ihr jetzt eure Drinks oder nicht?"

Eddie, Thomas und Cain tauschten hastige Blicke aus.

„Das wäre nett, Roxanne", sagte Thomas, seine Stimme sanfter als zuvor.

Roxannes Blick wurde weich und Eddie konnte deutlich sehen, wie Thomas' Stimme sie beschwichtigte und dahinschmelzen ließ. Der Grund, warum er das wusste, war, weil er dasselbe spürte: wie Thomas' tiefe Stimme in seinen Körper eindrang und tief in ihn hineinsank. Er hatte das Gefühl, sich auf einem der großen Sofas ausstrecken zu wollen, und sich eine wohltuende Massage zugute kommen zu lassen. Starke männliche Hände auf nackter Haut. Zarte, lange Berührungen. Flammen auf seinem Körper. Blitze, die durch seine Adern schnellten.

Eddies Fänge verlängerten sich unwillkürlich.

„Vielleicht gibst du das Erste am besten Eddie", schlug Thomas vor. „Sieht aus, als wäre er am Verhungern."

Eddie zwang seine Fangzähne, sich zurückzuziehen.

Verdammt!

Er sollte mehr Kontrolle über sich haben. Immerhin war er kein neugeborener Vampir mehr, sondern schon über ein Jahr alt. Er hatte den schlimmsten Heißhunger überwunden und die schwierigste Zeit hinter sich. Aber immer, wenn er in Thomas' Nähe war, waren seine Reaktionen unberechenbar.

7

Ein Jahr zuvor

Flankiert von Ricky marschierte Eddie in Samsons Büro. Er konnte nicht umhin zu zappeln. Nachdem das Mausoleum in Flammen aufgegangen und Luther verhaftet und vor den Vampirrat zur Strafzumessung gebracht worden war, waren Eddie sowie ein weiterer ehemaliger Leibwächter Scanguards, Kent, im Haus von Ricky – dem Betriebsdirektor bei Scanguards – unter Hausarrest gestanden.

Luther, der Eddie ein ewiges Leben als Vampir versprochen hatte, hatte ihn belogen und für seine Zwecke benutzt. Eddie sollte an dem bösen Plan teilnehmen, an Samson Rache zu nehmen, indem er dessen Frau tötete. Glücklicherweise war das Vorhaben gescheitert. Luther hatte Eddie gegenüber behauptet, dass Samson und Amaury Luthers Frau getötet hatten. Die Wahrheit war jedoch, dass diese Samsons und Amaurys Angebot, sie in einen Vampir zu verwandeln und ihr somit das Leben zu retten, als sie bei der Entbindung ihres Kindes im Sterben lag, abgelehnt hatte.

Eddie hatte unwissentlich die falsche Seite gewählt und dafür fast mit seinem Leben bezahlt.

Heute Abend hatte Eddie endlich die Nachricht erhalten, dass eine Entscheidung bezüglich seiner Zukunft getroffen worden war. Er blickte zu Samson, der hinter dem massiven Schreibtisch mit den zwei großen

Computermonitoren saß. Samson sah auf und deutete auf den Stuhl vor dem Schreibtisch.

„Setz dich." Er hob den Kopf und wandte sich an Ricky. „Ich übernehme das."

Ricky nickte und verließ schweigend den Raum.

Eddie rutschte nervös auf seinem Stuhl umher. Sein Fuß tippte auf dem Teppich unter ihm auf und ab, und er legte seine Hände auf die Knie, um sein Zittern unter Kontrolle zu bringen. Er wusste bereits, dass sie ihn nicht töten würden; sein neuer Schwager, Amaury, hatte ihm das versprochen. Immerhin war Amaury mit seiner Schwester Nina blutgebunden und würde nie etwas tun, das seine Gefährtin unglücklich machen würde. Und das bedeutete, Amaury würde Ninas Bruder nicht wehtun.

Aber sie würden ihn trotz allem bestrafen. Immerhin hatte er unter Luthers Einfluss ein Verbrechen begangen und beim Versuch, Samsons Gefährtin zu töten, geholfen.

„Entspann dich", sagte Samson. „Ich habe dich nicht hierher gebeten, um dir den Kopf abzureißen."

Eddie versuchte, ein Lächeln auf seine Lippen zu zwingen und scheiterte kläglich. „Es tut mir leid. Ich meine … Ich wusste nicht, was ich tat."

Samson hob die Hand. „Stopp."

Eddie drückte sich tiefer in seinen Stuhl. Scheiße, die Sache lief nicht gut. Er klang wie ein Kind, das vor den Rektor gebracht worden war und nicht wie ein neugeborener Vampir. Zum Teufel, er sollte doch gegen solche Sorgen und Ängste gefeit sein. Waren denn Vampire nicht angeblich unbesiegbar? Zumindest sein Erschaffer, Luther, hatte so gewirkt. Natürlich saß dieser jetzt irgendwo in einer Zelle und war auch nicht mehr so mächtig. Wahrscheinlich machte er sich sogar gerade in die Hose.

„Ich habe dich hierher gerufen, weil du umgeschult werden musst. Luther ist dein Schöpfer. Das kann ich nicht rückgängig machen, aber die Dinge, die er dich gelehrt hat, entsprechen nicht den Regeln, nach denen wir uns richten. Wir töten nicht wahllos; wir beschützen Unschuldige. Als Ninas Bruder bist du ein Teil unserer Familie, und diese Tatsache können wir nicht ignorieren. Luther hat dich und die anderen für seinen ruchlosen Plan benutzt, und die Schuld liegt bei ihm. Aber es ist unsere Pflicht, sicherzustellen, dass dies nie wieder passieren wird."

Eddie nickte. „Ich werde niemals wieder ein Verbrechen begehen."

„Du kannst mir nicht wirklich so etwas versprechen, weil du doch nicht wahrlich Herr über dich selbst bist. Es gibt viele andere Versuchungen, die deinen Weg kreuzen werden. Viele Male wirst du deine neuen Fähigkeiten zu deinem eigenen Gunsten verwenden wollen. Nur wenn du diese Triebe besiegt hast, wirst du wirklich in der Lage sein, solche Versprechungen zu machen. In der Zwischenzeit möchte ich dir deinen neuen Mentor vorstellen."

Samson wies auf eine Stelle hinter Eddie.

Eddie drehte sich in seinem Stuhl um und sprang gleichzeitig auf. Hinter ihm stand ein hochgewachsener blonder Mann in Lederkluft: schwarze Lederhose, ein weißes T-Shirt und eine schwarze Lederjacke.

„Das ist Thomas. Du wirst seinen Befehlen Folge leisten. Du wirst essen, wenn er es dir befiehlt, und schlafen, wenn er es sagt. Er wird dir alles beibringen, was du wissen musst."

Eddie schaute den Vampir an. Er hatte ihn kurz während des Kampfes beim Mausoleum gesehen, war ihm aber nicht offiziell vorgestellt worden. Jetzt streckte ihm der Biker die Hand entgegen, und Eddie ergriff sie sofort. Thomas' Händedruck war kraftvoll, seine Hand überraschend warm. Seine Handfläche fühlte sich geschmeidig an und der Duft, der von Thomas ausging, wickelte sich um ihn.

Als er zum ersten Mal sprach, sank der angenehme Ton von Thomas' Stimme tief in Eddies Brust. „Schön, dich kennenzulernen, Eddie. Ich bin sicher, dass wir gut miteinander auskommen werden."

Seltsamerweise ging es Eddie genauso. Thomas hatte etwas an sich, das ihn sofort entspannte. Als würde er ihn schon sein ganzes Leben lang kennen. Wie einen Bruder. Einen viel weiseren, älteren Bruder.

„Du kannst jetzt meine Hand wieder loslassen", sagte Thomas lächelnd.

Hitze schoss in seine Wangen, und Eddie ließ Thomas' Hand los. Verdammt, was war denn mit ihm los? Konnte er sich denn nicht normal benehmen? Er musste doch einen guten Eindruck bei seinem neuen Mentor hinterlassen. Immerhin gab Scanguards ihm eine zweite Chance und die wollte er auf keinen Fall vermasseln. Alle sollten stolz auf ihn sein, vor allem seine Schwester Nina. An deren Anerkennung lag ihm am meisten.

Mit einem Blick auf Samson sagte er: „Danke, Samson, du wirst es nicht bereuen."

Samson nickte. „Thomas wird dir sagen, wenn du bereit bist, deine

Aufgaben bei Scanguards wieder aufzunehmen. In der Zwischenzeit zahlen wir dir dein volles Gehalt."

Samsons Großzügigkeit haute ihn fast um. Er hatte dies nicht erwartet und sich schon gefragt, was er tun würde, um zu überleben, jetzt wo er auf sich selbst gestellt war, und nicht mehr bei Ricky untergebracht sein würde. „Ich weiß nicht, wie ich dir danken soll."

„Nicht der Rede wert. Ich hatte praktisch keine andere Wahl. Amaury kann sehr überzeugend sein."

Thomas schmunzelte. „Und er hat keine Abwehrkräfte, wenn es um seine Gefährtin geht."

Samson lachte. „Nun, zum Glück muss keiner von uns mit Nina leben."

Eddie hatte das Bedürfnis, seine Schwester zu verteidigen, obwohl er wusste, dass Nina eine Pest sein konnte. Stur wie ein Esel. Und streitsüchtig. „Was soll das heißen?"

„Das soll nur heißen, dass deine Schwester Amaury fest um ihren kleinen Finger gewickelt hat." Thomas zog ein Paar Lederhandschuhe aus seiner Jackentasche. „Dann lass uns mal. Fährst du Motorrad?"

„Ein bisschen."

„Ich werde es dir beibringen."

„Wohin fahren wir?", fragte Eddie neugierig und aufgeregt zugleich. Er hatte das Gefühl, dass es eine Menge Spaß machen würde, mit Thomas etwas zu unternehmen. Er schien so anders als all die anderen Vampire zu sein, die er bisher getroffen hatte. Nicht so ernst. Gelassener.

„Nach Hause."

„Nach Hause?"

„Ja, du ziehst bei mir ein. Das macht die Sache einfacher. Irgendwelche Einwände?"

Eddie schüttelte den Kopf. Er würde allem zustimmen, was sein Mentor forderte. Nicht nur, weil er Samson und Nina zufriedenstellen wollte, sondern auch, weil er wollte, dass Thomas stolz auf ihn wäre.

„Ich hoffe, ich komme dir nicht in die Quere. Ich meine, wenn du eine Frau mit nach Hause bringst und ein bisschen Privatsphäre brauchst, dann gehe ich dir gerne aus dem Weg."

Thomas blieb wie angewurzelt stehen. „Eine Frau?" Dann sah er Samson an. „Hast du ihm nicht gesagt, dass ich schwul bin?"

Schwul? Thomas war homosexuell? Eddie musterte ihn von oben bis unten. Er sah überhaupt nicht schwul aus. Er sah … sehr männlich und überhaupt nicht feminin aus. Ein richtiger Mann.

„Ist das ein Problem?“, fragte Thomas mit einer Angespanntheit in seiner Stimme, die zuvor nicht vorhanden gewesen war.

Für einen Augenblick blieb Eddies Herz stehen. Dann schüttelte er den Kopf, denn er wollte Thomas nicht vor den Kopf stoßen. „Nein, überhaupt kein Problem.“ Es war ihm egal, von welchem Ufer Thomas war. Alles, was zählte, war, dass er sich in der Gegenwart seines Mentors wohlfühlte. Er würde nicht zulassen, dass Thomas’ sexuelle Orientierung ihrer beruflichen Beziehung in die Quere kam. Immerhin waren sie beide erwachsen.

„Ich kann’s kaum erwarten, deine Bude zu sehen“, fügte er hinzu und verlieh seiner Stimme eine fröhliche Note, um die Peinlichkeit, die für einen Moment geherrscht hatte, zu vertreiben. „Was für ein Motorrad fährst du denn? Eine Harley?“

Thomas lächelte ihn an. „Nein. Ich habe ein paar andere Motorräder. Ich zeige sie dir. Wenn du möchtest, können wir später eine Runde drehen.“

8

H*eute*

Thomas sah Eddie von der Seite an, als dieser die tanzenden Paare beobachtete, und gelegentlich an seinem Glas nippte. Eddie schien in Gedanken versunken zu sein. In letzter Zeit sah er ihn oft so, als ob er sich um etwas Sorgen machte. Aber Thomas war keiner, der sich in die persönlichen Angelegenheiten anderer Leute mischte. Wenn Eddie seinen Rat brauchte, würde er zu ihm kommen, wenn er soweit war. Von dem Moment an, als er angefangen hatte, den jungen Vampir unter seine Fittiche zu nehmen, hatte er dafür gesorgt, ihn nicht zu verhätscheln. Niemand wuchs je zu einem starken Mann heran, wenn er mit Samthandschuhen angefasst wurde. Und er wollte, dass Eddie ein starker, unabhängiger Mann mit standhaften Werten wurde. Und so wie es aussah, entwickelte sich Eddie in die richtige Richtung.

„Sie sind ein großartiges Paar, nicht wahr?“, ertönte eine vertraute Stimme neben ihm, während eine Hand auf Yvette und Haven deutete.

Thomas drehte den Kopf und lächelte Maya an. „Auf jeden Fall. Genau wie du und Gabriel.“

„Schmeichler!“, neckte sie ihn und stellte sich neben ihn. „Hör mal, Thomas, ich wollte wegen einer Sache deinen Rat.“

Er hob fragend eine Augenbraue, dann erlaubte er ihr, ihn ein paar Schritte von Eddie und Cain wegzuführen.

„Wegen?"

„Ich glaube, dass ein paar von uns Oliver ein bisschen zu barsch behandelt haben, als diese ganze Sache mit Ursula und dem Blutbordell über die Bühne ging."

Thomas erinnerte sich nur zu gut, wie jeder versucht hatte, Oliver vor sich selbst zu beschützen. Sie hatten erst später realisiert, dass er viel stärker war, als alle angenommen hatten und dass er mit der Versuchung, die Ursulas Blut darstellte, selbst zurechtkommen konnte. „Erinnere mich nicht daran. Du weißt genauso gut wie ich, dass wir streng mit ihm sein mussten. Seine Vorgeschichte –"

Sie hob die Hand, um ihn zu unterbrechen. „Das musst du mir nicht sagen. Wir hatten alle unsere Gründe. Aber jetzt, wo sich alles eingelenkt hat und er seinen Blutdurst besiegt hat, glaube ich, sollten wir das feiern."

Thomas grinste. „Ich habe das Gefühl, er feiert das jeden Tag privat mit Ursula." Seine Augen durchsuchten die Menge, und er sah Oliver im Gespräch mit seinem Erschaffer, Quinn. Oliver sah entspannt und glücklich aus.

Maya stieß ihn in die Rippen. „Davon rede ich doch nicht!"

„Weiß ich doch. Ich mache doch nur Spaß."

Sie verdrehte die Augen. „Ich spreche von einer Party mit mehr als zwei Personen."

„Die üblichen Verdächtigen?"

Maya nickte. „Aber ich brauche einen Vorwand für diese Party. Ich will nicht, dass Oliver sofort mitkriegt, was wir planen, aber ich möchte sicherstellen, dass er und Ursula teilnehmen. Und ich weiß noch nicht mal, was wir ihm auf der Party überhaupt sagen sollen. Tut uns leid, dass wir dich schlecht behandelt haben?"

Thomas überdachte die Worte. „Hmm. Bin mir nicht sicher. Hast du schon mit Zane darüber gesprochen? Ich erinnere mich, dass er wie üblich ein Arschloch war. Vielleicht hat er irgendwelche Ideen."

Maya verzog das Gesicht. „Wenn ich das ihm gegenüber erwähne, dann rastet er aus. Du weißt doch, dass er der Letzte ist, der sich gerne entschuldigt. Ich glaube, er weiß nicht, wie man das macht."

„Nicht unbedingt seine Stärke, das stimmt schon." Er fuhr sich mit der Hand durch die Haare. „Warum muss es denn überhaupt eine Party sein? Können wir ihm nicht einfach etwas schenken?"

„Etwas schenken?"

„Ja, zum Beispiel eine Reise für ihn und Ursula irgendwohin wo's schön ist. Ich weiß nicht, vielleicht Venedig oder London. Ich bin sicher, er würde lieber mit Ursula irgendwo alleine sein, als mit uns Oldies rumzuhängen."

Mayas Stirn runzelte sich, als sie seinen Vorschlag überdachte. „Hmm. Ich denke mal drüber nach."

„Er muss ja sowieso irgendwas für seine Flitterwochen finden. Warum nehmen wir ihm die Arbeit also nicht ab?"

„Flitterwochen?", wiederholte Maya.

„Schhhhh!" Thomas warf einen Blick um sich herum, um sicherzustellen, dass niemand Maya gehört hatte. „Ja, Flitterwochen. Früher oder später wird er sie ja fragen. Jeder Idiot, der ihn ansieht, kann das sehen. Ich vermute, dass sie noch vor Jahresende einen Blutbund eingehen werden."

„Meinst du wirklich?"

„Absolut. Eigentlich bin ich ein wenig überrascht, dass es nicht bereits geschehen ist. Schau ihn doch nur an!" Thomas zeigte auf Oliver, der noch immer in ein Gespräch mit Quinn und Rose vertieft war. „Siehst du nicht, wie unruhig er ist? Er kann es nicht ertragen, von Ursula getrennt zu sein. Ich wette zehn Dollar, dass er der Erste sein wird, der diese Party verlässt. Und noch zwanzig drauf, dass er ihr vor Ende der Woche einen Heiratsantrag machen wird."

Maya grinste. "Die Wette gilt."

„Auf was wettet ihr denn?", fragte Cain und kam näher.

Hinter ihm drehte sich auch Eddie zu ihnen.

„Auf nichts", antwortete Maya.

„Vielleicht will ich ja mitwetten", meinte Cain.

„Na schön", gab Thomas nach und schmunzelte vor sich hin. „Wir wetten darauf, dass Oliver Ursula bitten wird, ihn zu heiraten. Und ich wette, dass das innerhalb einer Woche passieren wird."

„Du willst mich wohl verarschen. Er ist doch erst seit einem Monat mit ihr zusammen, oder? Und wie alt ist er? Zwölf?", spottete Cain.

Thomas zuckte mit den Schultern. „Zwölf? Ich glaube mich zu erinnern, dass er vor kurzem fünfundzwanzig wurde. Außerdem sind schon weitaus seltsamere Dinge passiert." Er bemerkte, wie Eddie seine Hände in seine Hosentaschen schob, aber nichts sagte.

„Das ist viel zu früh. Die beiden sind doch noch Kinder!", sagte Cain.

„Willst du das mit Geld unterstützen?“, forderte ihn Thomas heraus und amüsierte sich jetzt köstlich.

„Hundert Dollar darauf, dass du verlieren wirst.“

„Einverstanden.“ Er schüttelte Cains Hand.

„Und um zu feiern, dass ich so leicht mein Geld verdienen kann, wie wär’ mit einem Tanz?“, fragte Cain Maya. „Oder wird mich dann dein Gefährte umbringen?“

Maya nahm seinen dargebotenen Arm. „Nur, wenn du deine Hände an Stellen legst, wo sie nicht hingehören.“

Als sie zur Tanzfläche gingen, wo Zane immer noch mit Portia tanzte, und Quinn seine Frau Rose in seinen Armen wirbelte, blickte Eddie ihn an.

„Wieso bist du so sicher, dass Oliver Ursula bald einen Antrag machen wird?“

Thomas zwinkerte ihm zu und beugte sich zu ihm, sodass niemand in der Lage sein würde, sie zu belauschen. Als seine Lippen sich Eddies Ohr näherten, atmete er dessen männlichen Duft ein. Sein Herz begann sofort zu rasen und sein Puls galoppierte wild. Er hatte Schwierigkeiten, sich daran zu erinnern, was er Eddie eigentlich sagen wollte.

„Weil ich gesehen habe, wie Oliver kürzlich einen Ring gekauft hat.“

Er wich einen Schritt zurück, um Abstand zwischen sie zu bringen, damit er nicht von seiner Begierde für den jungen Vampir überwältigt wurde und etwas Dummes anstellte.

Eddie blieb der Mund offen stehen. „Du Hundesohn! Du hast gerade Cain um hundert Dollar erleichtert!“ Trotz seiner empörten Worte funkelten Eddies Augen und seine Lippen zogen sich zu einem Lächeln hoch. Grübchen erschienen auf seinen Wangen und für einen Moment sah er wie der unschuldige Junge aus, den Thomas ein Jahr zuvor unter seine Fittiche genommen hatte. Sein Herz verkrampfte sich. Das Leben hatte ihm eine Karte zugespielt, von der er nicht wusste, wie er sie ausspielen sollte: Er hatte noch nie jemanden so geliebt, wie er Eddie liebte. Und er hatte sich noch nie so machtlos gefühlt.

Du bist nicht machtlos, behauptete eine Stimme tief in seinem Inneren. Er wusste nur zu gut, wo diese Stimme herkam: von der dunklen Macht in ihm. Einer Macht, die so stark war, dass er jedem seinen Willen aufzwingen konnte, insbesondere einem jungen Vampir wie Eddie. Wenn er wollte, könnte er Gedankenkontrolle anwenden, um Eddie glauben zu lassen, dass er sich zu

Thomas hingezogen fühlte. Er könnte Eddie dazu bringen, ihn zu begehren. Aber es wäre nicht richtig. Nur ein leerer Sieg, weil er nie wirklich Eddies Liebe gewinnen würde und es eine Farce wäre. Er würde Eddie nur benutzen. Genauso wie er Eddies Körper benutzen würde. Und das konnte er nicht tun ohne sich selbst dafür zu hassen.

Plötzlich fühlte er eine Hand, die seine Schulter drückte, und blinzelte. Er blickte in Eddies braune Augen.

„Na, habe ich doch nicht so gemeint. Cain ist erwachsen. Er sollte es besser wissen, als mit jemandem zu wetten."

Thomas zwang sich zu einem Lachen. „Keine Sorge. Behalte es nur für dich. Ich möchte nicht, dass die Nachricht über den Ring Ursula zu Ohren kommt, bevor Oliver eine Chance hatte, auf die Knie zu gehen."

Eddie lachte. „Auf die Knie zu gehen? Du glaubst doch nicht wirklich, dass er auf die Knie geht. Das ist doch altmodisch."

„Altmodisch zu sein ist nichts Schlechtes. Wenn ich die richtige Person fände, würde ich auch auf meine Knie fallen." Für Eddie würde er auf seine Knie gehen, wenn das etwas ändern würde. Aber er wusste, dass das nie geschehen würde. Keinerlei Betteln würde ihm je die Liebe des jungen Vampirs gewähren, den er nicht aus seinem Herzen verbannen konnte.

Eddie senkte seine Lider und sah weg. „Oh da, schau mal." Er deutete auf die Tänzer. „Ich wusste nicht, dass Quinn so ein guter Tänzer ist."

Thomas spürte Verlegenheit sowohl in Eddies Geste als auch in seiner Stimme. War es ihm peinlich, dass Thomas über die Suche nach dem richtigen Partner gesprochen hatte? Vielleicht war es besser, das nicht mehr zu erwähnen.

„Ich bin sicher, dass Quinn in den Ballsälen von London viel Übung bekam. Ich kann dir sagen, das war für jeden Kerl reine Folter."

Eddie sah ihn von der Seite an. „Hast du auch viel getanzt, als du damals in London lebtest?"

„Das habe ich, bis ich eine Beinverletzung vortäuschen konnte und endlich eine gute Ausrede dafür hatte, stattdessen an den Kartentischen zu sitzen. Das hat wesentlich mehr Spaß gemacht!"

„Ja, ich bin selbst kein besonders talentierter Tänzer", gab Eddie zu. „Nina hat versucht, es mir beizubringen, als wir jünger waren, aber irgendwann aufgegeben. Sie war echt enttäuscht über meine Ungeschicktheit. Ich hasse es, sie zu enttäuschen." Er blickte zu Boden und lachte. „Sie behauptet, ich hätte zwei linke Füße. Wahrscheinlich hat sie recht."

„Es ist nie zu spät, es zu versuchen."

„Tja, wir haben sowieso nicht genügend Frauen hier." Eddie deutete auf die wenigen weiblichen Vampire, die sich in der Lounge aufhielten.

„Im Nachhinein war es wohl eine schlechte Idee, Havens Party in der Lounge abzuhalten, da keiner der Menschen mitmachen kann." Samson hatte nur eine kleine Feier geplant. Wer plötzlich eine Band organisiert hatte, wusste Thomas nicht.

„Und ich fürchte, es wird eine kurze Party werden", unterbrach Gabriel, als er sich ihnen näherte. „Ich rufe eine Teamsitzung ein. Oben. In fünfzehn Minuten." Sein Chef sah in seiner schwarzen Hose und dem schwarzen T-Shirt leger aus. Seine Haare waren wie immer zu einem Pferdeschwanz zusammengebunden, und die Narbe, die sich von einem Ohr bis zum Kinn zog, zeichnete sich klar gegen seine Olivenhaut ab. Er war einmal sehr gut aussehend gewesen. Aber die Narbe, die eine Seite seines Gesichts entstellte, hatte dem ein Ende gemacht. Dennoch hatte er seine wahre Liebe gefunden. Was bewies, dass Äußerlichkeiten im Grunde unwichtig waren.

Thomas nickte und deutete auf Eddies Glas. „Trink aus. Wir müssen uns an die Arbeit machen."

Thomas war froh darüber. Wie lange könnte er noch dastehen und mit Eddie über belanglose Dinge reden, wenn er ihn doch in Wirklichkeit fragen wollte, ob es den Funken einer Chance gäbe, dass Eddie eines Tages seine Gefühle erwidern würde? Natürlich war das eine Frage, die er nie stellen würde, weil die Antwort ihn nur noch mehr enttäuschen würde. Warum quälte er sich so? Warum konnte er nicht einfach in eine der vielen Bars in der Castro, dem bekanntesten Schwulenbezirk von San Francisco, gehen und sich jemanden aufreißen, der vielleicht sogar ein wenig aussah wie Eddie, und ihn ficken, bis er nicht mehr an Eddie denken musste? Warum konnte er nicht einfach einen willigen Kerl vögeln, die Augen schließen, und so tun, als wäre es Eddie?

9

Die Teamsitzung fand in einem großen Konferenzraum im ersten Stock statt, in den mehr als einhundert Personen passten, wenn das nötig wäre. Der Raum war fensterlos. Heute waren nur etwa fünfzig Vampire versammelt, die geduldig darauf warteten, dass Gabriel anfing. Samson leitete selten diese Versammlungen, obwohl er der Eigentümer des Unternehmens war. Seit er mit Delilah blutgebunden und weniger als ein Jahr später Vater geworden war, hatte er die meisten tagtäglichen Aufgaben an Gabriel delegiert.

Eddie setzte sich neben Zane und beugte sich zu ihm. „Weißt du, worum es geht?“

„Ja.“

„Also?“

„Also was?“

„Worum geht es?“, bohrte Eddie nach.

„Das wirst du in Kürze hören.“

„Na dann ... danke für die Information!“, antwortete er sarkastisch.

„Jederzeit.“

Zur anderen Seite von Eddie nahm Oliver Platz. Nicht gerade die Person, die er im Moment sehen wollte. Immerhin war es Olivers Schuld, dass Eddie über Thomas’ Gefühle Bescheid wusste. Gefühle, die ihm unangenehm waren und seine Freundschaft mit Thomas belasteten.

„Hi!", fing Oliver an.

„Hi!" Eddie schaute geradeaus, als wartete er mit angehaltenem Atem auf den Beginn der Sitzung. Er wollte nicht mit Oliver sprechen.

„Wie geht's?"

„Gut." Er klang schon wie Zane. Vielleicht sollte er von nun an genauso reagieren: als wäre ihm die Meinung der anderen egal. Bei Zane funktionierte es ja auch perfekt und niemand schien es dem kahlen Vampir übel zu nehmen; alle wussten, dass er sich nicht ändern würde.

Wenn er tatsächlich Zane wäre, hätte Oliver wahrscheinlich die Klappe gehalten, aber Eddie hatte nicht so viel Glück.

„Bist du sicher? Es tut mir echt leid, was passiert ist. Vielleicht lag ich ja falsch und habe einfach zu viel hinein interpretiert –"

Eddie wirbelte seinen Kopf zu ihm und funkelte ihn an. „Ich habe gesagt, dass alles in Ordnung ist. Also lass mich in Ruhe!" Er spürte, wie sein Unterkiefer sich verkrampfte und seine Zähne gegeneinander rieben. Die Sehnen in seinem Hals traten hervor und seine Hände ballten sich zu Fäusten. Gäbe es nicht so viele Zeugen um ihn herum, wüsste er schon, was er mit seinen Fäusten anstellen würde.

„Sorry, Mann", drückte Oliver schnell heraus und wandte sich nach vorne, wo Gabriel sich gerade fertig machte, die Versammlung zu eröffnen.

Gabriel räusperte sich und klopfte auf den Holztisch, um jedermanns Aufmerksamkeit auf sich zu lenken. Das Gemurmel im Raum legte sich und es wurde still.

„Danke, dass ihr alle so kurzfristig gekommen seid. Ich habe euch hergebeten, um euch auf ein potenzielles Problem aufmerksam zu machen, das uns gerade zu Ohren gekommen ist. In der letzten Woche hatten wir einen ungewöhnlichen Zustrom von neuen Vampiren in San Francisco. Niemand kennt diese Neuankömmlinge, und wir sind nicht ganz sicher, was wir von ihnen halten sollen. Es ist nur ein Bauchgefühl, das einige von uns haben, aber alle diese Neulinge scheinen miteinander verbunden zu sein wie ein Clan."

Eddie hörte aufmerksam zu. Ein großer Clan ließ sich in San Francisco nieder? Das letzte Mal, als eine Gruppe von fremden Vampiren in die Stadt gekommen war, hatten sie Bluthuren mitgebracht, deren Blut Vampire high machen konnte. Es hatte zu einem Blutbad geführt.

„Obwohl sie harmlos sein können, will ich, dass wir vorbereitet sind. Eine große Gruppe von Vampiren, die in unsere Stadt zieht und sich nicht in unsere Lebensart integriert, könnte alle möglichen Schwierigkeiten bereiten. Wir wollen nicht eine Wiederholung der Geschichte mit den Bluthuren. Deshalb muss ich euch extra Arbeit auftragen."

Gemurmel ging durch die Versammelten.

Gabriel hob die Hand, um sie zu stoppen. „Ich weiß, ihr seid alle müde, weil ihr die letzten vier Wochen schon auf Sonderschichten wart auf der Suche nach den Vampiren, die nach den Bluthuren süchtig waren. Aber dank eurer Gründlichkeit glauben wir, dass diese Aufgabe erledigt ist. Ich wünschte, ich könnte euch allen eine Pause gönnen, aber ich fürchte, ihr müsst die Patrouillen fortsetzen."

Eddie sah sich um, und obwohl es ein paar Vampire gab, die Beschwerden vor sich hinmurmelten, schienen die meisten bereit zu sein, ihre neuen Aufgaben zu übernehmen. Eddie hatte nichts gegen neue Aufträge. Da er im Moment keinem bestimmten Kunden zugeordnet war, war er froh, eine Beschäftigung zu haben. Andernfalls würde Thomas nur zusätzliche Ausbildungsmissionen für ihn aufstellen. Und da Thomas ihn immer persönlich trainierte, würde dies bedeuten, dass er noch mehr Zeit mit seinem Mentor verbringen würde.

„Angesichts der Bedenken, die wir über diese Neuankömmlinge haben", fuhr Gabriel fort, „habe ich alle, die nicht einem Kunden zugeteilt sind, für Patrouillen eingesetzt. Das gilt auch für die Manager. Alle werden in Paaren patrouillieren. Ich will nicht, dass einer von euch da draußen auf eigene Faust herumläuft. Das ist ein strikter Befehl. Wer sich nicht daran hält, kann gleich seine Sachen packen. Ist das klar?"

Alle nickten.

„Meldet sofort alles Verdächtige. Und sorgt dafür, dass die Neulinge nicht mitbekommen, dass sie beobachtet werden. Wir haben keine Ahnung, wie sie reagieren werden. Ich habe die Liste mit den Patrouillen-Paarungen auf dem Schwarzen Brett im Flur ausgehängt. Ihr findet dort den Namen eures Partners. Noch Fragen?" Gabriel ließ einen Blick über seine Angestellten schweifen, doch niemand rührte sich. „Entlassen."

Eddie erhob sich von seinem Stuhl, als die Menge begann, den Raum zu verlassen. Er schlug die Richtung zum Schwarzen Brett ein, erpicht darauf, herauszufinden, mit wem Gabriel ihn gepaart hatte. Er hoffte, dass es nicht

Oliver war. Obwohl er den Kerl normalerweise mochte, konnte er ihn im Moment nicht ertragen, da Olivers Gegenwart ihn ständig an das Gespräch zwischen ihm und Blake erinnerte.

Eddie zwängte sich durch die Menge der Vampire, die sich um das Schwarze Brett drängten, und suchte auf den zwei Seiten nach seinem Namen.

Bitte lass es nicht Oliver sein, betete er stumm. Selbst Zane wäre ihm lieber als Oliver. Zumindest sprach Zane nie viel. In der Tat war der Kerl wortkarg wie kein anderer. Und das passte ihm im Moment.

Seine Augen bewegten sich die Liste der Namen hinunter, bis er schließlich seinen fand. Dann las er den Namen seines Partners daneben: Thomas.

„Na super!", fluchte er in sich hinein, ohne sich die Mühe zu geben, seinen Unmut zu verbergen. Er fuhr herum und stieß fast mit Thomas zusammen.

Sein Mentor sah ihn verblüfft an. Er ließ ihn vorbeigehen. Eddie sah, wie er sich dem Schwarzen Brett näherte und die Namensliste überflog. Als er sich Sekunden später umdrehte, lag ein seltsamer Blick auf seinem Gesicht. Eddie stand noch immer wie angewurzelt da und ihre Blicke trafen sich.

Eddie wusste sofort, dass er Thomas verletzt hatte. Und er fühlte sich deswegen mies. Thomas hatte ihn nie schlecht behandelt. Er hatte es nicht verdient, dass Eddie sich ihm gegenüber jetzt so verhielt. Es war genau das, was er befürchtet hatte, seit er Oliver und Blake belauscht hatte: dass er überreagieren würde und infolgedessen Thomas' Gefühle verletzte. Er wollte nicht, dass sich ihre Beziehung änderte. Er mochte Thomas als Kumpel, aber wie konnte er so weitermachen wie bisher, mit dem was er jetzt wusste?

Er fuhr sich mit der Hand durchs Haar. Wie konnte er die Sache mit Thomas wieder ins Reine bringen? Er musste sich irgendwie entschuldigen, wusste aber nicht wie.

10

Er und Eddie waren in der nächsten Nacht für ihre erste Patrouille eingeteilt. Thomas zog seine Stiefel an und schnürte sie auf seinem Bett sitzend zu. Seine Gedanken wanderten zurück zu der Nacht zuvor, als die Patrouillen-Paarungen ausgehängt worden waren. Eddie hatte ganz und gar nicht erfreut darüber ausgesehen, dass sie beide ein Team bildeten. Nein, nicht nur nicht erfreut, er hatte absolut angepisst dreingeschaut.

Thomas durchsuchte sein Gedächtnis, um herauszufinden, ob er etwas gesagt oder getan hatte, das Eddie beleidigt hatte, konnte jedoch nichts finden. Alles war wie immer. Sie hatten keinerlei Auseinandersetzungen oder Meinungsverschiedenheiten gehabt. Tatsächlich waren sie sich nur selten über irgendetwas uneinig. Beide genossen die gleichen Dinge: ihre Motorräder zu fahren und mit Computern zu arbeiten. Eddie war ein guter Schüler, wenn es um Computer-Software ging. Besonders gerne lernte er Hacken und Thomas genoss es, ihn zu lehren.

Thomas erhob sich von seinem Bett und schnappte sich seine Lederjacke aus dem Schrank. Er konnte nicht begreifen, warum plötzlich Spannung zwischen ihm und Eddie herrschte, wenn sie doch schon ein ganzes Jahr im Einklang miteinander zusammenlebten. Kopfschüttelnd ging er aus seinem Zimmer und klopfte an Eddies Tür.

„Bist du soweit?“

Die Tür ging auf. Eddie erschien, gekleidet in Lederhose, einem schwarzen T-Shirt und einer Lederjacke. Unwillkürlich musste Thomas lächeln. Seine Kollegen machten oft Bemerkungen, dass sie wie Zwillinge aussahen, so wie sie sich kleideten. Nur dass Thomas heute ein weißes T- Shirt anstatt eines schwarzen trug.

„Rock 'n' Roll", sagte Eddie und ging an ihm vorbei, ohne ihn anzusehen.

Thomas nickte und folgte ihm. „Wir sind fürs Castro eingeteilt, also macht es keinen Sinn, die Motorräder mitzunehmen. Wir gehen lieber."

Die Castro lag am Fuße von Twin Peaks. Es würde nicht lange dauern, die Nachbarschaft zu Fuß zu erreichen. Und wenn sie erst einmal dort wären, wäre es einfacher zu patrouillieren, wenn sie sich nicht um die Motorräder kümmern mussten.

„Von mir aus."

Schweigend verließen sie das Haus und wanderten den Berg hinunter, bis sie das Castro erreichten. Es war noch früh und relativ ruhig. Die Bars waren halb leer und die Geschäfte schlossen gerade ihre Pforten.

Thomas war schon oft in kameradschaftlicher Stille mit Eddie patrouilliert, jedoch schien heute Nacht diese Stille voller Spannung zu sein. Eddies Atmung war ungleichmäßig, und Thomas konnte hören, wie sein Herz unregelmäßig schlug. Als ob er sich um etwas Sorgen machte. Thomas versuchte, das Gefühl des Unbehagens zu ignorieren, und konzentrierte sich auf seine Aufgabe: die Leute um sich herum zu beobachten.

Seine Sinne waren wachsam und scharf wie immer. Mehrere Stunden lang wanderten sie durch das Castro, zuerst durch den Geschäftsbereich, dann durch das Wohnviertel und wieder zurück in die Gegend mit den Bars, Geschäften und Restaurants. Die Läden waren jetzt geschlossen, aber in den Bars ging es hoch her.

„Das war ein Reinfall", meinte Eddie neben ihm.

„Manchmal ist es gut, nichts zu finden."

Eddie zuckte mit den Schultern, antwortete jedoch nicht.

Thomas musterte die Gegend weiterhin und bog dann in eine Seitenstraße, die sich jedoch als Sackgasse erwies. In der Mitte des Blocks gab es ein mit Brettern vernageltes Geschäft. Daneben befand sich ein Restaurant und angrenzend daran reichte eine Baustelle bis zum Ende des Blocks. Das Holzgerüst für das dreistöckige Mehrfamilienhauses stand bereits. Ein tragbares WC stand neben einem Geräteschuppen. Eine etwa fünf Meter hohe Stützmauer säumte die andere Straßenseite. Thomas blickte die Sackgasse hoch und hinunter und wollte sich schon wieder abwenden, als er eine Bewegung im Schatten wahrnahm.

Er legte seine Hand auf Eddies Unterarm. Dieser drehte sich zu ihm. Thomas bedeutete ihm zu schweigen, dann zog er ihn in den Eingangsbereich eines Hauses. Von ihrem Versteck aus spähte Thomas dorthin, wo er die Bewegung gesehen hatte. Hatte er es sich eingebildet oder war dort jemand?

Er hielt den Atem an und wartete. Eddie tat es ihm gleich.

Ein paar Sekunden später bewegte sich ein weiterer Schatten, und dieses Mal konnte Thomas deutlich eine Person erkennen. Seine Aura identifizierte ihn als Vampir, und das Licht der Straßenlaterne bestätigte, dass Thomas ihn nicht kannte. Er konnte einer der Neuankömmlinge sein, die Gabriel erwähnt hatte.

Neben dem fremden Vampir erschien ein zweiter. Die beiden sahen sich um, dann gingen sie in Richtung des mit Brettern vernagelten Gebäudes, als sich zwei weitere zu ihnen gesellten. Der erste Vampir schob eins der Bretter, das ein Fenster mit Blick auf die Baustelle abdeckte, zur Seite und quetschte sich nach drinnen. Die anderen drei folgten.

Thomas sah Eddie an. „Hast du die Typen schon mal gesehen?"

„Nein."

„Dann lass sie uns mal genauer ansehen."

Vorsichtig näherten sie sich dem Gebäude. Thomas blickte zu seinem Stiefel hinunter, wo ein silbernes Messer in einer Schutzhülle versteckt war. Dann steckte er seine Hand in seine Innentasche und vergewisserte sich, dass der Holzpflock noch dort war, wo er sein sollte.

Er winkte Eddie, ihm zu folgen und ging auf die andere Seite des mit Brettern vernagelten Geschäftes, das die vier Vampire betreten hatten. Ohne ein Geräusch zu machen, schlich er um das Gebäude herum, Eddie auf seinen Fersen. Alle Fenster waren mit Sperrholzplatten vernagelt, aber als er die Rückseite des Hauses erreichte, wo ein kleiner Garten lag, der mit Baumaterialien überfüllt war, bemerkte er eine offene Tür.

Er näherte sich dieser vorsichtig, drückte sich an die Wand daneben und spähte hinein. Er hörte Stimmen.

„ ...ohne Zustimmung des Chefs."

„Aber der ist reif für eine Übernahme", behauptete ein zweiter Mann mit angespannter Stimme.

„Ich berichte ihm davon. Wenn es in unseren Plan passt, dann handeln wir."

Thomas versuchte angestrengt, die leisen Stimmen zu verstehen und spürte, wie sich in ihm etwas Seltsames rührte. Die dunkle Macht in ihm schien ohne jegliche Provokation zu erwachen und wurde von der Aura der vier fremden Vampire angezogen. Er schloss die Augen für einen Moment und versuchte, sie wieder zu unterdrücken.

„Vergiss es. Was auch immer wir bekommen können, nehmen wir uns. Je mehr, desto stärker werden wir sein, sobald es Zeit ist", antwortete der zweite Mann.

Ein Geräusch hinter ihm hallte in der Nacht wider. Er schnellte herum. Ein Brett hatte sich aus dem Baustoffhaufen, an dem Thomas und Eddie nur Augenblicke zuvor vorbeigegangen waren, gelöst und hatte den Lärm verursacht. Sein Blick kollidierte mit Eddies, der auf die offene Tür deutete.

Innen waren die Stimmen verstummt. Die vier fremden Vampire hatten das Geräusch ebenfalls gehört.

Thomas schnappte Eddie am Ärmel seiner Jacke und zog ihn weg. Er sprang über den niedrigen Zaun in das angrenzende Grundstück und landete hinter der Baustelle, wo eine weitere Stützmauer stand.

„Scheiße", zischte er leise. Von hier aus gab es keinen Ausweg. Sie müssten ihren Weg durch das teilweise errichtete Gebäude machen, wo sie von den anderen Vampiren gesehen werden würden.

Beim Klang von Schritten wirbelte Thomas seinen Kopf zur Seite. Die vier Vampire näherten sich bereits, obwohl er noch nichts sehen konnte. Was bedeutete, dass sie ihn und Eddie auch noch nicht sehen konnten.

Eines war klar: Die Vampire würden vermuten, dass sie belauscht worden waren. Und sie würden das nicht zu schätzen wissen. „Wir müssen sie bekämpfen", flüsterte er Eddie zu.

Sein junger Freund schüttelte sofort den Kopf und drängte ihn in die Ecke, weiter weg von den sich nähernden Vampiren. Thomas funkelte ihn an.

„Es sind zu viele", flüsterte Eddie zurück.

„Ich werde Gedankenkontrolle verwenden", schlug Thomas vor. Es würde für Machtausgleich sorgen. Die Chancen von zwei gegen vier waren nicht gut, aber wenn er sie mit Gedankenkontrolle bekämpfen konnte, hatten er und Eddie eine Chance, diese Konfrontation zu gewinnen, sollte es zu einem Kampf kommen.

„Nein, das wirst du nicht! Es ist zu gefährlich. Mach einfach mit mir mit!"

Bevor Thomas protestieren konnte, schob Eddie ihn gegen die Wand, dann drückte er seinen Körper an Thomas' und küsste ihn. Fassungslos erstarrte Thomas. Das konnte nicht wahr sein! Er musste träumen oder halluzinieren. Aber es war echt: Eddies heißer Mund lag auf seinem und seine Zunge fuhr über Thomas' Lippen und verlangte Einlass. Eddies Hand auf seinem Nacken hielt ihn fest, während er seinen anderen Arm um Thomas' Hüfte legte, um ihn näher an seinen Körper zu ziehen.

Mit einem Stöhnen teilte Thomas seine Lippen und lud Eddie ein. Als sich ihre Zungen trafen, ging sein ganzer Körper in Flammen auf. Blut schoss innerhalb von Sekunden in seinen Schwanz und brachte ihn schneller zu einer vollen Erektion, als er ein einziges Wort hätte äußern können.

Plötzlich erfüllte sich sein Traum.

11

Eddie war klar, dass sein Handeln vollkommen verrückt war, doch war ihm dieses Ablenkungsmanöver als einziger Ausweg aus ihrer Situation erschienen. Auf keinen Fall konnte er zulassen, dass Thomas die Fähigkeit der Gedankenkontrolle bei den vier Vampiren anwandte. Beim letzten Versuch, im Kampf mit Thomas' Erschaffer Keegan, wäre er fast umgekommen. Und vier Vampire mit herkömmlichen Mitteln zu bekämpfen, kam dem Selbstmord gleich.

Nein, das war er Thomas schuldig.

Und die Täuschung könnte sogar funktionieren, denn schließlich waren sie in der Castro, wo Homosexuelle sich etwas weniger zurückhaltend benahmen als im Rest der Stadt. Was er und Thomas hier taten, würde nicht ungewöhnlich erscheinen. Mit ein bisschen Glück könnten sie die vier Fremden glauben machen, dass sie nur zwei geile Homosexuelle waren, die die Lust überfallen hatte.

Solange es nur realistisch genug aussah.

Eddie neigte seinen Kopf zur Seite, um tiefer in Thomas' Mund zu tauchen. Zu seiner Überraschung widerte es ihn nicht an, einen Mann zu küssen. Im Gegenteil, er liebte Thomas' männlichen Geschmack, den festen Schlag seiner Zunge gegen seine eigene und den gleichzeitigen harten Druck seiner Hüften. Seine Lippen waren warm und einladend und sein Atem heiß und prickelnd. Lust überkam Eddie und Verlangen quoll empor. Alles für den guten Zweck, redete er sich ein. Damit ihnen die Vampire die Täuschung abkauften, dass sie ein Liebespaar waren, musste es überzeugend wirken.

Eddie ließ ein Stöhnen über seine Lippen kommen, während er Thomas' Taille losließ und mit zitternder Hand den Knopf seiner eigenen Lederhose öffnete. Wenn er den vier Neulingen seinen nackten Arsch zeigen musste, damit sie ihnen die Täuschung abkauften, dann würde er genau das tun.

Ohne Zeit zu verschwenden, zog er den Reißverschluss nach unten und zupfte an seiner Hose. Thomas' Hände stoppten ihn. Eddie wollte protestieren und ihm zu verstehen geben, warum er dies tun musste, als er spürte, wie Thomas' Hand auf seinen Hintern glitt und an seiner Hose zog.

Doch sie ließ sich nicht abstreifen und Eddies Atem stockte, als ihm bewusst wurde, was geschehen war: Seine Hose hatte sich an seiner Erektion, die eine massive Beule unter seiner Calvin Klein Boxershort machte, verfangen.

Er hatte eine Erektion? Wie zum Teufel war das passiert? Aber bevor er seinem Denkprozess folgen konnte, spürte er, wie Thomas' Hände zu seiner Leistengegend wanderten, die Vorderseite seiner Hose packten und sie nach unten schoben. Als dabei eine Hand seinen Schwanz streifte, zischte Eddie: „Fuck!" Für einen Moment ließ er von Thomas' Lippen ab.

Eddie atmete scharf ein, aber dann waren Thomas' Lippen wieder auf seinen und seine Zunge stieß wieder in Eddies Mund, um ihn zu erkunden und sich mit ihm zu duellieren. Oh Gott, niemand hatte ihn je so geküsst, mit solcher Leidenschaft, solcher Kraft und Bestimmtheit. Keine Frau hatte dies je getan. Küssten alle Männer so? So fühlte sich das also an?

Bevor er wusste, was er tat, kamen Worte über seine Lippen, von denen er keine Ahnung hatte, dass er sie sagen wollte. „Berühr mich!"

Auf seine gestöhnte Bitte hin glitt Thomas' Hand in seine Unterhose und schob diese nach unten. Kühle Luft blies gegen seinen Schwanz, bevor ihn den Bruchteil einer Sekunde später eine warme Handfläche umschlang und drückte. Ein Stromschlag durchfuhr ihn. Seine Fänge senkten sich ohne Vorwarnung, und seine Hand umklammerte Thomas' Nacken fester, um ihn zu einem tieferen Kuss heranzuziehen.

Mit seiner zweiten Hand schob Thomas Eddies Slip ganz nach unten, dann ergriff er seinen Hintern. Oh Gott! Er sollte ihn davon abhalten. Er wollte das nicht. Er war doch nicht schwul! All das geschah nur, um diese

Vampire zu täuschen. Aber er konnte seinen Körper nicht daran hindern, auf Thomas' Berührung und Kuss zu reagieren. Auf einen Kuss, den er, Eddie, begonnen hatte.

Unwillkürlich pumpte er seinen Schwanz in Thomas' Hand, stieß zu, als wollte er in ihn hineinstoßen, während er fest gegen Thomas' Zunge schlug, diese so lutschte, als wäre es Thomas' Schwanz. Der Gedanke erschreckte ihn. Er lutschte doch keine Schwänze! Er leckte Muschis! Genau! Doch konnte er sich gerade nicht erinnern, wann er zuletzt eine gesehen hatte.

Thomas' Hand bearbeitete ihn perfekt. Als wüsste er genau, was Eddie brauchte. Der richtige Druck und Rhythmus, die perfekte Härte und Geschwindigkeit.

Ein begeistertes „Ja!" kam über Eddies Lippen, als er kurz Luft schnappte, nur um einen Moment später seine Lippen wieder mit Thomas' zu vereinen. Plötzlich spürte Eddie, wie Thomas' Zunge gegen einen Reißzahn leckte. Glühend heiße Hitze schoss in seine Eier. Dann wiederholte Thomas seine Handlung.

„Schwule!", ertönte plötzlich eine Stimme in der Ferne.

„Eine Schande für einen Vampir!", fügte ein anderer Mann an.

Die Schritte entfernten sich. Die Gefahr war vorbei, aber Eddie schaffte es nicht, sich Thomas' Armen zu entziehen.

„Komm!", hörte er Thomas knurren, als dieser Eddies Schwanz härter und schneller drückte, während er weiterhin seine Reißzähne leckte.

Eddie hatte gewusst, dass Fänge die erogenste Zone eines Vampirs waren, doch hatte er es nie zuvor am eigenen Leibe erfahren. Nun, da er es spürte, erkannte er, dass er keine Abwehrkräfte gegen den sinnlichen Ansturm von Thomas' Liebkosungen hatte. Er war machtlos; sein Körper wollte mehr: mehr von Thomas' Küssen und Berührungen.

Seine Hüften arbeiteten fieberhaft und stießen seine Erektion in Thomas' bereitwillige Hand. Er sehnte sich nach dem Höhepunkt und in diesem Moment war es ihm völlig gleichgültig, wer ihm diesen ermöglichte. Egal ob Mann oder Frau, er brauchte Erlösung oder sein ganzer Körper würde in Flammen aufgehen.

Er war so nahe dran. Er hätte aus Frustration aufheulen können und warf seinen Kopf zurück und stöhnte. „Fuck!"

Thomas schien zu verstehen, was er brauchte, und fasste mit seiner zweiten Hand sanft an Eddies Hoden. Dann begann er, sie im Gleichklang mit seinen Liebkosungen von Eddies Schwanz zu drücken. Die Berührung war sanft, doch gleichzeitig fest.

„Küss mich!“, forderte Thomas und ohne nachzudenken folgte Eddie seiner Aufforderung und senkte seine Lippen wieder auf Thomas’, schob seine Zunge genauso in dessen Mund, wie er seinen Schwanz in dessen Hand stieß.

In seinem Kopf erschienen Visionen, wie sie Sex hatten, wie sie zusammen im Bett lagen, nackt, ihre Arme und Beine verstrickt, ihre Schwänze mit Blut vollgepumpt. Er sah, wie ihre Hände gemeinsam ihre Schwänze drückten und im Gleichklang aneinander rieben. Er konnte beinahe Thomas’ Schwanz gegen seinen eigenen reiben spüren und fühlen, wie die Erregung stieg, als sie sich gegenseitig zum Orgasmus trieben. Aber kurz zuvor rollte Thomas sich plötzlich auf den Bauch und bot sich Eddie auf Händen und Knien dar.

Eddie stöhnte laut auf, als die Vision in seinem Kopf verschwamm und riss seinen Mund von Thomas’. Er spürte, wie sein Samen durch seinen Schwanz schoss und aus ihm herausströmte. Sein Körper erbebte unter der Intensität seines Höhepunktes, und seine Knie drohten einzuknicken. Wärme und Nässe umschlangen ihn, als Thomas weiter seinen Schwanz streichelte, bis sein Orgasmus abgeklungen war.

Schwer atmend versuchte Eddie, seinen Verstand zu sammeln. Was tat er hier? Warum war dies geschehen?

Er erinnerte sich an die vier fremden Vampire, denen sie gefolgt waren und an seinen Plan, sie zu täuschen. Es hatte funktioniert. Sie waren verschwunden. Sie hatten ihnen das schwule Liebespaar abgekauft. Dennoch war der Plan nach hinten losgegangen. Er hatte sich von Thomas berühren lassen! Und er war so hart gekommen, dass er tatsächlich Sterne vor seinen Augen gesehen hatte.

Verlegenheit ergriff ihn. Die Panik folgte dicht dahinter. Würde Thomas jetzt denken, Eddie wäre schwul? Oh Gott! Würde er davon ausgehen, dass Eddie jetzt sein Liebhaber sein wollte? Hatte er damit Thomas freie Fahrt gegeben, ihn anzubaggern? Um ihn wieder zu verführen, sobald sie allein zu Hause waren? Würde dies bedeuten, dass Thomas in sein Zimmer und sein Bett kommen würde, um zu wiederholen, was sie gerade getan hatten? Und noch andere Dinge tun, viel intimere Dinge?

Eddie spürte, wie ein Schauder durch seinen Körper raste, und dieses Mal war es nicht ein Nachbeben seines Orgasmus. So schnell er konnte, schob er seinen nun schlaffen Schwanz in seine Shorts, zog seine Hose hoch und schloss den Reißverschluss. Aus dem Augenwinkel bemerkte er, wie Thomas seine Hand an seinem T-Shirt abwischte.

„Wegen dem, was gerade passiert ist ...", fing Thomas an.

Eddie drehte sich weg. „Es hat funktioniert. Sie sind weg. Sie haben es uns abgekauft."

Er spürte Thomas' Hand auf seiner Schulter und riss sich los. „Eddie, bitte ..."

„Alles ist in Ordnung."

„Ich hätte sie mit Gedankenkontrolle besiegen können. Also war das, was wir gerade getan haben –"

Eddie kniff die Augen zusammen. „Beim Kampf mit Keegan wärst du damit fast umgekommen!"

Thomas bemerkte den herausfordernden Blick in Eddies Augen und zögerte einen Moment. Eddie hatte sich um ihn gesorgt? Und nur deshalb eine so drastische Maßnahme ergriffen, um die anderen Vampire glauben zu machen, sie wären ein Liebespaar? Oder steckte doch etwas anderes hinter Eddies Handlung? Könnte es sein, dass Eddie sich doch ein kleines bisschen zu ihm hingezogen fühlte? Denn das, was sie getan hatten, war wesentlich weiter gegangen, als nötig gewesen wäre: Ein Kuss und ein paar Berührungen wären genug gewesen, um die anderen Vampire zu täuschen. Es war nicht notwendig gewesen, dass Eddie seine Hose fallen ließ und Thomas erlaubte, ihn intim zu berühren. Insbesondere, nachdem die fremden Vampire schon verschwunden waren. Er hätte Eddie nicht mit seiner Hand zum Höhepunkt bringen müssen. Doch auch Thomas hatte nicht aufhören können, und Eddie hatte ihn angespornt, nicht mit Worten, doch mit seinem Stöhnen und den unerbittlichen Stößen seiner Hüften. Eddie hatte dies gewollt, er hatte gewollt, dass Thomas ihn zum Orgasmus brachte. Und Thomas hatte das Gefühl geliebt, zu spüren, wie Eddie sich ihm hingab.

In diesem kurzen Moment waren sie ein Liebespaar gewesen. Noch nie hatte Thomas so befriedigendes Petting mit jemandem erlebt. Obwohl Eddie ihn kaum berührt hatte und kein einziges Mal seine Hand über Thomas' Schwanz hatte gleiten lassen – wobei er Thomas' stählerne Härte gespürt hätte – war sein Kuss doch leidenschaftlich und glühend gewesen. Und für eine Weile war Eddie vollkommen unter seinem Bann gestanden und hatte sich dem Vergnügen hingegeben, das Thomas ihm bescherte. Es war der beste Moment in seinem Leben gewesen, zu spüren, wie Eddie in seiner Hand gekommen war, wie seine Eier sich zusammengezogen hatten und wie er seinen warmen Samen in Thomas' Handfläche geschossen hatte. In dem Moment hatte er nichts mehr gewollt, als Eddie umzudrehen, seinen Schwanz in dessen jungfräulichen Arsch zu versenken und ihn bis zum Zusammenbruch zu reiten.

Thomas war immer noch erregt, und er wusste, dass er nur ein paar Stöße brauchte, um ebenso heftig zu kommen, wie Eddie in seiner Hand gekommen war. Aber ein Blick auf Eddie verdeutlichte ihm, dass dies nicht passieren würde, zumindest nicht mit Hilfe von Eddies Hand.

Reue zeigte sich in Eddies Gesicht. Enttäuscht senkte Thomas seine Lider. Für einen kurzen Moment hatte er gehofft, dass Eddie endlich versuchte, ihm etwas zu sagen, dass er versuchte, ihm zu zeigen, dass er die gleichen Gefühle wie Thomas hegte. Aber er hatte sich geirrt. Eddie hatte nur die vier Vampire täuschen wollen.

Dennoch bildeten seine Lippen Worte, die er nicht sagen sollte: „Aber du hast mir erlaubt, dich zu berühren –"

„Vergiss, was passiert ist", antwortete Eddie schroff. „Es bedeutet nichts."

Es bedeutete nichts? Nein, denn Thomas bedeutete dies sehr viel. Er nahm einen tiefen Atemzug. „Es vergessen? Wie zum Teufel kannst du von mir erwarten, das zu vergessen? Du hast mir erlaubt, dich so zu berühren. Du hast mich nicht gestoppt." Denn Thomas hatte auf keinen Fall die Kraft gehabt, sich selbst zu stoppen.

Eddie kniff seine Lippen zu einer dünnen Linie zusammen. „Ich habe es getan, um dich davon abzuhalten, etwas Idiotisches zu unternehmen! Du hättest diese vier nicht mit Gedankenkontrolle besiegen können! Sie hätten dich umgebracht!"

„Du glaubst also ich bin schwach?" Wo diese Worte plötzlich herkamen, wusste Thomas nicht, doch er äußerte sie trotzdem.

„Das habe ich nicht behauptet!"

„Doch, das hast du." Er packte Eddie am Hemd und zog ihn an sich. „Ich bin älter als du, und ich bin stärker. Also spiel nicht mit mir, oder du wirst es bereuen. Nächstes Mal, wenn du die dumme Idee hast, mich zu küssen, dann sei bereit, die Sache ganz durchzuziehen. Wenn du mich noch einmal provozierst, dann werde ich mir nehmen, was du anbietest. Und beim nächsten Mal belasse ich es nicht beim Wichsen. Das verspreche ich dir.“

Erschrocken wich Eddie zurück.

Thomas’ Brust hob und senkte sich. Hatte er Eddie wirklich gedroht, ihn zu ficken, wenn er ihn jemals wieder so berühren sollte?

Bestrafe ihn doch gleich jetzt! schlug eine Stimme tief aus seinem Inneren vor. *Er verdient es, weil er dich so aufgepeitscht hat.*

Thomas kämpfte gegen die Stimme an und drängte sie zurück in die dunklen Tiefen seines Herzens, wo sie hingehörte. Er würde nicht zulassen, dass diese temporäre Wut ihn übermannte. Wenn er sich erst einmal wieder beruhigt hatte würde er bereuen, seiner bösen Seite nachgegeben zu haben.

Eddie stieß beide Hände gegen Thomas’ Brust und schleuderte ihn an die Wand hinter ihm. „Wenn du mich nochmals so anfasst, bist du ein toter Mann!“ Er atmete schwer. „Ich bin nicht vom andern Ufer, verstehst du das? Ich habe dir einen verdammten Gefallen getan! Das nächste Mal helfe ich dir nicht mehr aus der Klemme!“

Thomas fühlte Zorn aus seinem Bauch zu seiner Brust steigen. Sein Kiefer verkrampfte sich. „So wie’s aussah, hast du in derselben Klemme gesteckt! Was hättest du ohne mich getan? Wärst du zu deiner großen Schwester gelaufen –?“

Seine nächsten Worte wurden ihm zurück in seine Kehle gerammt, als Eddies Faust auf seinem Mund landete.

Verdammt! Eine Flamme der Wut schoss durch sein Herz.

Anstatt zurückzuschlagen, richtete Thomas sich auf und funkelte Eddie an, während die dunkle Macht in seinem Inneren erpicht darauf war, sich an die Oberfläche zu drängen und Vergeltung zu fordern. Sein Körper verhärtete sich, machte sich für einen Kampf bereit, auf einen Kampf mit sich selbst. „Fühlst du dich jetzt besser?“

Eddie gab keine Antwort, sondern stand einfach nur da und funkelte Thomas wild an.

„Trotzdem radiert das nicht die Tatsache aus, dass du es genossen hast, von einem Schwulen gewichst zu werden.“

Oder dass Thomas die Szene vor seinem geistigen Auge wiederspielen lassen würde, wenn er das nächste Mal in der Dusche stand und seinen eigenen Schwanz streichelte, bis er kam.

Eddie machte auf den Fersen kehrt und flüchtete.

Thomas stemmte die Hände auf seine Oberschenkel und kämpfte gegen das Gefühl der Übelkeit an. Der unsichtbare Kampf in ihm war bereits in vollem Gange. Seine beiden Seiten, die gute und die böse, bekämpften sich. Thomas versuchte, seinen Geist zu beruhigen und Frieden in sein Herz zu bringen, doch kleine Funken begannen, auf seinen Händen zu tanzen. Seine Vision verfärbte sich rot, und er wusste, dass seine Augen jetzt blutunterlaufen waren. Scharfe Krallen ragten aus seinen Fingerspitzen hervor und gruben sich tief in seine Hose und sein Fleisch. Der nächste Angriff zwang ihn in die Knie, und weiße Funken flogen um ihn herum.

Die Macht in seinem Inneren drohte zu entkommen. Sie würde andere Vampire anziehen, wenn er sie nicht aufhalten konnte. Mit seinem letzten Gramm an Willenskraft schlitzte er mit seiner rechten Klaue seinen Bauch auf, und schnitt sich tief ins eigene Fleisch. Der Schmerz ließ ihn aufschreien, aber er bewirkte, was er beabsichtigt hatte: Er stoppte die dunkle Macht und brachte sie dazu, sich tief in ihm zurückzuziehen. Das funkelnde Licht erlosch und die Dunkelheit beruhigte ihn. Er hatte gewonnen. Aber jedes Mal, wenn die dunkle Macht einen Auftritt machte, schien sie stärker und schwerer zu besiegen. Es war an der Zeit, dafür zu sorgen, dass sie sich ihm unterwarf. Buchstäblich. Und er wusste genau, wie er dies bewerkstelligen konnte.

12

Eddie lief nach Hause, als wäre der Teufel mit einem Pflock hinter ihm her. Dort angekommen sprang er auf sein Motorrad und donnerte den Berg hinunter in die Stadt. Den Wind um seinen erhitzten Körper blasen zu spüren ließ ihn sich ein wenig besser fühlen. Allerdings konnte selbst dies nicht die Peinlichkeit auslöschen, die er verspürte: Er hatte sich von Thomas intim berühren lassen. Verdammt, er hatte ihn sogar dazu ermutigt, ihn angespornt! Was zum Teufel war nur in ihn gefahren? Zeitweiliger Wahnsinn wahrscheinlich! Eine andere Erklärung gab es nicht. Denn definitiv war er NICHT schwul! Er hatte sich noch nie zu einem Mann hingezogen gefühlt. Also warum zum Teufel hatte er Thomas' Hände auf seinem Körper genossen? Warum hatte er sich dessen Kuss hingegeben und ihn sogar mit Leidenschaft erwidert? Was war los mit ihm?

Ziellos bahnte er sich einen Weg durch den Innenstadtverkehr und fand sich schließlich vor Ninas Wohngebäude wieder. Er hob den Kopf und blickte zur obersten Etage hoch. Dort brannte Licht. Jemand war zu Hause. Er seufzte. Vielleicht sollte er seine Schwester für eine Weile besuchen, um an etwas anderes zu denken. Sie würde ihn ablenken.

Er parkte vor dem Eingang und stieg von seinem Motorrad. Als er seinen Helm abnahm und ihn am Lenkrad festmachte, ließ er einen langen Blick darüberschweifen. Thomas hatte es ihm zur Verfügung gestellt. Er hatte damals gesagt, dass es sowieso eines seiner älteren Motorräder war und er selbst es kaum noch benutzte. Eddie hatte dafür bezahlen wollen, doch Thomas hatte sich geweigert, Geld anzunehmen. Genauso wie Thomas keine Miete für das Zimmer verlangte, das Eddie zu seinem Zuhause gemacht hatte. Plötzlich fiel es ihm wie Schuppen von den Augen: Er ließ sich aushalten. Thomas machte ihm Geschenke und zahlte für seinen Lebensunterhalt, genauso wie ein Mann für seine Geliebte zahlen würde.

Eddie versuchte, den Gedanken abzuschütteln, denn er wollte diesem Gedankengang nicht folgen, aber es war nicht schwer, die Puzzleteile jetzt zusammenzufügen. Von dem Moment an, als er zum Vampir geworden war, hatte sich sein Leben verändert. Anfangs, als er von seinem Erschaffer Luther auf sein Leben als Vampir vorbereitet worden war, hatte er nicht einmal an Frauen gedacht, weil der Blutdurst, der ihn ergriffen hatte, so überwältigend gewesen war. War während seiner Verwandlung etwas geschehen, dass seine Begierde nach Frauen getötet hatte? War etwas schief gegangen, sodass er nun Männer begehrte?

Den Gedanken in den Hintergrund drängend ging er zur Eingangstür, als diese sich öffnete und einer der Mieter heraustrat. Er hatte den Mann schon viele Male zuvor gesehen und begrüßte ihn.

„Hi."

„Hi."

Der Mieter hielt die Tür für ihn auf und ließ ihn ins Innere eintreten.

„Danke, auf dann!"

Langsam stieg Eddie zur obersten Etage hinauf. Als er diese erreichte, marschierte er auf die einzige Tür auf diesem Stockwerk zu und drückte auf die Klingel. Er hörte jemanden fluchen und erkannte Amaurys Stimme. Scheinbar kam er ungelegen. Vielleicht war es doch keine so gute Idee gewesen, unangemeldet vorbeizukommen. War er wirklich auf die Gesellschaft dieser beiden Turteltauben scharf?

Eddie trat einen Schritt zurück und wollte schon kehrtmachen, als sich die Tür öffnete. Amaurys massiver Körper füllte den gesamten Türrahmen aus. Sein Hemd war verknittert, seine Haare zerzaust. Ja, er hatte die beiden auf jeden Fall bei etwas unterbrochen.

„Hi Eddie."

„Amaury, tut mir leid, ich wollte nicht stören. Ich komme lieber ein anderes Mal vorbei." Er wandte sich ab, aber Amaurys Hand auf seiner Schulter zog ihn zurück.

„Jetzt bist du schon da. Also kannst du auch reinkommen."

„Eddie?" Ninas Stimme kam aus dem Wohnzimmer. „Ist alles okay?"

Eddie trat ein und sah seine Schwester von der Couch aufstehen und ihr T-Shirt geradeziehen. Sie warf ihm einen besorgten Blick zu. Hinter ihm schloss Amaury die Tür.

„Ja, sicher ist alles in Ordnung. Warum denn nicht? Ich war gerade in der Nähe und wollte nur vorbeischauen. Kann ich nicht einfach zu meiner Schwester hallo sagen?"

„Natürlich." Sie kam auf ihn zu, warf ihre Arme um ihn und drückte ihn.

Er erwiderte die Umarmung und hielt sie länger als üblich fest, bis er Amaury hinter sich grunzen hörte. Er verdrehte die Augen und ließ sie los. „Wie du diesen Typen tagein tagaus ertragen kannst, ist mir schleierhaft."

Nina schlug ihm spielerisch auf den Arm und ermahnte ihn: „Eddie!"

„Also bist du gekommen, um mich zu beleidigen?", fragte Amaury und stemmte seine Hände in die Hüften.

Eddie grinste. „Hatte ich zwar nicht geplant, aber du rufst diese Reaktion immer wieder in mir hervor."

Amaury lachte. „Du bist genau wie deine Schwester." Er warf seiner Gefährtin einen liebevollen Blick zu.

Als Amaurys und Ninas Blicke ineinander versanken, fühlte Eddie eine nie zuvor gekannte Sehnsucht in sich aufquellen. Er wünschte sich, was die beiden hatten: eine Liebe, die so stark war, dass nichts sie zerstören konnte.

„Dann geh ich wohl lieber wieder. Ihr zwei habt was Besseres vor, als mich zu unterhalten."

Amaury riss seinen Blick von Nina los und deutete auf die Couch. „Nein, bleib nur. Ich würde dir ja Blut anbieten, aber ich habe keins hier."

Eddie hatte sich das schon gedacht. Da Amaury nur Ninas Blut trank, hatte er nie einen Vorrat an Blutflaschen im Haus. „Ist egal. Ich bin nicht durstig." Er ließ sich auf die Couch fallen und Nina und Amaury gesellten sich zu ihm.

„Bist du auf Patrouille gewesen?", fragte Amaury.

Eddie nickte. „Ja. Wie kommt's, dass du nicht im Dienst bist? Ich dachte, ich hätte deinen Namen auf dem Dienstplan gesehen."

Sein Schwager zuckte mit den Schultern. „Ich habe mit einem der Jungs getauscht."

Eddie warf einen Seitenblick auf seine Schwester. „War das Ninas Idee?"

Amaury schmunzelte.

„Ich bin hier, Jungs, also tut nicht so, als könnte ich euch nicht hören", unterbrach Nina. Dann legte sie ihre Hand auf Amaurys Arm. „Baby, könntest du mir vielleicht Schokoladeneis aus dem Laden um die Ecke holen?"

„Jetzt?"

„Ja, jetzt. Ich wäre wirklich dankbar, wenn du das für mich tun würdest." Sie klimperte mit ihren Wimpern.

„Wie dankbar?", flüsterte Amaury, seine Stimme jetzt weicher als zuvor.

„Sehr dankbar."

Eddie stöhnte innerlich auf. Mussten die beiden wirklich so dick auftragen? Das war ja zum Kotzen.

Amaury stand auf und ging zur Tür. „Bin in ein paar Minuten wieder da."

In dem Moment, als die Tür hinter Amaury zufiel, drehte sich Nina zu ihm und blickte ihn ernst an. „Also mal raus damit: Was ist los?"

„Was meinst du damit?"

Sie streckte ihm die Hand entgegen. „Darf ich mich vorstellen? Ich bin Nina, deine Schwester. Und ich kenne dich schon dein ganzes Leben lang. Also verarsch mich nicht. Du tauchst nie unangekündigt bei uns auf. Tatsächlich sehe ich dich nur selten, es sei denn es gibt eine Party."

„Du hast dich noch nie darüber beschwert. Außerdem störe ich euer kleines Liebesnest nur ungern."

Nina neigte den Kopf zur Seite. „Und ich beklage mich auch jetzt nicht. Ich deute nur auf eine Tatsache hin." Sie hielt inne und seufzte. „Eddie, ich kenne diesen Blick. Etwas macht dir Sorgen."

Er hätte nicht kommen sollen. Seine Schwester hatte eine Art und Weise, Informationen, die er nicht preisgeben wollte, aus ihm herauszuquetschen. Denn wie könnte er das, was zwischen ihm und Thomas vorgefallen war, mit ihr besprechen? Nein, davon durfte niemand erfahren.

„Nichts macht mir Sorgen. Ich wollte nur bei dir vorbeischauen."

„Hmm."

„Was?"

Nina steckte ihre Beine unter sich. „Du warst schon als Kind ein schlechter Lügner."

„Was hat das damit zu tun?"

„Spuck's aus!"

Er seufzte. „Na schön. Ich bin hier, weil ich dich um Rat bitten wollte. Ich spiele mit dem Gedanken, mir eine eigene Wohnung zu nehmen", log er.

Sie hob die Augenbrauen. „Du willst aus Thomas' Haus ausziehen?"

„Ja. Ich meine, ich kann mich ja jetzt beherrschen. Ich habe gelernt, mit meinen Vampirfähigkeiten umzugehen. Ich brauche jetzt keinen Mentor mehr."

„Na ja, es ist ja jetzt schon über ein Jahr her. Du verspürst keinen Blutdurst mehr, oder?"

Er schüttelte den Kopf. „Nein, natürlich nicht. Das Zeug in den Flaschen ist schon okay. Also, was meinst du?"

„Was ich meine?"

„Ja, wegen des Umzugs. Dass ich mir eine Wohnung nehme. Geld habe ich genug." Das zumindest war wahr. Er konnte es sich locker leisten, eine anständige Wohnung zu mieten.

Was als Lüge begonnen hatte, um seine Schwester zu beruhigen, könnte sich sogar als die Lösung für sein Problem herausstellen. Er würde nicht mehr mit Thomas allein sein müssen. Sie würden einander nur bei der Arbeit sehen. Und selbst dort begegneten sie sich nicht ständig. Sie würden schließlich nicht immer als Team eingesetzt werden. Insbesondere wenn Thomas ihn nicht mehr betreuen musste. Vielleicht konnten sie ihre Freundschaft bewahren, indem sie etwas Abstand voneinander gewannen.

„Willst du, dass ich mich ein bisschen für dich umsehe, was so angeboten wird?", bot Nina mit einem Lächeln an.

„Das wäre toll, Schwesterchen."

„Hast du eine bestimmte Nachbarschaft im Auge?"

Er zuckte mit den Schultern. „Halt etwas Zentrales. Ich will nicht in der Pampa wohnen. Irgendwo in der Stadtmitte, nicht in einem reinen Wohngebiet. Und auf keinen Fall im Kinderwagen-Viertel."

Ninas Brauen schnappen zusammen. „Kinderwagen-Viertel?"

„Ja, Noe Valley. Sag bloß, du hast diesen Spitznamen noch nie gehört."

Nina lachte. „Nein, hatte ich nicht. Aber jetzt wo du es sagst, kommt es mir sehr passend vor, mit all den Paaren, die dort mit kleinen Kindern herumlaufen. Okay, dann schaue ich mich mal um. Ich bin sicher, wir finden für dich etwas Schönes, das auch erschwinglich ist."

„Finden ihm was?", erklang Amaurys Stimme von der Tür.

„Ein Apartment. Eddie will ausziehen und sich eine eigene Wohnung nehmen."

Eddies Blick kollidierte mit Amaurys.

„Oh. Thomas hat davon noch gar nichts erwähnt."

Eddie schluckte den Kloß in seiner Kehle hinunter. „Ich habe es ihm noch nicht gesagt."

Und er hatte auch keine Ahnung, wie und wann er es ihm sagen sollte. Das war ein Gespräch, auf das er sich nicht freute, obwohl er wusste, dass er es führen musste – bevor die Dinge außer Rand und Band gerieten. Letztendlich wäre das am Besten. Sie konnten einfach Kollegen und Freunde bleiben, mit einer klaren Grenze zwischen ihnen, die sie nie wieder überschreiten würden.

13

Thomas betrat den fensterlosen Raum und sah sich um. Nichts hatte sich verändert. Der Raum war spärlich eingerichtet: ein paar Bänke, ein Gestell mit verschiedenen Seilen und Ketten, mehrere Peitschen, Stöcke und andere Werkzeuge, die zur Geißelung verwendet wurden. Er besaß die meisten dieser Geräte selbst und lagerte sie in seinem Keller in einem Raum, den er für sexuelle Spiele mit seinen verschiedenen Partnern nutzte. Milde Knechtschaft und Selbstgeißelung waren alles Teile seiner regelmäßigen Routine, aber seit Eddie bei ihm eingezogen war, hatte er den Raum kaum verwendet. Jedenfalls nicht für sexuelle Spiele mit anderen Männern. Er hatte ihn nur gelegentlich benutzt, um sich selbst auszupeitschen, wann immer er seine dunkle Macht emporsteigen spürte. Dann züchtigte er sie mit einer Peitsche, bis sie sich ihm unterwarf. Einer Peitsche, die aus geknoteten Kordeln bestand, die gleiche Art von Geißel, die die Mitglieder des Opus Dei im privaten Gebet verwendet hatten. Nur dass Thomas nicht betete.

Und heute Nacht brauchte er etwas mehr als nur die milde Auspeitschung, die er sich selbst erteilen konnte. Er brauchte eine festere Hand, die seine dunkle Macht bis zur Unterwerfung niederschlagen konnte.

Thomas ging zur Spüle in der Ecke, zog seine Jacke aus und ließ diese auf den Stuhl neben sich fallen. Als er das T-Shirt über den Kopf zog, konnte er deutlich die tiefen Einschnitte, die seine Krallen auf seinem Bauch hinterlassen hatten, sehen. Sie waren noch nicht verheilt und würden erst nach ein paar Stunden erneuerndem Schlaf und ausreichend frischem menschlichem Blut heilen.

Er öffnete den Knopf seiner Lederhose und schob den Reißverschluss nach unten. Er zog seine Stiefel und Socken aus und entkleidete sich vollständig. Sein Schwanz stand halb aufrecht, eine Reaktion auf den Geruch von Eddies Samen, der noch immer an seinen Händen klebte. Er hatte ihn einfach an sein T-Shirt gewischt und nicht abgewaschen, obwohl er dazu die Möglichkeit gehabt hätte, als er nach Hause gerannt war, um sein Motorrad zu holen.

Thomas starrte zur Spüle. Er könnte jetzt seine Hände waschen und die Sache leichter für sich machen, anstatt ständig an das Unerreichbare erinnert zu werden. Aber er hatte, wenn er vor der Entscheidung stand, noch nie den einfacheren Weg genommen. Machte ihn das zum Masochisten?

Der brüchige Spiegel gab ihm keine Antwort – keinerlei Reflexion war darin zu sehen.

Langsam drehte er sich um und ging auf das Foltergestell zu. Es war einfach gebaut, mit mehreren Stangen, die im Boden verankert waren und bis zur Decke reichten. Auf einem Querbalken hingen mehrere Lederriemen. Thomas griff nach oben, schob seine Hände in die Schlaufen und zog sie nach unten, sodass sie sich fest um seine Handgelenke schlossen. Obwohl seine Vampirstärke es ihm möglich machte, sich loszureißen, mochte er trotzdem die Illusion, gefesselt und machtlos zu sein.

All dies half ihm, die dunkle Macht in die Unterwerfung zu zwingen. Die dunkle Macht spürte alles, was sein Körper spürte. Wenn Thomas Schmerzen hatte und auf Gedeih und Verderb seinem Peiniger ausgeliefert war, galt dasselbe für das Böse in seinem Inneren. Es würde sich ergeben aus Angst, vernichtet zu werden, und den Rückzug antreten. Solange er vorgeben konnte, machtlos zu sein, hatte er eine Chance. Es war der Grund, warum er oft den untertänigen Partner spielte, obwohl er alles andere als das war. Wann immer er seine dominante Seite zeigte, kam auch seine dunkle Macht zum Vorschein, genauso wie es heute Abend schon geschehen war.

Seine wahre Natur war dominant und stark. Kasper hatte das erkannt. Deswegen hatte er ihn gewählt und ihm sein Blut gegeben. Blut, das bis zum Kern böse war. Blut, das ihn zwang, schreckliche Dinge zu tun. Seit er Kasper verlassen hatte, kämpfte er jeden einzelnen Tag seines Lebens dagegen an.

Damals hatte er gedacht, dass der Machtdrang verschwinden würde, wenn er sich erst einmal Kaspers Einfluss entzogen hatte. Doch er hatte sich geirrt. Der Durst danach war immer noch da und durchflutete seinen Körper wie eine Unterströmung, wie ein gefährlicher Wirbel, den niemand bemerkte, bis es zu spät war.

Thomas spreizte die Beine und richtete seinen Blick auf die Wand vor sich. Er atmete tief durch und sein Herzschlag verlangsamte sich. Als sich die Tür schließlich ein paar Minuten später öffnete, war er ruhig und vorbereitet.

Schritte näherten sich. Er drehte sich nicht um. Er wollte den Mann, der heute seine Strafe austeilen würde, nicht sehen. Sobald es vorbei war, würde er dessen Gedächtnis löschen. Niemand würde herausfinden, was hier geschehen war. Er hatte dies schon viele Male zuvor getan, und heute Nacht würde nicht das letzte Mal sein.

„Die Lederkatze", wies Thomas ihn an. Es war eine Peitsche mit neun lange Lederstreifen. Das härteste Leder war dafür verwendet worden. Genau das Richtige für heute Nacht.

Der Mann antwortete nicht, doch Thomas konnte hören, wie er eine Peitsche von der Wand nahm und sich näherte.

Thomas umklammerte die Schlaufen, die ihn gefangen hielten, fester. Gleichzeitig biss er die Zähne zusammen und bereitete sich vor.

Ohne Vorwarnung landete der erste Peitschenschlag auf seinem nackten Rücken. Schmerz durchfuhr seinen Körper und ließ ihn unwillkürlich aufschreien. Er sog einen schnellen Atemzug ein, doch dieser gewährte ihm keine Linderung: Der zweite Peitschenschlag folgte unmittelbar. Dann ein dritter und ein vierter. Seine Haut platzte auf und er roch das Blut, das anfing, aus seinen offenen Wunden zu sickern. Es mischte sich mit dem Duft des Menschen, der ihn mit unfehlbarer Präzision auspeitschte.

Er spürte, wie sich die dunkle Macht in ihm gegen seinen Peiniger wehren wollte. Thomas biss die Zähne zusammen. „Härter!", befahl er dem Fremden.

Der Mann ging seiner Anordnung wortlos nach und schlug noch kraftvoller auf Thomas ein.

„Ja!", schrie er. Er würde die dunkle Macht besiegen. Er würde diesen Kampf gewinnen! Das musste er. Zu verlieren war keine Option. Zu verlieren bedeutete Zerstörung.

Als der Schmerz schärfer und intensiver wurde, versuchte Thomas, seinen Geist von seinem Körper zu trennen. Er konzentrierte sich auf die Wand vor sich, als wollte er Löcher hineinstarren. Jeder Peitschenschlag versuchte, ihm seinen Fokus zu rauben. Jeder Bolzen von sengendem Schmerz, der durch seinen ganzen Körper schoss, brachte sein Zahnfleisch zum Jucken. Seine Fänge baten darum, herunterzufahren und hungerten nach einem gewalttätigen Biss. Sie wollten seinen Peiniger bestrafen und vernichten. Doch Thomas kämpfte mit aller Macht gegen den Drang an, den Mann zu verletzen.

Stattdessen konzentrierte er sich wieder auf die Wand, auf deren Leere. Er atmete ein und Eddies Duft stieg ihm in die Nase. Er war immer noch präsent, quälte ihn. Er schloss die Augen und plötzlich fühlte sich jeder Peitschenhieb wie eine Liebkosung durch Eddies Hände an. Als würde Eddie seinen Rücken streicheln.

„Tiefer!“, befahl er. Und mit Gedankenkontrolle gab er dem Mann einen weiteren Auftrag. *Sanfter!*

Die Peitsche bewegte sich weiter nach unten und die Lederstreifen klatschten über seinen Arsch. Dieses Mal verspürte er keine Schmerzen. Er fühlte eine Berührung, eine Berührung von Eddies Händen. Eddies Finger glitten über seinen Hintern, bewegten sich weiter nach unten, streichelten ihn.

„Ja!“, rief Thomas aus.

Jeder einzelne Lederstreifen fühlte sich wie ein Finger an, der sanft über seinen Hintern streifte. Als einer sich zwischen seinen Pobacken verfing, stöhnte Thomas vor Vergnügen auf. Sein Schwanz versteifte sich. Voll erigiert drängte er sich gegen seinen Bauch und verlangte nach Erleichterung.

„Mehr“, bettelte er. „Mehr!“

Immer wieder berührte die Peitsche seinen Hintern und sein Geist beschwor das Gefühl von Eddies Händen hervor, die ihn nun mit mehr Leidenschaft und mehr Entschlossenheit streichelten. Wieder spürte er den Druck zwischen seinen Pobacken. Und wieder schrie er auf. Er beugte sich so weit nach vorne, wie es die Fesseln um seine Handgelenke erlaubten und bot seinen Hintern für eine gründlichere Auspeitschung an.

Beim nächsten Schlag verlängerten sich seine Reißzähne und ein Bolzen der Lust schoss durch ihn hindurch. Die Peitsche schlug ihn wieder, doch dieses Mal traf sie nicht nur die volle Länge zwischen seinen Pobacken, sie traf auch seine Eier und sandte einen Stromschlag direkt in seinen Schwanz. Seine Hoden zogen sich hoch.

Er riss seine Augen auf. Fuck! Er würde kommen.

Sein Peiniger veränderte den Winkel, sodass die Peitsche jetzt nicht von oben, sondern von unten zwischen seine Beine schlug. Vor seinen Augen verschwamm alles. Ohne nachzudenken riss Thomas seine rechte Hand aus der Schlaufe und packte seinen Schwanz. Mit der gleichen Hand, mit der er Eddie berührt hatte, zerrte er jetzt an seinem eigenen Schwanz und bewegte ihn in Vampirgeschwindigkeit auf und ab, während die Auspeitschung weiterging.

Er schloss die Augen, stellte sich weiter vor, dass die Lederstreifen, die seinen Arsch aufschlitzten und zwischen seinen Pobacken landeten, Eddies Finger waren, die ihn streichelten und jetzt in ihn eindrangen, um ihn zu erkunden.

Mit einem Stöhnen explodierte er und ließ seinen Samen gegen seinen Bauch und über seine Hand strömen. Das hatte er nicht geplant. Es sollte nur ein einfaches Auspeitschen sein. Dass es ihn so erregt hatte, dass er nicht in der Lage gewesen war, sich zurückzuhalten und vor seinem Peiniger masturbiert hatte, war nicht Teil seines Plans gewesen. Die Schuld dafür konnte er nur seiner ständig wachsenden Begierde für Eddie zuschieben. Er musste etwas dagegen unternehmen.

14

Thomas schloss die Tür hinter sich und trat auf den Bürgersteig. Er hatte das Gedächtnis des Kerls gelöscht und sich hastig angezogen. Blut hatte begonnen, sich über seinen Wunden zu verkrusten, aber der Schmerz war noch immer frisch. Sein Hintern tat höllisch weh, aber die Sache war es wert gewesen. Er war noch nie so heftig und so schnell gekommen. Er hatte nur ein paar kurze Berührungen mit seiner eigenen Hand benötigt, bevor er zum Höhepunkt gekommen war. Eddie war das mächtigste Fantasiebild, das er je gehabt hatte.

Seit dieser in sein Leben getreten war, bedurfte es nicht viel, ihn zu erregen. Ein Gedanke an Eddie war genug und er wurde hart wie ein Brecheisen. Jeden Abend nach dem Aufstehen sprang er unter die Dusche, onanierte zu Fantasiebildern von Eddie und stellte sich vor, mit ihm Liebe zu machen. Und jeden Morgen lag er im Bett, seine Hand um seinen harten Schwanz geklammert und bildete sich ein, dass Eddie nackt vor ihm stand und ihm zusah. Und wie er sich auf das Bett niederließ, seinen Kopf zwischen Thomas' gespreizten Beinen vergrub und Thomas' Schwanz in seinen Mund nahm. Zu diesem Bild schlief er Morgen für Morgen ein.

Jetzt konnte er noch weitere Details seinen Fantasievorstellungen hinzufügen: Er wusste, wie sich Eddies Schwanz anfühlte, und wie sich sein Körper bewegte, als er ihn mit solcher Leidenschaft in seine Hand gestoßen hatte, als wäre es nicht nur vorgetäuscht gewesen. Und er wusste jetzt, wie Eddie küsste. Wie weich seine Lippen waren, wie seine Zunge schmeckte. Er hatte Eddie in seinen Armen erbeben gefühlt, als er dessen Fänge geleckt hatte. Es war der süßeste Sieg aller Zeiten gewesen, aber nur von kurzer Dauer.

Thomas rieb sich das Kinn. Noch immer konnte er Eddies Faust in seinem Gesicht spüren. Glühend heiße Wut war aus Eddies Augen gequollen, als er wieder zur Besinnung gekommen war. Er war nicht schwul, hatte er behauptet, und dass er es nur getan hätte, um sie vor dem Angriff der vier Vampire zu schützen.

So ein Blödsinn!

Das war niemals die ganze Wahrheit. Kein Hetero würde einen Mann so küssen und sich mit solcher Begeisterung wie Eddie an den Schwanz fassen lassen, wenn nicht auch das Verlangen danach im Spiel wäre. Das musste so sein! Er konnte nicht glauben, dass Eddie einfach nur geschauspielert hatte. Er wollte die Hoffnung erhalten, dass da mehr zwischen ihnen war.

Thomas erreichte sein geparktes Motorrad und zog den Schlüssel aus der Tasche.

„Hat es geholfen?“, fragte ein Mann hinter ihm.

Thomas wirbelte herum und starrte die dunkle Gestalt an, die aus dem Schatten des benachbarten Gebäudes trat. Der Mann trug dunkle Kleidung, die lässig und trotzdem teuer aussah. Sein Haar war kurz geschoren, sein Gesicht ebenmäßig und etwas blass. Es gab keinen Zweifel, dass der Mann ein Vampir war – einer, den er noch nie gesehen hatte. Dunkle Macht wirbelte um ihn herum und vermischte sich mit seiner Aura. Die Macht war schwach, aber Thomas war sich ihr trotzdem bewusst und erkannte sofort deren Herkunft.

Thomas hatte jedoch nicht die Absicht, sich mit dem Vampir, der Kaspers Blut in sich trug, einzulassen. „Ich weiß nicht, was du meinst.“

Ein nonchalantes Lächeln umspielte die Lippen des Fremden. „Ach, wir haben es alle versucht und letztendlich aufgegeben. Es funktioniert nicht. Jedenfalls nicht lange. Die Macht ist stärker. Sie wird durchbrechen, wenn du es am wenigsten erwartest.“

„Was willst du von mir?“, fauchte Thomas ihn an.

„Hat dir mein Brief das nicht klar gemacht? Es tut mir leid, dass ich nicht unterzeichnet habe. Ich heiße Xander.“

Dass der Brief von ihm gekommen war, erwies sich nicht als

Überraschung. Nur einer von Kaspers Anhängern konnte ihn geschrieben haben. Denn nur sie wussten über die dunkle Macht Bescheid, die Kaspers Blut ihnen allen verliehen hatte.

Thomas biss die Zähne zusammen. „Drohst du mir?"

„Im Gegenteil. Ich bin hier, um dich zu bitten, dich uns anzuschließen. Du bist einer von uns, das kannst du nicht leugnen."

„Ich werde nie einer von euch sein", knurrte er und spürte, wie sich seine Reißzähne verlängerten.

„Das sagst du jetzt, aber wenn die Macht in dir stärker wird, dann wirst du nicht widerstehen können. Sein Blut in dir ist stark, stärker als in uns allen. Du warst einer seiner Ersten."

„Ich habe diese Macht vernichtet. Genau wie ich Kasper vernichtet habe." Was technisch nicht der Wahrheit entsprach – Rose hatte Kasper oder Keegan, wie er sich zu dem Zeitpunkt genannt hatte, erschossen. Thomas hätte ihn selbst getötet, wenn Wesley sich nicht in den Kampf eingemischt und seine Konzentration mit Hilfe von Hexerei zerstört hätte. Aber das war nicht der Punkt. Thomas war derjenige, der für Kaspers Tod verantwortlich war.

„Kasper vernichtet?", fragte Xander mit verwirrtem Blick. „Sehr unwahrscheinlich."

„Ja, genau wie ich dich vernichten werde, wenn du nicht aus meinem Leben verschwindest."

Xanders Augen zeigten trotz Thomas' Drohung keinerlei Furcht. „Es gibt viele von uns. Er erschuf eine Armee. Jeden Tag kommen mehr. Gemeinsam sind wir stark. Du wirst es bald verspüren. Du bist fast so stark wie er. Du spürst uns schon, nicht wahr?"

Thomas schüttelte den Kopf und versuchte, Xanders Behauptung zu verleugnen, obwohl er wusste, dass sie wahr war. Er spürte die Macht, die von Xander ausging. Und jetzt erkannte er auch, dass er einen schwachen Hauch von derselben Macht an den vier Vampiren verspürt hatte, die er vor wenigen Stunden gesehen hatte. „Ich bin stärker als Kasper. Denn ich kann dem Bösen in mir widerstehen. Er konnte es nicht."

„Nicht alle Macht ist böse."

Thomas grunzte höhnisch. Kasper hatte in seinem ganzen Leben keine einzige gute Sache getan. Er war bis ins Mark verdorben. „Wirklich? Wenn du das glaubst, dann hast du offensichtlich die Gräueltaten nie gesehen, die

Kasper mit seiner Macht verbrochen hat. Du hast nie die Schmerzen gesehen, die er anderen zufügte, nur weil er dazu fähig war. Verwechsle mich nicht mit Kasper. Ich habe nichts mit ihm gemein."

Der Fremde trat näher. „Es spielt keine Rolle, was du glaubst, was du bist, oder was für Lügen du dir selbst einreden willst. Im Laufe der Zeit wird sein Blut dich überwältigen. Es wird dich zu dem machen, wozu du bestimmt bist. Du wirst schließlich und endlich die dunkle Macht in dir akzeptieren und an den Thron zurückkehren, den er geschaffen hat."

In Xanders Worten lag eine solche Entschlossenheit, dass ein Schauer über Thomas' Rücken hinunterlief. Er kämpfte gegen das Gefühl des Grauens an, das versuchte, seinen Körper zu verschlingen.

„Thron?" Thomas stieß ein bitteres Lachen aus. „Ich will keinen Thron, der auf Tod und Zerstörung und die Tränen von Frauen und Kindern gebaut wurde. Ich will damit nichts zu tun haben."

„Du hast keine Wahl!"

Thomas packte Xander am Hals und schleuderte ihn so schnell gegen die Wand des Gebäudes hinter ihm, dass der Fremde nicht einmal mit der Wimper zucken konnte. „Ich habe eine Wahl. Ich habe einen freien Willen. Und ich werde ihn ausüben. Hörst du mich? Ich habe meine Wahl an dem Tag getroffen, als ich Kasper verließ. Er wusste es, doch er konnte es einfach nicht akzeptieren." Er ließ den Mann los und trat einen Schritt zurück. „Verschwinde! Ich will dich nie wieder in meinem Revier sehen. Keinen von euch. Verlasst die Stadt, oder ich werde euch die Hölle heiß machen."

Thomas wandte sich in Vampirgeschwindigkeit um, sprang auf sein Motorrad und raste davon, ohne sich umzudrehen. Er würde niemals die Dinge tun, die Kasper getan hatte. Schrecklich Dinge ...

London, England, 1897

Thomas ließ die Eingangstür des Herrenhauses, das er sich mit Kasper und ein paar anderen ihrer Spezies teilte, hinter sich zufallen und sperrte die kühle Nachtluft aus. Jeeves, der Butler, ein dürrer Mann mit einer schiefen Nase, nahm den Mantel von Thomas' Schultern, während Thomas seine Handschuhe auszog und auf den Tisch im Foyer warf.

Er war alleine unterwegs gewesen, um sich zu ernähren, da Kasper ihm mitgeteilt hatte, dass er etwas Geschäftliches zu erledigen hatte. „Wenn Master Kasper zurückkehrt, lass ein Bad auf unserem Zimmer vorbereiten."

Der Butler faltete den Mantel über seinen Unterarm und verbeugte sich. „Aber, Sir, Master Kasper ist doch schon zuhause."

„Das ist unmöglich! Er war auf dem Weg nach Whitechapel, als ich ihn verließ. Du musst dich irren."

Jeeves straffte die Schultern. „Master Kasper erscheint oft unerwartet und überrascht uns. Vielleicht hat er einfach seine Pläne geändert."

Thomas runzelte die Stirn. Der Butler hatte recht. Kasper hatte es sich zur Gewohnheit gemacht, immer dort und dann aufzutauchen, wo und wann er am wenigsten erwartet wurde. Er schien allgegenwärtig zu sein. Es war manchmal regelrecht irritierend und beunruhigend.

„Wo ist er jetzt?", fragte Thomas.

„Unten. Aber er hat angeordnet, nicht gestört zu werden."

Thomas' Nackenhaare stellten sich auf. War Kasper mit einem anderen Mann zusammen? Während Thomas sich vollkommen bewusst war, dass Kasper fickte wen er wollte, egal ob Mann oder Frau, ging der Gedanke, dass sich diese Sachen unter ihrem gemeinsamen Dach abspielten, Thomas gegen den Strich. Sie waren sich einig geworden, dass solche Seitensprünge außerhalb ihres Zuhauses stattfinden würden.

Thomas' Fänge verlängerten sich und ein tiefes Knurren löste sich von seinen Lippen. Jeeves wich einen Schritt zurück. Der Sterbliche war sich bewusst, dass er für Vampire arbeitete, und war in der Tat schon seit vielen Jahren von Kasper angestellt. Mit Hilfe von Gedankenkontrolle und einem großzügigen Lohn wurde er leicht kontrolliert. Er war Kasper gegenüber loyal.

„Wer ist mit ihm zusammen?"

Jeeves senkte seine Lider. „Niemand, Sir."

„Du bist ein noch schlechterer Lügner als ich, Jeeves", antwortete Thomas und marschierte zur Tür, die in den Keller führte.

„Sir, bitte, Master ...", rief er ihm nach, doch Thomas ignorierte ihn, nahm zwei Stufen auf einmal und stieg in den Keller hinunter.

Es roch muffig und feucht. Elektrische Lichter waren entlang des langen Flurs installiert worden. Es war eine Verbesserung gegenüber der alten Gaslampen, die es im Landhaus von Thomas' Vater gab. Kasper war stets auf dem neuesten Stand der Technik und wann immer eine neue Erfindung publik wurde, war Kasper einer der ersten, der diese ausprobierte.

Ein Geräusch kam aus einem der Zimmer am Ende des Korridors und seine Füße trugen ihn näher. Seine Brust straffte sich, seine Hände ballten sich zu Fäusten, und Eifersucht raste durch seine Adern.

Thomas riss ohne anzuklopfen die Tür auf. Er roch den Menschen sofort, aber Kasper ernährte sich weder von einem Menschen, noch fickte er einen. Thomas' ganzer Körper rebellierte gegen das, was er in Sekundenschnelle wahrnahm.

Eine Frau war an ein Gestell an der Wand gefesselt. Ihr schwangerer Bauch ragte markant hervor. In der Londoner Gesellschaft sah man nur selten schwangere Frauen, da diese normalerweise zuhause blieben, sobald sie dicker wurden. Doch hatte Thomas eine Bekannte seiner Familie während ihrer Schwangerschaft gesehen und meinte deshalb an der Größe des Bauches zu erkennen, dass diese Frau nur wenige Wochen, wenn nicht Tage, vor der Geburt ihres Kindes stand.

Doch er wusste sofort, dass das Baby in ihrem Bauch nie das Licht der Welt erblicken würde, noch würde die Frau jemals wieder die Sonne auf ihrem Gesicht spüren.

Ein Vampir stand vor ihr und hielt ein Messer in seinen Händen. Neben ihm stand Kasper; seine Augen waren auf die beiden gerichtet.

„Du kannst nicht beide haben! Du kannst nur einen retten. Such's dir aus! Entweder deine Gefährtin oder dein Kind!"

Thomas eilte in den Raum. „Was zum Teufel machst du?"

Kaspers Kopf wirbelte zu ihm herum. „Halt dich da raus, Thomas!", knurrte er. Dann verengten sich seine Augen und er konzentrierte sich wieder auf den anderen Vampir.

Thomas sah, wie flackerndes Licht aus Kaspers Körper auf den anderen Vampir zu schoss.

„Nein!", rief Thomas aus, als ihm klar wurde, dass Kasper Gedankenkontrolle verwendete, um den Vampir dazu zu bringen, Kaspers Verbrechen auszuführen.

„Er muss bestraft werden!", behauptete Kasper, sein Gesicht zu einer hässlichen Grimasse verzerrt.

Weniger als eine Stunde zuvor war Kasper in einer außergewöhnlich guten Stimmung gewesen, aber jetzt war nichts davon mehr übrig. Fast, als hätte er eine gespaltene Persönlichkeit. Thomas fiel dies immer öfter auf. Doch dies war das erste Mal, dass er die wahre Hässlichkeit Kaspers sah.

Und was er sah, ließ ihn vor Abscheu zurückschrecken. „Was hat er getan?“

„Er trotzte meinen Befehlen! Jetzt wird er dafür bezahlen!“

Kasper wirbelte zurück zu dem Vampir und schoss einen blendenden Lichtstrahl auf ihn zu. Der Vampir schrie auf, aber seine Hand, die das Messer hielt, hob sich und seine Füße trugen ihn in Richtung seiner menschlichen Gefährtin, deren Augen vor Angst weit aufgerissen waren.

„Nein“, bettelte sie. „Bitte tu es nicht, George, lass es nicht zu! Du bist stärker.“

Aber ihr Gefährte näherte sich ihr weiter, sein Gesicht vor Schmerz verzerrt, während er versuchte, Kaspers Kontrolle über ihn zu bekämpfen. Es war offensichtlich, dass er verlieren würde.

Das Messer stieß in den Bauch der Frau und ihre Schmerzensschreie hallten an den Steinmauern wider. Thomas’ Magen drehte sich um und er sprang auf den Vampir zu und versuchte, mit seinem Fuß das Messer aus dessen Händen zu stoßen. Ein Hieb von Kaspers Faust in seinen Magen stoppte ihn.

„Halt dich da raus“, befahl er.

Thomas funkelte seinen Liebhaber an. „Hör damit auf!“

Aber Kasper wollte nicht hören. Stattdessen richtete er seine Augen wieder auf den Vampir, der unter seiner Kontrolle stand und schickte eine weitere Explosion seiner geistigen Kraft zu ihm. Nochmals schnitt der Vampir in den Bauch seiner Gefährtin. Mehr Blut goss auf den Boden und die Frau hing nun lediglich an dem Gestell, da ihre Beine unter ihr eingesackt waren.

Ihre Schreie betäubten Thomas’ Ohren, als er einen weiteren Versuch wagte, ihr und ihrem Baby zu helfen. Ein Machtstrahl traf ihn mitten in der Brust und instinktiv kämpfte er zurück und konzentrierte seine geistige Macht auf Kasper.

„Na endlich!“ Kasper grinste. „Ich dachte schon, du würdest nie die Macht in dir finden. Ist es nicht wunderbar? Du fühlst es doch, oder?“

Ja, Thomas spürte die Macht, die in ihm schlummerte, seit Kasper ihn verwandelt hatte, und ihm versprochen hatte, er würde ihm beibringen, sie zu nutzen. Die dunkle Macht nutzen, die Kasper ihm mit seinem Blut gegeben hatte. Er hatte sie unterdrückt, weil er sie nicht wollte. Aber jetzt, beim Anblick der Ungerechtigkeit gegenüber einer Unschuldigen, machte sie sich bemerkbar.

Kasper lachte, kämpfte mit seiner geistigen Kraft gegen ihn und warf ihn zu Boden. „Vielleicht erlaubst du mir jetzt, dich zu lehren. Sieh mir zu und lerne dabei!"

Kasper blickte zurück zu dem Vampir, den er immer noch kontrollierte. „Du hast dich also entschieden, dein Kind zu retten. Na gut." Kasper deutete auf den blutenden Bauch seiner Gefährtin. „Dann schneid es ihr aus dem Bauch!"

Der Vampir befolgte Kaspers Befehl und Thomas beobachtete mit Entsetzen, wie er die Hände in die Gebärmutter der Frau steckte und das Kind herauszog. Es war blutverschmiert; durch die Nabelschnur war es noch mit seiner Mutter verbunden und es lebte.

„Töte es!", befahl Kasper, während ein Blitz aus weißem Licht aus seinen Fingern schoss und den Vampir am Kopf traf.

Wie eine Marionette nahm der Vampir sein Messer und richtete es auf das Kind. Sein innerer Kampf spiegelte sich auf seinem verzerrten Gesicht wider. Er biss die Zähne zusammen und sein Arm bebte, als er versuchte, ihn zurückzuziehen, während eine unsichtbare Hand ihn immer näher an die Kehle des Babys brachte.

Das Weinen des Babys wurde einen Sekundenbruchteil, nachdem es begonnen hatte, abrupt abgeschnitten. Der kleine Kopf kullerte, begleitet von dem Jammern seiner sterbenden Mutter, mit einem dumpfen Laut auf den Boden.

Thomas spürte einen eiskalten Schauer über seinen Rücken kriechen und sich über seinen ganzen Körper ausbreiten. Er erhob sich und funkelte Kasper an.

„Du bist durch und durch böse, Kasper. Teuflisch. Ich will nichts mehr mit dir zu tun haben!"

Kasper stieß ein bitteres Lachen aus. „Du hast keine Wahl! Ich habe dich erschaffen! Du bist genau wie ich! In deinen Adern fließt dieselbe Macht!"

„Ich will diese Macht nicht! Ich habe sie nie gewollt!"

„Es spielt keine Rolle. Du hast sie in dir, und du kannst sie nicht zurückgeben."

Thomas schüttelte den Kopf. „Ich werde sie nicht verwenden!" Er drehte sich auf dem Absatz um und rannte aus dem Raum.

Kaspers Stimme folgte ihm. „Du wirst wiederkommen! Die Macht ist stärker als du! Du wirst ihr nicht widerstehen können."

Thomas eilte die Treppe in sein Zimmer hinauf, um seine Sachen in einen Koffer zu werfen. Das Grauen, dessen Zeuge er geworden war, brachte sein Blut zum Gefrieren. Nein, er würde nie wie Kasper sein. Lieber würde er sterben.

15

Thomas stellte die Dose mit dem Altöl, das er aus der Ducati abgelassen hatte, auf die Kante der Werkbank in seiner Garage und bückte sich nach einem Schraubenzieher, als der Boden unter seinen Füßen zu beben begann. Instinktiv suchten seine Hände nach einer Stütze, um sein Gleichgewicht zu halten und das Erdbeben abzuwarten. Die Gegenstände auf dem Metallregal entlang der Garagenwand klapperten, und das Haus stöhnte, als die Wellen des Bebens es zum Schwanken brachten.

Werkzeuge fielen aus den offenen Regalen und Thomas duckte sich, um einem fallenden Schraubenschlüssel auszuweichen. Dabei stieß sein Rücken gegen das Bein der Werkbank. Die Öldose, die er nur wenige Augenblicke zuvor dort abgesetzt hatte, kippte um. Thomas versuchte, wegzutauchen, war aber nicht schnell genug, und der Inhalt ergoss sich über sein T -Shirt und die Vorderseite seiner Jeans.

„Scheiße!", zischte er, als er spürte, wie das Öl sein T-Shirt durchweichte.

Plötzlich hörte das Schütteln auf und alles war wieder still. Thomas sah sich in der Garage um. Keine größeren Schäden waren zu sehen, vermutlich dank der Tatsache, dass alle Regale an der Wand und am Boden festgeschraubt waren. Er sah an sich hinunter. Kein Schaden, außer seiner befleckten Klamotten. Das Zeug stank grauenhaft! Er erhob sich vom Boden und zog das

T-Shirt über seinen Kopf, darauf achtend, dass das Öl nicht seine Haare beschmutzte.

Er warf das Hemd in das Waschbecken und drehte den Wasserhahn auf, während er den Knopf seiner Hose öffnete, den Reißverschluss aufzog und sich seiner Jeans entledigte. Diese gesellte sich Augenblicke später zu seinem T-Shirt. Zumindest hatte das Öl nicht auch noch seine Boxershorts getränkt.

Thomas hielt seine Hände unter das fließende Wasser. Der alte Hahn spritzte plötzlich. Wasser tränkte seinen Oberkörper und wusch die Tropfen Öl weg, die durch sein T-Shirt gesickert waren. Ein Geräusch auf der Treppe ließ ihn herumfahren.

Lange, in Jeans gekleidete Beine erschienen auf der Treppe. „Alles in Ordnung? Oh Mann, das war aber heftig! Hast du schon einmal so ein großes Erdbeben erlebt?"

Eddie kam in Sicht, gerade als Thomas spürte, wie das Wasser über seine Brust rann und in seine Boxershorts drang. Es war zu spät, ein Handtuch zu ergreifen: Innerhalb von Sekunden war der weiche, weiße Stoff durchtränkt und praktisch durchsichtig.

Eddie blieb am Fuße der Treppe wie angewurzelt stehen und seine Augen wanderten über Thomas' praktisch nackten Körper. Das reichte für Thomas, um augenblicklich steinhart zu werden. Eddie blieb mit offenem Mund stehen, seinen Blick immer noch auf Thomas' Leistengegend gerichtet. Sein Adamsapfel bewegte sich. Ein angespannter Atemzug rollte über Eddies Mund.

Thomas fühlte, wie mehr Blut in seinen Schwanz pumpte, der nun seine Boxershorts in ein Zelt verwandelte. Aus dem Augenwinkel sah er zwar das Handtuch, das neben dem Waschbecken hing, doch schaffte er es nicht, danach zu greifen und es sich um seinen Unterkörper zu wickeln.

Solange Eddie ihn so anstarrte, ohne ein Wort zu sagen, fühlte er sich wie angewurzelt, wie eine Statue, unfähig, sich zu bewegen. Der Anblick von Eddies Augen, die ihn verschlangen, brachte sein Herz in einem hektischen Rhythmus zum Schlagen. Er wollte dieses Gefühl verlängern, obwohl er nicht sicher war, was das war: War Eddie lediglich schockiert, ihn halb nackt in der Garage zu sehen? Oder erregte ihn der Anblick?

Erst vor einem Tag hatte er Eddie gedroht, dass er sich nehmen würde, was er wollte, sollte Eddie ihn jemals wieder berühren. Vielleicht hätte er ihn warnen sollen, dass diese Drohung auch galt, wenn er ihn jemals so ansah wie gerade eben. Denn in diesem Moment war Thomas bereit, sich auf ihn zu stürzen, ihn zu Boden zu zerren und ihm die Kleider vom Leib zu reißen. Dann würde er sich tief in Eddies Körper vergraben und ihn vögeln, bis sie beide erschöpft zusammenbrechen würden.

Es war Eddie, der schließlich das Schweigen brach. „Wie ich sehe, ist nichts beschädigt." Er wandte sich wieder der Treppe zu. „Ich gehe dann schlafen."

Thomas griff nach dem Handtuch. „Es könnte Nachbeben geben. Lass eine Taschenlampe neben deinem Bett, nur für den Fall."

Eddie nickte. „Alles klar." Er verschwand aus seiner Sicht, und ein paar Sekunden später wurde die Tür zum Obergeschoss geschlossen und Thomas war wieder allein.

Sein Schwanz schmerzte. Er wollte Eddies Körper, seine Hände, seinen Mund, seinen Arsch spüren. Was auch immer er bekommen konnte.

EDDIE EILTE in sein Zimmer und schloss schweratmend die Tür hinter sich. Er hätte verdammt noch mal nie nach unten in die Garage gehen sollen! Aber bei dem Erdbeben, das mindestens die Stärke fünf hatte, hatte er sich um Thomas gesorgt. Er wusste, dass dieser an einem seiner Motorräder arbeitete. Was, wenn eine der schweren Maschinen auf ihn gefallen wäre, oder, Gott bewahre, wenn der SUV irgendwie verrutscht wäre und ihn an die Wand gequetscht hätte?

Er hatte das Schlimmste erwartet, als er in die Garage gelaufen war, aber sicherlich nicht, Thomas in seiner Unterwäsche zu sehen. In seinen fast durchsichtigen Boxershorts. Seinen feuchten Körper anzustarren war schlimm genug gewesen: Sein Mentor hatte eine durchtrainierte, unbehaarte Brust mit ausgeprägten Muskeln, so perfekt gemeißelt, dass nicht einmal Michelangelos David mit ihm konkurrieren konnte.

Aber das Paket zwischen Thomas' Beinen hatte Eddie dazu verleitet, viel länger dort hin zu starren, als es angebracht gewesen wäre. Er hatte deutlich Thomas' erigierten Schwanz durch den getränkten Stoff erkannt. In der Tat hatte er bemerkt, wie dieser förmlich vor seinen Augen noch weiter gewachsen war. Thomas' Schwanz hatte nur ein paar Sekunden gebraucht, um sich mit Blut vollzupumpen und sich gegen seinen Bauch zu wölben. Er hatte immer vermutet, dass Thomas groß war – selbst wenn er ihn nur beiläufig angesehen hatte, wenn er bekleidet war. Doch seinen dicken, langen Schwanz durch den nassen Stoff zu sehen hatte seine Vermutung bestätigt. Eddie konnte leicht erraten, was Thomas' Erregung verursacht hatte: Er hatte die Tatsache genossen, dass Eddie ihn überrascht und bewundernd angesehen hatte.

Für einen Moment entfachte ein Flackern von Stolz in ihm. *Er* hatte Thomas hart gemacht. Verdammt noch mal, darauf sollte er nicht stolz sein! Es sollte ihn abstoßen. Kein Hetero sollte sich an der Tatsache erfreuen, dass ein schwuler Mann von ihm erregt wurde!

Wütend auf sich selbst ging Eddie in sein Badezimmer, um sich zu waschen und die Zähne zu putzen. Er versuchte, jegliche Gedanken an Thomas aus seinem Gehirn zu verbannen und sich stattdessen auf andere Dinge zu konzentrieren. Das Erdbeben. Er sollte sich versichern, dass alle anderen in Ordnung waren. Je nachdem, wo das Epizentrum lag, hätte es in anderen Teilen der Stadt Schäden geben können. Immerhin stand Thomas' Haus auf Felsboden und deshalb wäre hier das Schütteln weniger intensiv als in der Innenstadt.

Nur mit seiner Pyjamahose bekleidet setzte sich Eddie auf sein Bett und griff nach dem Telefon. Er wählte schnell.

Es klingelte dreimal, bis eine weibliche Stimme antwortete. „Eddie, ist was nicht in Ordnung?"

„Hi, Schwesterchen, tut mir leid, dich zu stören, aber ich wollte nur sichergehen, dass bei euch alles in Ordnung ist."

„Wie? Warum soll denn bei uns nicht alles in Ordnung sein?"

„Das Erdbeben. Es war ziemlich heftig. Gab es bei euch irgendwelche Schäden?"

Im Hintergrund hörte er Amaurys Stimme. *„Erdbeben?"*

„Oh, das war ein Erdbeben?" Nina kicherte.

Ein tiefes Grollen kam von Amaury, dann ein weiteres Kichern von Nina.

Eddie verdrehte die Augen. Die beiden hatten noch nicht einmal das Erdbeben gespürt, so sehr waren sie mit horizontaler Akrobatik beschäftigt. „Oh, ihr Zwei! Gibt er dir denn nie eine Verschnaufpause?"

„Wer sagt, dass sie eine Pause will?", ertönte Amaurys Stimme laut und klar durch die Leitung, als hätte er Nina das Telefon abgenommen.

„Vergiss, dass ich angerufen habe. Offensichtlich sind meine Bedenken nicht willkommen."

„Schlaf gut, Eddie“, kam Ninas Stimme aus der Ferne. Dann wurde das Telefonat abgebrochen.

Eddie legte den Hörer auf. Das würde ihn lehren, seine Schwester tagsüber anzurufen, wenn Amaury zuhause war. Nicht, dass ihr besitzergreifender Gefährte immer nachts weg war. Es schien, als verbrächte Amaury mehr und mehr Zeit zu Hause mit Nina und immer weniger bei Scanguards. Gingen sich die beiden nicht irgendwann auf die Nerven?

Eddie glitt unter die Bettdecke und schüttelte den Kopf. Er griff nach der Nachttischlampe und knipste den Schalter aus. Dunkelheit umgab ihn, als er auf das Kissen sank und die Augen schloss.

Scheinbar ewig wälzte er sich von einer Seite auf die andere, ohne einschlafen zu können. Visionen von Thomas' halb nacktem Körper verspotteten ihn. Er spürte, wie sein Schwanz steif wurde und schnippte verärgert gegen dessen Spitze, damit er wieder schlaff wurde. Er würde nicht zu Fantasiebildern von Thomas masturbieren. Er konnte nicht zulassen, dass dieser Wahnsinn eskalierte. Schlimm genug, dass ihn der Kuss und seine Reaktion auf Thomas' fast nackten Körper an seiner Sexualität zweifeln ließen. Er würde nicht das Ganze noch abrunden, indem er seinen Trieben nachgab. Stattdessen musste er gegen diese falschen Emotionen in sich ankämpfen. Vermutlich war er in einem vorübergehenden Verwirrtheitszustand. Wenn er seine Gefühle nur lange genug ignorierte, würden sie gewiss wieder verschwinden.

Müde von dem geistigen Kampf, der in ihm vorging, ließ er sich von dem Knarren des Hauses – eine Reaktion auf die Nachbeben – einlullen. Er kuschelte sich tiefer in das Kissen. Die weichen Laken streichelten seine Haut. Ein Duft schwebte zu ihm: aufreizend, erregend, verlockend. So vertraut, und doch so verboten: Thomas' Duft. Ein Schatten bewegte sich auf sein Bett zu.

Kühle Luft blies gegen seinen Körper, als Hände das Laken von seinem Leib zogen und ihn bloß legten. Die Matratze senkte sich und ein warmer Mund drückte weiche Küsse auf seine Brust, während zärtliche Hände ihn streichelten. Mit jeder Berührung streichelten sie tiefer, bis sie den Bund seiner Pyjamahose erreicht hatten. Finger griffen nach dem Band und lösten den Knoten, dann zogen sie an dem Stoff und schoben die Hose über seine Hüften.

Instinktiv hob Eddie seinen Hintern um zu helfen, das Kleidungsstück ganz von seinem Leib zu ziehen. Er hörte ein leises Rascheln, als es auf den

Holzboden fiel. Thomas' Hände waren jetzt auf seinen Oberschenkeln und drückten sie auseinander, damit er zwischen sie gleiten und seinen Körper dort zur Ruhe kommen lassen konnte. Seinen nackten Körper.

Schweigend senkte Thomas den Kopf zu Eddies Leistengegend. Eddie wusste, was sein Mentor dort finden würde: einen Schwanz, der so hart wie eh und je war. Er war so begierig darauf, Thomas' Lippen um sich zu spüren, wie es noch nie jemand gewesen sein konnte. Die Vorfreude brachte seinen Puls zum Rasen und winzige Schweißperlen bildeten sich auf seiner Stirn und seinem Hals. Seine Brust hob sich, als die Begierde, die er zurückzuhalten versucht hatte, schließlich an die Oberfläche brach.

Als hätte Thomas darauf gewartet, glitten seine Lippen endlich um die Spitze von Eddies Schwanz und senkten sich langsam, als er ihn behutsam in den Mund nahm. Eddie fand sich in feuchter Hitze wieder, die drohte, ihn zu verschlingen. Ein Stöhnen kam über seine Lippen, als er nach oben stieß und tiefer in Thomas' Mund eindrang. Er hatte noch nie so etwas Gutes verspürt. So intensiv. So heiß.

Hände forderten ihn auf, seine Beine über die Schultern seines Liebhabers zu legen. Es öffnete ihn weiter und entblößte seine empfindlichen Eier vollkommen. Warme Handflächen legten sich auf den Sack und drückten ihn sanft, während sein Geliebter seinen Kopf auf und ab wippte und seinen Schwanz in einem gleichmäßigen Rhythmus lutschte.

Er konnte nicht umhin, Thomas' Bewegungen zu imitieren und stieß im selben Rhythmus hoch, um dessen Mund zu ficken, als hinge sein Leben davon ab. Im Schutze der Dunkelheit wagte er es, sich der Berührung, den Lippen und dem Mund seines Geliebten zu ergeben. Er wollte sich nur noch dem Vergnügen hingeben, das Thomas ihm anbot. Er sollte dieses Vergnügen nicht verspüren. Doch tat er es.

Thomas' verlockende Zunge leckte ihn, und sein Mund saugte ihn mit solch perfektem Druck, dass er ihn durch sein Stöhnen und Seufzen, dass er nicht mehr zurückhalten konnte, weiter anspornte.

„Ja, oh mein Gott, ja", rief er aus.

Sein Schwanz stieß tiefer in Thomas' warmen Mund – härter und schneller. Seine Hände legten sich auf Thomas' Hinterkopf und hielten ihn dort fest, damit er nicht entkommen konnte. Seine Hüften bewegten sich wie verzweifelt rauf und runter. Während der ganzen Zeit drückte eine feste Hand im gleichen Rhythmus seine Hoden. Dann spürte er einen Finger an der

Spalte zwischen seinen Pobacken entlangstreifen und gegen den engen Ring von Muskeln drücken, der die dort versteckte Öffnung bewachte.

Ein Blitz schoss durch ihn und sandte eine intensive Welle der Lust durch seinen Körper. Als sie seinen Schwanz erreichte, riss er seine Augen auf und sein Blick schoss zu seiner Leistengegend. Seine eigene Hand war um seinen Schwanz geklammert, seinen Schwanz, der heißen Samen in die Luft spritzte. Thomas war verschwunden. Nein, nicht verschwunden: Er war nie hier gewesen!

Es war alles nur ein Traum gewesen. Ein erotischer Traum. Der erotischste Traum, den er je gehabt hatte. Und der zugleich beunruhigendste.

Er war gekommen, weil er sich Thomas' Mund auf ihm vorgestellt hatte, seine Hand seine Eier wiegend, und einen Finger über seinen Anus reibend. Und alles hatte ihn erregt, selbst der Finger, der über den engen Eingang, der zwischen seinen Pobacken begraben war, gestreichelt hatte. Insbesondere das hatte ihn heiß gemacht. So heiß, dass er ohne Vorwarnung gekommen war.

Beunruhigt setzte er sich auf und wischte seine mit Samen bedeckte Hand und seinen Bauch mit dem Bettlaken ab, dann warf er es auf den Boden. Irgendetwas stimmte nicht mit ihm. So was konnte doch nicht einfach passieren: Er hatte homoerotische Träume! Bedeutete das, dass er sich in einen Schwulen verwandelte?

Er schob eine zitternde Hand durch seine Haare. Er musste herausfinden, was mit ihm los war, damit er die Sache irgendwie beheben konnte.

16

Die Lichter brannten in Samsons Haus in Nob Hill, als Eddie das Foyer betrat. Delilah schloss die Tür hinter ihnen, ihre kleine Tochter Isabelle in ihren Armen. Das kleine Mädchen war wach und schenkte ihm ein fast zahnloses Grinsen. Ihre Vorderzähne waren noch nicht gewachsen, allerdings ragten winzige Fangzähne aus ihrem Zahnfleisch. Isabelle war größer und ihr Blick wachsamer als der eines menschlichen Babys. Es schien, als verstünde sie weit mehr als menschliche Kinder. Als Hybridin – halb Vampir, halb Mensch – hatte sie die Vorteile beider Spezies geerbt, jedoch nicht deren Nachteile. Sie konnte sich in der Sonne bewegen, aber eines Tages würde sie so stark wie ein Vampir sein.

„Hallo Delilah, ich hoffe, ich störe nicht", begrüßte er Samsons Frau.

„Überhaupt nicht. Komm rein. Ich habe dich eine Weile schon nicht mehr gesehen. Wie war die Party für Haven?" Sie winkte ihm, ihr ins Wohnzimmer zu folgen.

„Sie hätten die Party wirklich irgendwo abhalten sollen, wo auch du und Nina mitmachen hättet können. Und Ursula auch."

Delilah machte eine wegwerfende Handbewegung. „Mach dir keine Sorgen um mich. Ich bin nicht scharf auf Partys. Außerdem hätte ich einen Babysitter für Isabelle finden müssen."

Eddie lächelte dem Baby zu. Sie war ein nettes kleines Mädchen, und er war sich sicher, dass sie eines Tages einem Kerl das Herz brechen würde. „Ich glaube nicht, dass du irgendwelche Probleme haben dürftest, einen Babysitter zu finden. Sie ist das bravste Baby, das mir je begegnet ist."

Delilah kicherte. „Und wie viele Babys sind dir schon begegnet?"

„Na ja, ein paar", log er.

Sie verdrehte die Augen. „Wie auch immer, mein Problem ist, dass ich einen Vampir oder einen Hybriden als Babysitter brauche. Sie wird jedem Sterblichen auf der Nase herumtanzen, sobald sie kapiert, dass sie stärker ist als ein Mensch. Stimmt's?" Sie warf ihrer Tochter einen verschwörerischen Blick zu.

Eddie lachte. „Es ist alles eine Frage der Disziplin."

„Wenn du mal Vater wirst, dann erinnere ich dich daran, okay?" Dann verfing sich ihr Blick mit der ihrer Tochter für mehrere Momente und Eddie wurde klar, dass sie telepathisch miteinander kommunizierten. Isabelle hatte eine besondere Gabe, die ihr erlaubte, sich mit ihrer Mutter zu verständigen, obwohl sie nicht mehr als ein paar Silben sprechen konnte.

„Entschuldige mich, Eddie, aber Isabelle will jetzt ihre Flasche."

„Keine Sorge. Ich bin sowieso hier, um mit Samson zu sprechen. Ist er da?"

Sie nickte. „In seinem Büro. Warum gehst du nicht und bringst Isabelle zu ihm, während ich die Flasche aufwärme?" Ohne seine Antwort abzuwarten, übergab sie ihm das Mädchen.

Isabelle schaute ihn zuerst abschätzend an, dann lächelte sie und warf ihre winzigen Arme um ihn.

„Sie mag dich."

„Ich mag sie auch." Er strich mit der Hand über ihr weiches Haar. „Komm, lass uns mal sehen, was dein Vater gerade macht."

„Papa", sagte sie.

„Das stimmt ... Papa." Er trug sie durch den dunklen holzgetäfelten Flur zur Rückseite des Hauses.

An der Tür zu Samsons Büro klopfte er kurz und hörte sofort Samsons Stimme.

„Herein."

Er öffnete und trat ein. Als Samson sie erblickte, erhob er sich von seinem Stuhl hinter dem massiven Schreibtisch und kam auf sie zu.

„Hi, Eddie." Dann veränderte sich seine Stimme und wurde weicher und verspielter. „Und was für eine hübsche kleine Dame hast du mir da mitgebracht?"

Etwas, das wie ein leises Lachen klang, kam von Isabelles Lippen, als sie ihre Arme zu Samson ausstreckte, soweit sie konnte. „Papa!"

„Hallo, mein süßes Bäckchen!", gurrte er und nahm sie aus Eddies Armen entgegen. Er drückte einen sanften Kuss auf ihre Stirn, während er sie in seinen Armen wog.

„Sie ist ziemlich gewachsen", kommentierte Eddie. Er fühlte sich etwas komisch, Zeuge des zärtlichen Austauschs zwischen dem mächtigsten Vampir in San Francisco und dessen Tochter zu sein.

Samson blickte auf und lächelte. „Schneller als es mir recht ist. Bei diesem Tempo wird sie erwachsen sein und ausgehen, bevor ich blinzeln kann."

„Und sie wird alle Herzen brechen", spekulierte Eddie.

„Als ob ich das nicht wüsste! Ich werde die Männer mit einem Stock abwehren müssen."

Eddie zwinkerte. „Nicht alle. Zumindest einen musst du nahe genug heran lassen."

„Und ich hoffe, dass er ein guter Mann ist." Er warf seiner Tochter einen gespielt strengen Blick zu. „Hörst du mich, mein süßes Bäckchen? Ich hoffe du verliebst dich in einen guten Kerl oder wir werden zusammenrücken müssen."

Isabelle drehte ihren Kopf in Samsons Halsbeuge und Eddie hörte ihre Lippen schmatzen.

Samson lachte. „Und wenn du glaubst, du könntest mich mit einem Kuss besänftigen, dann hast du dich aber getäuscht." Dann sah er wieder Eddie an. „Na, was gibt's? Du wolltest mich sprechen?"

Eddie nickte. „Wegen Luther."

Samson Ausdruck verhärtete sich sofort. „Luther?"

„Mein Erschaffer."

„Ich weiß schon, von wem du redest. Worum geht es?", fragte Samson ernst.

„Ich muss ihn sprechen."

„Luther ist eingesperrt."

„Das weiß ich. Aber ich muss ihn trotzdem sehen." Nur Luther konnte die Fragen beantworten, die er hatte. Fragen, zu denen er so schnell wie möglich Antworten brauchte. Er konnte nicht warten.

„Nach allem, was er dir, deiner Schwester und uns allen angetan hat?"

Eddie bemerkte, wie Samson Isabelle fester an sich drückte und erkannte, was ihm durch den Kopf gehen musste. Wegen Luther hätte er fast Delilah verloren, die damals mit Isabelle schwanger gewesen war.

„Trotz allem muss ich mit ihm reden", bestand Eddie auf seiner Bitte.

„Warum?"

„Ich fürchte, das ist eine Sache zwischen mir und meinem Erschaffer. Es ist persönlich."

Samson zog eine Augenbraue hoch und schwieg, als er seine Antwort sorgfältig abwog. „Hast du irgendwelche Probleme?"

„Es gibt Sachen, die ich abklären muss."

„Du hast einen sehr fähigen Mentor. Ich bin sicher, er kann dir helfen. Thomas ist schon sehr lange ein Vampir. Er weiß alles, was man wissen muss. Du kannst –"

„Nein. Dies geht nur mich und Luther an." Thomas war die letzte Person, mit der er über sein Problem sprechen konnte.

„Wie du willst. Ich werde mit dem Rat sprechen und einen Besuch für dich beantragen. Ich kann nicht versprechen, dass er gewährt wird. Wenn ich wüsste, worum es geht, könnte ich den Rat vielleicht beeinflussen."

Eddie vermied den Blick seines Chefs und studierte stattdessen seine Schuhe. „Bitte, frag den Rat einfach. Es ist wichtig." Als er wieder aufsah, traf er auf Samsons Blick.

„Na gut. Ich werde mich darum kümmern."

„Danke. Ich weiß es zu schätzen. Wirklich." Dann machte er auf den Fersen kehrt und ging zur Tür.

„Eddie, wenn es etwas gäbe, wobei ich dir helfen kann, dann würdest du zu mir kommen, nicht wahr?"

Eddie verharrte mit einer Hand auf dem Türknauf und blickte über seine Schulter zurück. „Dabei kannst du mir leider nicht helfen, Samson." Er öffnete die Tür und verließ das Arbeitszimmer. Das Echo seiner Stiefel, wie sie auf den Holzboden im Flur auftraten, verfolgte ihn.

17

Thomas blickte von seinem Schreibtisch in seinem Büro in Scanguards' Hauptquartier auf und streckte sich. Er hatte die Profile der vier Vampire in das System eingegeben, das für jeden von Scanguards' Vampiren zugänglich war. Er hatte sie so gut er konnte beschrieben. Sollte jemand anderer über sie stolpern, würden sie gewarnt sein und somit Maßnahmen ergreifen können.

Danach hatte er übers Internet nach Als Grundbuchurkunde gesucht, doch nur die gefunden, die schon vor mehr als zwanzig Jahren ausgestellt worden war, als Al den Laden gekauft hatte. Falls es eine neue Urkunde gab, dann war diese noch nicht im Computersystem der Stadtverwaltung hochgeladen worden. Höchstwahrscheinlich lag sie auf dem Schreibtisch eines Angestellten des Ordnungsamtes und wartete darauf, eingescannt zu werden.

War es wert, ins Rathaus einzubrechen und die Papierakten zu durchwühlen? Oder sollte er lieber einen menschlichen Mitarbeiter während der Tagesstunden zur Stadtverwaltung schicken, um eine Kopie der Urkunde zu beantragen? Der letztere Vorschlag war wohl klüger. Bestimmt waren die Sicherheitsvorkehrungen im Rathaus noch strikter als je zuvor, nachdem der Oberste Gerichtshof den Weg für homosexuelle Ehen in Kalifornien geebnet hatte, und folglich Demonstrationen zwischen Befürwortern und Gegnern der gleichgeschlechtlichen Ehe vor dem Rathaus an der Tagesordnung waren. Deshalb war ein Einbruch der letzte Ausweg.

Thomas schrieb eine Email, in der er bat, eine Kopie der Urkunde zu beschaffen und schickte diese an die zentrale Arbeitszuteilungsabteilung bei Scanguards. Dann schob er seinen Stuhl zurück, legte seine Füße auf den Schreibtisch und starrte zur Decke. Seine entspannte Haltung wurde durch ein Klopfen an der Tür unterbrochen.

„Herein."

Die Tür öffnete sich und Cain steckte seinen Kopf herein. „Hi! Hast du eine Minute Zeit?"

Thomas deutete auf den Stuhl vor seinem Schreibtisch und nahm seine Füße herunter. „Was kann ich für dich tun?"

„Ich sah die Profile, die du hochgeladen hast."

Thomas setzte sich gerade auf. „Sind dir die Typen über den Weg gelaufen?"

„Kann ich nicht hundertprozentig sagen. Ich sah heute Abend vier Vampire. Aber ich habe ihre Beschreibung erst vor ein paar Minuten im System gesehen. Hast du keine bessere Beschreibung von diesen Typen?"

Verdammt! Thomas spürte Ärger in sich hochkommen. Aufgrund dessen, was in jener Nacht mit Eddie geschehen war, sowie der Begegnung mit einem von Kaspers Anhängern hatte er den Vorfall nicht früher gemeldet. Er hatte es vermasselt.

„Leider nicht. Ich musste vorsichtig sein, damit sie mich nicht bemerkten und sah sie nur flüchtig. Aber ich hörte sie reden. Ich würde mit Sicherheit ihre Stimmen wiedererkennen. Wo hast du sie gesehen?"

„Ich sah sie in Sergios Buch Emporium hineingehen."

„Wann?"

„Vor über einer halben Stunde."

Thomas sprang von seinem Stuhl hoch und griff nach seiner Jacke. „Haben sie dich gesehen?"

„Nein. Wir sind ihnen nicht gefolgt. Zu dem Zeitpunkt waren keine anderen Kunden im Laden und wir wären aufgefallen wie bunte Hunde. Außerdem haben sie nichts Verdächtiges getan. Sie haben sich nur bei den Büchern umgeschaut."

„Lass uns gehen. Mit etwas Glück sind sie noch dort." Dann zögerte er für einen Moment. „Mit wem warst du auf Patrouille?"

„Mit Oliver.“

„Wo ist er jetzt?“

„Unsere Schicht war vorbei und er sagte, er würde nach Hause gehen.“

„Hast du gesehen, dass er ging?“

Langsam schüttelte Cain den Kopf und seine Augenbrauen zogen sich zu einem Stirnrunzeln zusammen. „Du glaubst doch nicht, er würde was Dummes anstellen? So was wie den Helden spielen?“

Thomas glaubte es nicht, aber er ging der Sache lieber nach. Er zog sein Handy aus der Tasche, während er gefolgt von Cain aus seinem Büro lief. Beim Aufzug klingelte das Handy. Thomas sprang zusammen mit Cain in den Aufzug und drückte den Knopf für die Lobby-Ebene.

„Thomas?“, beantwortete Oliver das Telefonat.

„Wo bist du?“

„Unterwegs nach Hause.“

Erleichterung überkam Thomas. „Planänderung. Geh zurück zu Sergios Buch Emporium. Sorge dafür, dass dich die vier Vampire, die hineingegangen sind, nicht sehen und warte auf Cain und mich. Wir sind in zehn Minuten dort.“

Im Erdgeschoss öffneten sich die Aufzugtüren. Thomas und Cain durchquerten eilig die Lobby und verließen das Gebäude.

„Sollten wir nicht Verstärkung beantragen?“, fragte Cain.

„Ruf die Zentrale an.“ Er blickte zu seinem Motorrad, das vor dem Gebäude geparkt war, dann wandte er sich an Cain. „Wo ist dein Auto?“

„Ich war zu Fuß unterwegs.“

Thomas winkte ihm zu, ihm zum Motorrad zu folgen. „Spring drauf, so sind wir schneller.“ Er nahm den Helm vom Gepäckträger des Motorrads und bot ihn Cain an, der seinen Kopf schüttelte.

„Nimm du ihn“, sagte Cain.

Thomas setzte seinen Helm auf und stieg auf das Motorrad. Der Motor heulte auf und Cain hüpfte hinter Thomas auf.

„Halte dich fest.“

Cain legte einen Arm um Thomas’ Taille und sie bogen in die belebte Straße ein. An der nächsten Kreuzung schlugen sie die Richtung nach North Beach ein, wo sich Sergios Buch Emporium befand. Thomas hörte, wie Cain mit Scanguards’ Zentrale telefonierte und Verstärkung anforderte. Dann steckte dieser sein Handy ein und schlang auch seinen zweiten Arm um Thomas' Taille.

Es war selten, dass jemand bei ihm auf dem Motorrad mitfuhr, doch es störte ihn nicht. Noch spürte er Begierde oder Erregung, als er Cains Oberschenkel gegen seine drücken fühlte, und seine Arme ihn umschlangen. Er mochte Cain, doch das war alles.

Thomas schlängelte sich durch den Verkehr und wich Autos und Fahrrädern, Bussen und Taxis aus, ohne zu blinzeln. Motorradfahren war ihm wie angeboren. Er konnte es praktisch im Schlaf tun. Er beugte sich tiefer in die nächste Kurve und kippte das Motorrad fast fünfundvierzig Grad zur Seite.

„Ich hoffe du weißt, was du tust", meinte Cain hinter ihm. „Ich lande ungern auf meinem Arsch."

„Das wirst du nicht. Versprochen." Ein Lächeln stahl sich unfreiwillig auf Thomas' Mund. Wenn Eddie mit ihm fahren würde, würde er in der Aufregung der Fahrt schwelgen, und je schneller und waghalsiger er fuhr, desto besser.

Als er den Häuserblock erreichte, in dem sich Sergios Geschäft befand – auf einer schmalen Nebenstraße der Columbus Avenue – verlangsamte er das Motorrad auf ein Schneckentempo und suchte nach einem geeigneten Parkplatz. Vor einer heruntergekommen Bar hielt er an. Cain sprang ab und Thomas stellte das Motorrad ab und sah sich um.

Raues Lachen drang aus der Bar, deren Tür offen stand. Im Eingangsbereich des Hauses daneben sah er Oliver warten.

„Was gibt's?", fragte Oliver und gesellte sich zu ihnen.

„Die vier Vampire, die ihr gesehen habt; ich sah sie vor zwei Nächten. Sie haben von einer Übernahme gesprochen. Und von irgendwelchen Plänen und einem großen Boss. Es hat mir nicht gefallen."

„Schauen wir sie uns mal genauer an." Oliver schien erpicht darauf zu sein, etwas zu unternehmen.

„Wenn sie noch da sind", warf Cain ein.

„Es gibt nur eine Weise, auf die wir das herausfinden können. Bleibt hier und wartet auf Verstärkung." Thomas überquerte die Straße und benutzte die Bäume und geparkten Autos zur Deckung.

Der Laden war geschlossen – das behauptete jedenfalls das Schild in der Tür – aber ein schwaches Licht schien aus dem hinteren Bereich zu kommen, wo sich Büro und Lagerraum befanden. Thomas duckte sich zwischen zwei Autos, richtete seine Augen auf das Licht und konzentrierte sich. Die Tür zum Büro schien nur angelehnt zu sein, doch nichts bewegte sich dort.

Sich duckend ging er ein paar Schritte in Richtung Eingangstür der Buchhandlung und griff nach der Türklinke. Er drückte vorsichtig und stellte überrascht fest, dass sie nicht abgesperrt war. Er öffnete die Tür einen Spalt und spähte in den dunklen Raum. Der Laden war groß. Es gab sechs oder sieben Reihen von Bücherregalen, die über zwei Meter hoch waren, eine gemütliche Sitzecke, in der Kunden durch die Bücher stöbern konnten, und eine Kasse in der Mitte des Raumes. Der Duft der Bücher schwebte zu ihm. Es erinnerte ihn an die Bibliothek, die sein Vater in seinem Zuhause in England gehabt hatte. Für einen Moment schloss er die Augen und atmete tiefer ein.

Ein durchdringender zweiter Geruch ließ ihn schockiert zurückprallen und fast das Gleichgewicht verlieren.

Verdammt!

Er drehte sich um und winkte Cain und Oliver, sich zu nähern. Sie folgten seinem Befehl sofort und gesellten sich zu ihm am Eingang, als Thomas sich erhob. Es gab keinen Grund, sich weiter zu verstecken. Er wusste, dass die Vampire weg waren.

Als er die Tür weiter öffnete und eintrat, folgten Cain und Oliver ihm. Der Geruch wurde stärker, aber es war nicht der Duft von Büchern und Papier.

„Scheiße!“, rief Oliver aus.

„Schweinehunde!“, presste Cain hervor.

Thomas stieß die Tür zum Hinterzimmer auf und der unverwechselbare Geruch menschlichen Blutes schlug ihm entgegen. An einen umgestürzten Stuhl gefesselt lag eine Frau in einer Lake ihres eigenen Blutes. Ihr schwangerer Bauch war mit Stichwunden übersät.

Thomas fiel neben ihr auf die Knie. Seine Hand streichelte über ihren runden Bauch und ungläubig suchten seine Augen die seiner Kollegen. Er kannte die Frau. Er war ihr ein- oder zweimal begegnet.

„Sie ist Sergios blutgebundene Gefährtin.“

„Wer würde so etwas tun?“, rief Oliver aus.

„Schau dort!“, antwortete Cain und zeigte auf eine Stelle ein paar Meter entfernt auf dem Boden.

Thomas drehte sich um und bemerkte die feine Schicht Asche, die den Fußboden bedeckte. Darauf lagen ein paar Münzen, ein Ehering und Schlüssel – die Dinge, die übrig blieben, wenn ein Vampir zu Asche zerfiel.

„Jemand hat ihren Gefährten getötet“, vermutete Cain.

„Und dann haben sie sie und das Baby umgebracht“, fügte Oliver hinzu.

Ein kaum wahrnehmbares Gurgeln kam von der Frau am Boden. Thomas’ Blick schoss zu ihr.

„Ruhe!“, befahl er seinen Kollegen und horchte aufmerksam zu. Ein Herzschlag! Es war noch nicht zu spät.

„Holt Maya her! Jetzt sofort!“

Während Oliver eine Nummer auf seinem Handy wählte, beugte Thomas sich über die Frau und entfesselte sie. Dann half er ihr, sich flach auf den Boden zu legen. Er flüsterte ihr zu: „Wir sind jetzt hier. Wir kümmern uns um dich.“

Ein Hauch eines Atemzuges blies gegen seine Wange. „Mein Baby.“ Sie versuchte, ihre Hand zu heben, aber sie fiel zurück auf den Boden.

Thomas legte seine Hand über die Wunden auf ihrem Bauch und versuchte, die Blutung zu stoppen. „Wir werden alles tun, was wir können. Hörst du mich? Halte durch!“ Dann drehte er sich zu Oliver um, der den Anruf beendet hatte. „Wie lange?“

„Sie ist nicht weit von hier entfernt. Fünf Minuten, höchstens zehn.“

„Mein Baby“, stöhnte die Frau wieder. „Rette mein Baby.”

Thomas senkte den Kopf zum Bauch der Frau und lauschte, seine Hände immer noch auf ihrem Bauch. Alles, was er hören konnte, war die schwache, unregelmäßige Atmung der verletzten Frau. Sonst nichts. Er schloss die Augen und versuchte, den Schmerz zu verdrängen, der ihn ergriff. Ein unschuldiges Leben war heute Nacht erloschen. Wenn er nur die Beschreibung der vier Vampire früher hochgeladen hätte, vielleicht hätte dies dann verhindert werden können.

Etwas stieß gegen seine Hand. Thomas riss die Augen auf. Da war es wieder: eine kaum wahrnehmbare Bewegung. Ein Herzschlag. Schwach, aber er war da.

„Das Baby lebt!“ Er wandte sich an Cain und Oliver. „Legt Druck auf ihre anderen Wunden. Wir müssen versuchen, die Blutung zu stoppen oder wir verlieren sie beide.“

Cain und Oliver machten sich daran, ihre Hände auf die klaffenden Wunden am Oberkörper und Hals der Frau zu pressen.

„Gib ihr etwas Blut", befahl Thomas.

Oliver brachte sein Handgelenk zu seinem Mund und biss hinein. Blut tropfte sofort aus den zwei Stichwunden, die seine Fänge hinterlassen hatten. Schnell legte er die offene Wunde auf den Mund der Frau, aber sie drehte den Kopf weg.

„Trink!", drängte Oliver sie.

Eine Träne lief ihre Wange hinunter. „Sergio." Ihre Stimme brach. „ … zwangen ihn zuzusehen." Ein Gurgeln kam aus ihrer Kehle. „Zwangen ihn zu wählen."

Thomas schloss vor Grauen seine Augen. Erinnerungen aus seiner Vergangenheit kamen zu ihm zurück: Er war Zeuge einer ähnlichen Szene gewesen, bei der ein Vampir einen anderen gezwungen hatte, zwischen seinem Kind und seiner Gefährtin zu wählen. Und dann hatte er sie beide verloren. Er kannte nur eine Person, die so grausam und herzlos sein kannte. Eine Person, die jetzt tot war. Aber seine Handschrift lebte weiter. Lebte in seinen Anhängern. Und sie versuchten, ihm eine Nachricht zu schicken.

Minuten verstrichen, bis ihm klar wurde, dass er diese Tragödie nie hätte verhindern können. Sie hatten dies von Anfang an geplant: ihm das Ausmaß ihrer Macht und Grausamkeit zu demonstrieren, um ihm zu verstehen zu geben, dass das vermeintliche Angebot, sich ihnen anzuschließen, keines war. Es war ein Befehl: Komm zu uns oder jeder, den du kennst, wird sterben.

„Bring sie zum Trinken!", befahl er Oliver, aber so sehr sein Freund es auch versuchte, die Frau weigerte sich.

„Tu es für dein Kind, wenn nicht für dich selbst. Wenn du stirbst, bevor wir dein Baby holen können, wird es auch sterben", bettelte Thomas sie an. „Bitte!"

Die Frau starrte ihn an. Hatte sie ihn gehört? Würde sie seiner Bitte nachkommen?

18

Maya kam zur gleichen Zeit wie Eddie und Gabriel in der Buchhandlung an und eilte ins Hinterzimmer. Mit schockiertem Blick starrte sie für einen Moment auf die Szene in dem kleinen Büro, dann fiel sie neben der Frau auf die Knie.

„Spürst du den Herzschlag des Babys?"

Thomas nickte. „Er wird immer schwächer." Er deutete auf die Stichwunden auf dem Bauch der Schwangeren. „Das Messer hat vermutlich den Fötus verletzt", flüsterte er und beugte sich näher zu Maya, damit Sergios Gefährtin ihn nicht hören konnte. Wenn sie dachte, dass ihr Baby nicht überleben würde, würde sie wahrscheinlich sofort aufgeben.

Maya beugte sich über die Frau und presste zwei Finger an ihren Hals, um nach dem Puls zu suchen. "Hat ihr jemand Vampirblut gegeben?"

„Ja, Oliver. Aber sie wollte nicht viel trinken."

Maya sah ihn bedenklich an. „Wir müssen sie verwandeln, um sie zu retten. Ihre Verletzungen sind zu schwerwiegend. Wir können sie nicht heilen."

„Ich habe befürchtet, dass du das sagen würdest. Ich habe mir schon das gleiche gedacht." Thomas blickte zurück ins Gesicht der Frau. Jetzt erinnerte er sich auch wieder an ihren Namen: Helen. Ihre Augen waren jetzt geschlossen.

„Ich muss das Kind zuerst herausbekommen. Wenn wir sie verwandeln, während das Baby noch in ihr drinnen ist, wird es sterben“, fuhr Maya fort.

„Wie kann ich dir helfen?“

Maya griff nach ihrer Tasche und durchwühlte sie. „Ich habe kein Skalpell, und wir haben keine Zeit, eins aus meinem Büro zu holen. Ich brauche ein Messer.“

„Du willst einen Kaiserschnitt machen?“ Thomas spürte einen Schauer durch ihn hindurchlaufen. Ohne Narkose würde Helen unerträgliche Schmerzen erleiden.

„Wir können das Kind nicht durch den Geburtskanal herausholen. Es würde zu lange dauern. Sie blickte zu Helens Gesicht. „So viel Zeit hat sie nicht.“

Thomas zog ein silbernes Messer aus seinem Stiefel und reichte es vorsichtig Maya, sodass sie die Klinge nicht berührte. Er bemerkte, wie sie schwer schluckte und wie ihre Hand zitterte. Er schlang seine Hand um ihre, die das Messer hielt und drückte sie. „Wenn jemand es tun kann, dann bist du das.“

„Sie steht unter Schock. Sie wird nicht viel davon mitbekommen. Aber nur für den Fall, dass sie es spürt, musst du sie ablenken. Kannst du Gedankenkontrolle auf sie ausüben?“

Thomas nickte. Aus dem Augenwinkel sah er, wie seine Kollegen sie mit angehaltenem Atem beobachteten. „Macht bitte etwas Platz. Und kann jemand etwas Sauberes finden, in das wir das Baby wickeln können?“

Dann konzentrierte er sich wieder auf Helen und legte seine Hand auf ihre Stirn. Er tauchte tief in sich selbst hinein und sandte seinen Geist zu ihr.

Helen, kannst du mich hören?

Ein sanftes Murmeln kam von ihr.

Du spürst, wie zärtliche Hände dich streicheln und alle Schmerzen wegmassieren. Dein Körper entspannt sich und du nimmst einen reinigenden Atemzug. Du fühlst, wie alle Anspannung aus dir herausfließt, alle Angst dich verlässt.

Ständig wiederholte er die Worte in seinem Kopf und bemerkte, wie Helens Atmung ruhiger wurde. Für einen kurzen Moment blickte er zu Maya, die über Helens Bauch gebeugt war und diesen mit der silbernen Klinge aufschlitzte. Er bemerkte, wie vorsichtig Maya durch die Haut und Muskeln schnitt, nicht zu tief, um das Baby im Inneren nicht zu verletzen.

Als Maya das Messer zur Seite legte und ihre Hände in Helens Bauch steckte, drehte Thomas den Kopf weg. Er musste dies nicht mit ansehen. Stattdessen verdoppelte er seine Bemühungen, um Helen mit seinen Gedanken zu beruhigen, ihre Empfindungen und ihre Gefühle zu steuern.

Sekunden verstrichen, die ihm wie Stunden vorkamen. Dann durchdrang ein schrilles Geschrei die Stille des Raumes. Helen riss die Augen auf.

„Sie ist wunderschön", kündigte Maya an. „Wunderschön und gesund."

Thomas blickte das blutige, strampelnde Bündel in Mayas Händen an. Es war noch mit der Nabelschnur verbunden.

„Mein Kind", flüsterte Helen, ihr Atem schwerfällig.

Maya legte das Baby auf die Brust seiner Mutter und Helen bewunderte es.

„Das Baby hatte Glück, dass es keine Stichwunden abbekommen hat", teilte Maya Thomas mit leiser Stimme mit. Sie fuhr ebenso leise fort: „Du musst sie jetzt verwandeln."

Thomas schüttelte den Kopf. Er konnte es nicht tun. Sein Blut war böse, und er würde Helen nie dieses Los aufzwingen, dass sie dieselben Schlachten bestreiten müsste, die er jeden Tag führte. „Cain, bitte. Mach's du."

Cain ließ sich sofort in die Hocke nieder und biss in sein Handgelenk, aber Helen drehte ihren Kopf. „Sergio wartet auf mich ..."

„Nein!", rief Thomas aus. „Nein! Helen! Dein Baby braucht dich."

Cain sah ihn zögernd an. „Was soll ich tun?"

„Sergio", flüsterte sie, als ihr letzter Atemzug aus ihrer Lunge wich und ihr Kopf zur Seite rollte.

Thomas spürte eine Träne über seine Wange laufen. Er drückte seine Hand an ihren Hals und fühlte nach dem Puls. Dann hob er den Kopf. „Sie ist tot."

„Wir müssen die Nabelschnur abschneiden. Sofort", sagte Maya und griff wieder nach dem Messer.

Thomas schnappte ihr Handgelenk und hielt sie auf. „Es ist aus Silber. Das Baby wird es spüren."

„Wie soll ich es sonst machen?" Sie ließ ihren Blick durch den Raum schweifen.

„Durchtrenne sie mit deinen Klauen", schlug Thomas vor.

Das Baby weinte wieder, und Thomas streichelte über seinen Kopf, um es zu beruhigten, während Maya mit ihren Krallen die Nabelschnur durchschnitt. Sie hob das Baby von der Brust seiner toten Mutter und sah zu Thomas auf.

„Haben wir etwas, um sie einzuwickeln? Ein Handtuch? Etwas Sauberes?"

Oliver kam aus dem Laden gerannt, zwei große Papierbögen in der Hand. „Hier, das ist alles, was ich finden konnte."

Thomas starrte ihn an. „Geschenkpapier?"

Oliver zuckte die Achseln. „Es ist steril, und es ist fast so weich wie Seidenpapier."

Da sie keine Wahl hatten, nahm Thomas das Papier von Oliver entgegen und wickelte das Baby hinein, dann wog er es an seiner Brust.

Er hörte hastige Schritte aus dem Geschäft kommen und wirbelte seinen Kopf in Richtung Tür. Einen Augenblick später stümte Samson herein. Sein Blick fiel sofort auf die Leiche am Boden, dann auf das Baby in Thomas' Armen.

„Und Sergio?", fragte er.

Gabriel wies auf den Staub auf dem Boden. „Wir müssen davon ausgehen, dass er mit einem Pflock ermordet worden ist. Seine Gefährtin sagte, dass sie ihn gezwungen hatten, alles mitanzusehen."

Samson schloss seine Augen. „Oh Gott."

Es war leicht zu sehen, was er dachte: Da er selbst ein blutgebundener Vampir und Vater eines kleinen Kindes war, konnte er nur zu gut nachempfinden, was Sergio gefühlt haben musste. Das Entsetzen stand Samson ins Gesicht geschrieben. Als er die Augen öffnete, gab er seine Anordnungen.

„Gabriel, ruf den Bürgermeister an. Dies darf nicht an die Öffentlichkeit gelangen. Scanguards wird den Tatort sichern und die Sache untersuchen. Wir müssen unser eigenes Spurensicherungsteam herbringen. Der Bürgermeister soll uns den Weg ebnen und uns die Polizei vom Hals halten. Wir müssen herausfinden, wer hinter diesem Verbrechen steckt."

„Das wissen wir bereits", unterbrach Cain ihn.

Samson sah Cain irritiert an. „Wer?"

„Vier dieser Neuankömmlinge. Oliver und ich sahen sie, als sie heute Abend in dieses Gebäude gingen."

„Und ihr habt sie nicht aufgehalten?", brüllte Samson ihn an.

Thomas erhob sich. „Sie haben nichts Verdächtiges getan. Cain und Oliver trifft keine Schuld. Die liegt bei mir."

„Erkläre das näher."

„Ich sah die Vier vorletzte Nacht auf Patrouille. Ich habe sie nicht besonders gut gesehen. Aber ich wusste, dass etwas nicht mit ihnen stimmte. Ihre Beschreibung habe ich erst heute Abend in die Datenbank hochgeladen. Cain und Oliver wussten nicht, dass sie bereits auf unserer Liste der Vampire standen, die wir uns näher anschauen wollten."

„Von dir hätte ich mehr erwartet!", zischte Samson.

Eddie trat einen Schritt näher. „Wenn das Thomas' Schuld ist, dann ist es ebenso meine. Ich war mit ihm auf Patrouille. Und es stimmt, dass wir sie nicht besonders gut sehen konnten. Nur ihre Stimmen konnten wir hören."

Überrascht, dass Eddie ihn verteidigte, sah Thomas ihn an.

„Das ist egal. Ihr kennt unsere Vorgehensweise. Alle beide."

Eddie nickte und ließ den Kopf hängen.

„Was habt ihr mit angehört?", fragte Samson mit Blick auf Thomas.

„Sie sprachen von Geschäftsübernahmen. Und von einem Chef. Wir hörten nur Fragmente. Wir haben nicht viele Anhaltspunkte." Aber es hatte verdächtig geklungen, zumal er nun vermutete, dass dies Kaspers Anhänger waren, obwohl er das den anderen nicht mitteilen konnte. Samson hatte recht, ihn zu züchtigen. Er hätte die Vier sofort melden müssen. Und da er der erfahrenere Bodyguard bei Scanguards war, wäre es seine Pflicht gewesen, nicht Eddies.

„Wir werden ein Team zusammenstellen, um nach ihnen zu suchen", kündigte Samson an. Dann blickte er zu dem Baby in Thomas' Armen. „Was sollen wir mit dem Kind machen?"

„Ich habe eine Idee", sagte Maya und ihr Blick vereinte sich mit Gabriels. Eine Sekunde verstrich, dann nickte ihr Gefährte. Sie lächelte und kündigte an: „Sie wird ein gutes Zuhause bekommen, mit Eltern, die sie wie ihr eigenes Kind lieben werden."

19

Bis die Spurensicherung bei Sergios Buchhandlung ankam und anfing, alle Beweisstücke des Verbrechens zu sammeln, hatte Thomas seine Entscheidungen hundertmal in seinem Kopf durchgespielt. Hätte er diese Tragödie verhindern können?

Er trat auf den Bürgersteig und atmete die kühle Nachtluft ein. Die Bar auf der anderen Straßenseite war nun geschlossen und nur sein sowie Eddies Motorrad waren noch dort geparkt. Schritte neben sich hörend, drehte er den Kopf und sah, wie Cain zu ihm stieß.

„Sie hätten es so oder so getan", meinte Cain.

„Was?"

„Diese vier Vampire. Wenn nicht heute, dann hätten sie es bei einer anderen Gelegenheit erledigt. Es sah geplant aus. Und wir können nicht überall zur gleichen Zeit sein. Auch wenn ich die Beschreibungen früher gelesen hätte, ist das keine Garantie, dass Oliver und ich sie hätten aufhalten können oder überhaupt nahe genug rangekommen wären, um herauszufinden, was sie taten, bis es zu spät war."

Cain legte seine Hand auf Thomas' Schulter und drückte sie.

Thomas lachte bitter. „Deshalb fühle ich mich auch nicht besser." Denn das änderte immer noch nichts an der Tatsache, dass das Verbrechen Kaspers

Handschrift trug. Wollten ihm dessen Anhänger eine Nachricht schicken? War dies eine direkte Drohung?

„Du und Maya, ihr habt das Kind gerettet. Zählt das nicht?"

Langsam nickte er. Zumindest hatte ein Unschuldiger überlebt. „Doch. Gute Nacht, Cain."

„Nacht, Thomas."

Mit schwerem Herzen überquerte Thomas die Straße und näherte sich seinem Motorrad. Er steckte den Schlüssel ins Schloss und schwang sich auf den Sitz, als er bemerkte, dass etwas nicht stimmte. Er blickte zu den Reifen hinunter.

„Scheiße!"

Thomas sprang vom Motorrad und inspizierte den Schaden. Beide Reifen waren aufgeschlitzt worden und vollkommen platt. Wütend stieß er seinen Stiefel gegen das Hinterrad. Wer hatte das getan und warum? War das eine weitere Nachricht?

„Stimmt etwas nicht?", ertönte Eddies Stimme von hinter ihm.

„Irgendein Arschloch hat meine Reifen aufgeschlitzt."

Eddie trat in seinen Blickwinkel und sah sich das Motorrad an. „So ein Mist!"

Thomas fuhr mit einer Hand durch sein Haar und schloss die Augen für einen Moment. Dann schaute er zu Eddie. „Kannst du mich nach Hause fahren, damit ich den Van holen kann?"

Eddies Augen blitzen in der Dunkelheit auf. Sein kurzes Zögern bestätigte Thomas, dass Eddie besorgt war, ihm körperlich nahe zu kommen. Thomas wollte gerade sagen, dass er sich ein Taxi nehmen würde, als Eddie plötzlich nickte.

„Klar, kein Problem. Spring auf."

Eddie bestieg sein Motorrad und fegte den Ständer mit dem linken Fuß weg, bevor er es in Richtung Straße wandte und den Schlüssel im Schloss drehte. Thomas schwang sich hinter ihm hinauf und legte seine Arme um Eddies Taille. Als Eddie das Motorrad beschleunigte und in die Straße einbog, wurde Thomas zurückgezogen und er festigte seinen Griff um Eddies Oberkörper. Er bemerkte, dass Eddie wie so oft keinen Helm trug. Genau wie er fuhr auch Thomas lieber ohne Helm. Und heute Abend war die kühle Luft, die um seine Ohren blies, genau das, was Thomas brauchte.

Er konnte sich nicht erinnern, wann er das letzte Mal als Sozius auf einem

Motorrad mitgefahren war, doch er erinnerte sich, dass es ihm nie besonders gefallen hatte. Heute Abend war er allerdings froh, sich nicht auf den Verkehr konzentrieren zu müssen und stattdessen seinen Gedanken nachhängen zu können.

Sich an Eddie festzuhalten gab ihm ein seltsames Gefühl von Ruhe und Frieden. Sich sicher zu fühlen, wenn er doch wusste, dass er nie wirklich in Sicherheit war, weder vor den externen Bedrohungen, die von Kaspers Anhängern ausgingen, noch vor der Bedrohung, die von der dunklen Macht in ihm kam. Doch die Wärme von Eddies Körper, die sich in seiner Brust ausbreitete, gab ihm ein Gefühl von Zuhause, das er lange Zeit nicht mehr verspürt hatte. Denn Eddie war sein Zuhause.

Thomas seufzte und lehnte seinen Kopf näher zu Eddie, atmete den männlichen Duft seiner Haut und seiner Haare ein. Unwillkürlich drückte er seine Schenkel fester gegen Eddies Oberschenkel, und es fühlte sich an, als würde Eddie den Druck erwidern. An jeder Stelle, wo ihre Körper sich berührten, glaubte Thomas in Brand zu stehen. Wenn er nicht bald von diesem Motorrad stieg und sich von Eddies verlockendem Körper entfernte, würde er verbrennen. Oder er würde etwas Dummes anstellen, wie Eddie an der nächsten Ampel von der Maschine zu ziehen und ihn wie ein Tier anzufallen.

Als sich das Motorrad in die nächste Kurve legte, rutschte Thomas' Hand ab und landete auf Eddies Oberschenkel. Er packte diesen fest zur Unterstützung bis Eddie das Motorrad aus der Kurve herauszog und es wieder aufrecht fuhr. Unter seiner Handfläche verkrampften sich Eddies Muskeln, und er spürte, wie sich dessen Körper versteifte, als wollte er einen Angriff abwehren.

Enttäuscht über diese Reaktion entfernte Thomas seine Hand von Eddies Oberschenkel und umfasste stattdessen wieder dessen Taille. Eddies Jacke war vorne offen, und Thomas' Hand schlüpfte versehentlich hinein. Er spürte die harten Bauchmuskeln unter Eddies T-Shirt. Wärme strahlte in seine Handfläche, als er seine Hand wandern ließ. Er wollte ihn so sehr berühren, wollte seinen Körper erforschen, ihn wieder erregen.

Thomas verlagerte seine Hüften und stieß unbeabsichtigt gegen Eddies Hintern. Ein Grunzen drang aus Eddies Kehle. Schnell brachte Thomas so viel Abstand zwischen sie, wie der Sitz des Motorrads erlaubte, und war froh, als sie schließlich in ihre Straße einbogen.

Eddie drückte den Garagentoröffner und das Tor hob sich. Er fuhr hinein und brachte das Motorrad zum Stillstand. Thomas sprang so schnell er konnte herunter, während Eddie den Motor abstellte und den Ständer ausfuhr, um das Fahrzeug abzustellen.

Ohne ihn anzusehen, fragte Eddie: „Soll ich dir helfen, dein Motorrad abzuschleppen?"

Thomas ging zum Wagen und öffnete die Tür. „Nein. Ich schaff das schon." Er konnte Eddies stillen Seufzer der Erleichterung förmlich hören, als dieser die Treppe zum Haus hochstieg. Offensichtlich konnte sich Eddie nicht weit genug von ihm entfernen.

Thomas sprang in den Wagen und knallte die Tür zu. Es war sowieso besser, dass er allein war. In seinem momentanen Zustand hatte er keine Ahnung, was er Eddie antun würde.

20

Das Baby, frisch gebadet und angekleidet, war nun in eine saubere Decke gehüllt und schlief. Cain sah auf es hinab, als er zu dem Gartentor ging und es öffnete. Das Bellen von mehreren Hunden alarmierte die Bewohner des kleinen Hauses. Das Baby begann zu weinen und Cain wog es sanft.

„Ich hoffe, Maya hat recht", murmelte Cain vor sich hin, als er die Tür erreichte und klingelte.

Er musste nur ein paar Sekunden warten, bevor die Tür geöffnet wurde. Haven, Yvettes Gefährte, erschien im Türrahmen. Hinter ihm bellten zwei Golden Retriever Welpen und umkreisten aufgeregt seine Beine. Ein größerer Hund steckte seinen Kopf durch die Küchentür, sah sich das Spektakel kurz an und verschwand wieder.

„Cain? Das ist aber eine Überraschung", begrüßte Haven ihn.

Aus dem Wohnzimmer hörte er Yvettes Stimme. „Wer ist es?"

„Es ist Cain, Baby."

Cain zog die Decke vom Kopf des Babys und drehte es so, dass Haven es sehen konnte. „Ich komme mit Geschenken."

Havens Augen weiteten sich, als er zuerst das Baby und dann wieder Cain anstarrte. Seine Kinnlade fiel herunter und er trat einen Schritt zurück. „Dann kommst du wohl lieber erst mal rein."

Als Cain gefolgt von Haven und den Welpen im Schlepptau ins Wohnzimmer trat, stieß er fast mit Yvette zusammen. Sie trug Leggins, die ihre langen, schlanken Beine betonten, sowie ein loses T-Shirt – ohne BH, bemerkte er sofort. Doch ihre Brüste waren fest. Haven war ein glücklicher Hurensohn, sich solch eine Schönheit als seine Gefährtin geangelt zu haben. Cain konnte nicht umhin, sich vorzustellen, wie es sein würde, so eine Frau im Bett zu haben. Nicht, dass er jemals wagen würde, die Gefährtin eines anderen Vampirs zu berühren. Es war praktisch ein Todesurteil für jeden Mann, der es versuchte.

„Hi, Yvette. Tut mir leid, so spät zu stören, aber es gab einen Vorfall."

Yvette atmete scharf ein und ihre Augen fielen sofort auf das Bündel in seinen Armen. Ihr Mund öffnete sich weit. „Oh mein Gott!"

Cain sah auf das niedliche Baby in seinen Armen hinab. „Sie ist eine Hybridin. Ihre Eltern wurden heute Abend ermordet. Es gibt keine andere Familie. Maya musste sie aus dem Leib ihrer sterbenden Mutter herausschneiden. Sie ist ein vollkommen gesundes Baby."

Yvette griff nach dem Baby und Cain übergab es ihr.

„Das ist ja furchtbar", sagte Haven. „Was ist denn passiert?"

„Vier der Neuankömmlinge haben heute Nacht Sergio in seinem Buchladen angegriffen, ihn getötet und seine blutgebundene Gefährtin erstochen. Es ist ein Wunder, dass das Baby überlebt hat. Wir haben eine Beschreibung von ihnen und gehen der Sache nach."

Yvette streichelte das weiche Haar auf dem Kopf des Kindes. „Sie ist perfekt." Ihre Augen glänzten vor Feuchtigkeit, als sie aufblickte und Havens Augen suchte.

Erfreut über den Empfang, den Yvette dem Baby bereitete, lächelte Cain. Er stellte die Tasche, die über seiner Schulter gehangen hatte, auf die Couch und deutete darauf. „Delilah hat das Wesentliche eingepackt. Windeln, Flaschenmilch, Kleidung. Genug für den Anfang."

„Für den Anfang?", echote Haven.

„Ja. Das ist euer Baby, wenn ihr es wollt. Es braucht ein Zuhause." Sein Blick wanderte von Haven zu Yvette. „Und eine gute Mutter."

Eine Träne rollte über Yvettes Gesicht und ihr Mund öffnete sich, aber keine Worte kamen heraus. Haven legte seinen Arm um sie und küsste ihren Kopf. Dann sah er Cain wieder an. Feuchtigkeit hatte sich auch in seinen Augen gesammelt.

„Natürlich wollen wir sie. Sie wird wie unser eigenes Fleisch und Blut sein. Das kann ich dir versprechen." Havens Stimme brach.

Ein Schluchzen riss sich aus Yvettes Brust, als sie ihr Gesicht zu ihrem Gefährten hob. „Danke." Sie streckte sich, um einen Kuss auf Havens Lippen zu drücken.

„Baby, dank nicht mir. Danke dem Schicksal, dass es uns mit diesem Geschenk gesegnet hat." Er strich mit der Hand über den Kopf des Kindes. „Sie ist kostbar. Danke, Cain. Ich kann dir nicht sagen, was uns das bedeutet."

Cain schob die Gefühle, die ihn zu entmannen drohten, beiseite. Er war nicht jemand, der sich von Gefühlen leiten ließ, aber der Anblick, der sich ihm bot, zerrte sogar an seinen Tränendrüsen. Yvette glühte regelrecht, als wäre sie die Frau, die heute Abend ein Kind entbunden hatte. Er machte sich um das kleine Mädchen in ihren Armen keine Sorgen. Sie würde in einem liebevollen Zuhause aufwachsen, mit Eltern, die sie anbeten und beschützen würden. Sie war jetzt in Sicherheit.

Festen Willens, die tränenreiche Stimmung im Raum zu heben, versuchte sich Cain an einem Witz. „Und ich hoffe, ihr erzieht sie etwas strenger als eure Hunde." Er deutete auf die zwei Welpen, die immer noch im Kreis herumliefen, durch seine Beine rannten und an seinen Hosenbeinen zerrten, als ob er ihr neuestes Lieblingsspielzeug wäre.

Haven grinste. „Ja, die zwei. Da haben wir was falsch angestellt." Er machte eine Pause. „Willst du einen?"

Cain hob die Hände hoch. „Du willst mich wohl verarschen! Ich lasse doch nicht zu, dass diese kleinen Kerle Verheerung in meinem Haus anrichten."

Haven zuckte mit den Schultern und lachte. „Es war einen Versuch wert."

„Vielleicht spielt das Baby gerne mit den Hunden."

Yvette lächelte. „Hat sie schon einen Namen?"

Cain schüttelte den Kopf. „Dafür war keine Zeit. Ihr seid jetzt ihre Eltern. Ihr könnt euch einen aussuchen."

„Danke, Cain."

Er war schon auf dem Weg zur Tür, als Yvettes Stimme ihn aufhielt. „Noch eine Frage: Wer hat vorgeschlagen, dass wir sie erziehen sollen?"

„Maya."

Ein weiteres Schluchzen stieß aus Yvettes Brust, als sie den Namen wiederholte. „Maya."

21

Die fast drei Stunden lange Fahrt auf dem Motorrad schien ewig zu dauern, wenn sie doch im Nu vergehen sollte. Eddie hatte die Adresse nachgeschlagen und war losgefahren, als die Sonne über dem Pazifik untergegangen war. Er hätte den Blackout SUV nehmen und bei Tageslicht losfahren können, doch er wollte den Wind an seinem Körper spüren. Es gab ihm das Gefühl von Freiheit, das er in einem Auto nie spüren würde. Nicht, dass dies ihm half, seine Gedanken zu klären. Sie waren immer noch verworren wie eh und je. Wenn nicht noch mehr.

Als er mitangesehen hatte, wie Thomas um das Leben der schwangeren Frau und ihr Kind gekämpft hatte, hatte sein Herz mit ihm gefühlt. Thomas hatte sie und Sergio gekannt, und das Mitgefühl, dass sein Herz vergossen hatte, hatte Eddie physische Schmerzen bereitet. Thomas hatte sich für das, was geschehen war, verantwortlich gefühlt.

Die Fahrt nach Hause auf seinem Motorrad, während der Thomas sich von hinten an ihn geklammert hatte, war reine Folter gewesen. Er hatte sich an ihn lehnen wollen, um ihn wissen zu lassen, dass er in seinem Schmerz auf Eddies Trost bauen konnte. Aber als er Thomas' harte Muskeln an seinen Körper gedrückt gespürt hatte, war er in Panik geraten und so schnell nach Hause gefahren, wie die Maschine zwischen seinen Beinen dazu in der Lage war. Er wollte Thomas' Kumpel sein, aber nicht mehr als das. Thomas musste das verstehen. Es konnte nie mehr zwischen ihnen sein, denn die Dinge, die Eddie im Moment fühlte, waren nur kurzlebig. Eine temporäre Verwirrung seinerseits.

Eddie stoppte vor einem großen fensterlosen, bunkerartigen, zweistöckigen Gebäude. Es lag versteckt am Ende eines Schotterweges irgendwo östlich von Sacramento, am Fuße der Sierra Nevada. Er stellte den Motor ab und stieg ab, nahm seinen Helm ab und befestigte ihn an der Lenkstange.

Das Gebäude sah unbewohnt und dunkel aus. Es gab kein einziges Licht an der Außenseite, das Aufmerksamkeit auf es zog. Eddie blickte sich um, ob jemand in der Nähe war, doch da er niemanden bemerkte, ging er in Richtung Eingangstür. Es war eine einfache, graue Metalltür ohne Inschrift. Als wüssten diejenigen, die hierher kamen, sowieso, was sich hinter diesen Mauern befand.

Der Öffner summte und Eddie drückte gegen die Tür. Sein Besuch war angekündigt worden und er war sicher, dass entlang der Außenmauern Kameras montiert waren, damit die Bewohner auf Gäste oder Eindringlinge aufmerksam gemacht wurden.

Er marschierte durch den dunklen Flur und hörte die Tür hinter sich zuschnappen. Eddie atmete tief ein. Es roch sauber und steril und nicht muffig, wie er erwartet hatte. Er erreichte eine zweite Tür und wieder ertönte ein Summen und er konnte eintreten.

Er betrat einen hell erleuchteten Raum und blinzelte für einen Moment, bis sich seine Augen an das grelle Licht gewöhnt hatten. Der Empfangsbereich war ausgestattet mit einem Tresen und mehreren unbequem aussehenden Stühlen. Offensichtlich war dies kein Ort, an dem man Wert auf Komfort oder Luxus gelegt hatte. Welches Gefängnis war das schon?

Der Vampir hinter der Theke nickte ihm zu. „Name?"

„Eddie Martens."

Er blickte auf die Ablage vor ihm und hakte dort etwas ab. „Sie haben sich verspätet."

„Der Verkehr –"

„Unterschreiben Sie hier." Der Angestellte reichte ihm das Klemmbrett und wies auf eine Linie.

Eddie unterschrieb mit seinem Namen, dann gab er dem kurz angebundenen Vampir das Klemmbrett und den Stift zurück.

„Sie haben fünfzehn Minuten mit dem Gefangenen." Der Vampir zeigte auf eine graue Tür.

Eddie ging darauf zu und öffnete sie. Er trat ein, und die Tür schloss sich mit einem lauten Knall hinter ihm.

Überrascht prallte er zurück. Er hatte erwartet, dass die Tür in einen weiteren Flur führte, doch fand er sich in einem kahlen Raum mit zwei Stühlen wieder. Einer davon war besetzt.

„Eddie!" Luther sprang auf, scheinbar überrascht und erfreut zugleich. „Sie hatten mir nicht gesagt, wer mein Besucher ist."

Eddie hob seine Hand und hielt Luther davon ab, ihm näherzukommen. „Luther."

Er ließ seine Augen über ihn schweifen. Luther trug einen grauen Gefängnisoverall und sein Gesicht sah fahl und leblos aus. Als ob er seinen Lebenswillen verloren hätte. Das Licht, das er in dem Augenblick hatte aufflackern sehen, als Luther ihn eintreten hatte sehen, schien wieder verblasst zu sein.

„Wie geht es dir?", fragte Luther. „Behandeln sie dich gut?"

Eddie nickte. „Scanguards ist immer gut zu mir." Er stieß sich von der Tür ab. „Und du?"

Luther zuckte mit den Schultern. „Ich lebe." Er seufzte. „Aber irgendwie habe ich das Gefühl, dass du nicht gekommen bist, um dich von meinem Wohlbefinden zu überzeugen."

„Du hast recht. Sie haben mir nur fünfzehn Minuten mit dir gegeben. Lass uns also die Zeit nicht mit Geplauder verschwenden, das keinen von uns interessiert."

„Natürlich nicht", bestätigte Luther.

„Ich möchte wissen, was du mir angetan hast."

Luther zog eine Augenbraue hoch, als verstünde er die Frage nicht. „Was ich getan habe? Kannst du die Frage vielleicht wiederholen?"

„Während meiner Verwandlung. Du hast Mist gebaut."

Luther bewegte seinen Kopf von einer Seite zur anderen. „So wie ich das sehe, hast du dich perfekt entwickelt. Ein perfekter Vampir. Stark. Unbesiegbar." Er machte eine Pause. „Obwohl du ein wenig stur bist, aber das warst du ja auch als Mensch schon."

Eddie biss die Zähne zusammen. „Du hast noch etwas anderes in mir verändert. Wie ich mich fühle. Was ich fühle." Verdammt, es gab keine einfache Art und Weise, dies zu sagen. Keine Worte, die die Situation weniger peinlich machen würden. Musste er es ihm denn buchstabieren?

„Ich fürchte, ich kann dir nicht folgen, Eddie. Wenn du irgendetwas wissen willst, fragst du lieber direkt. Ich befürchte, dass ich beim Gedankenlesen durchgefallen bin." Luther warf ihm einen Blick zu, als wollte er ihn zum Kampf herausfordern.

„Du hast etwas an mir verändert. Du hast meine ... meine Begierden verändert", presste er heraus.

„Sprechen wir hier von Blutdurst?"

Wie konnte der Mann nur so dämlich sein! Eddie machte eine ungeduldige Handbewegung. „Ich rede verdammt noch mal nicht von Blutdurst. Ich rede davon, zu wem ich mich hingezogen fühle."

Langsam zog sich eine von Luthers Brauen hoch. Dann zog Verständnis über sein Gesicht. „Ach jetzt verstehe ich. Du bist ans andere Ufer übergewechselt."

Eddie machte einen Schritt auf Luther zu und stieß seinen Zeigefinger in dessen Brust. „Das habe ich mir nicht ausgesucht! Du –"

„Natürlich nicht", unterbrach Luther ihn. „Schwul zu sein war noch nie eine Wahl. Niemand sucht sich aus, homosexuell oder heterosexuell zu sein. Die Natur bestimmt das."

Das Wort verärgerte ihn: homosexuell. „Ich bin nicht schwul!"

„Ach, dann hast du wohl nur homosexuelle Tendenzen wie dieser Prediger. Wie hieß er noch gleich?"

Eddie ignorierte die Frage. Er spürte Wut über Luthers unangebrachte Reaktion in sich aufsteigen. „Ich dachte, als mein Erschaffer müsstest du mich unterstützen. Du hast das vermasselt. Du hast mich so gemacht. Also tu was, damit ich wieder so werde wie zuvor."

Luther wippte auf den Fersen zurück. „Wie du vorher warst? Ach Eddie, du bist immer noch genauso wie vorher. Dich in einen Vampir zu verwandeln hat nichts daran geändert, wen du liebst. Was auch immer du jetzt fühlst, war schon in dir, als du noch ein Mensch warst. Latent vielleicht. Aber es war schon immer vorhanden."

Eddie schubste Luther, damit er ein paar Schritte zurück stolperte. „Was meinst du damit? Dass ich als Mensch ein verdammter Homo war? Ich versichere dir, das war ich nicht! Ich habe noch nie einen Mann angesehen! Ich liebte Frauen!"

„Wirklich? Na ja, dann müssen sich die Freundinnen bei dir ja angestellt haben. Bei deinem Aussehen sind sie dir bestimmt scharenweise nachgelaufen. Und wie war's? Hast du viele gefickt?" Ein spöttischer Ausdruck lief über Luthers Gesicht.

Eddie zog scharf die Luft ein, als er an seine Jugend und seine jungen Männerjahre zurückdachte. Er hatte schon gelegentlich eine Freundin gehabt und sicherlich auch ab und zu Sex mit Frauen, aber er war nie promiskuitiv gewesen. Er war einfach nicht der Typ. Er hatte Frauen immer respektiert und war nicht einer, der sie ausnutzte. In der Tat hatte er viele gute Freundinnen gehabt.

„Ich verstehe", fuhr Luther gelassen fort. „Also doch nicht, oder? Ich nehme an, mit Frauen zu schlafen hat dir doch nicht so arg gefallen, oder?"

Wütend stieß Eddie Luther gegen die Wand. „Du irrst dich! Nur weil ich nicht wie andere rumhure, bedeutet das nicht, dass ich Frauen nicht liebe."

„Mach dir doch nichts vor, Eddie! Wenn du jetzt auf Männer stehst, ist das deine wahre Natur, die endlich herauskommt."

Vor Eddies Augen blitzte ein Abbild von Thomas auf, wie er halb nackt vor dem Waschbecken in der Garage stand. Es schickte einen Bolzen der Begierde in seine Leistengegend und verbreitete Hitze in seinem ganzen Körper. Plötzlich rang er nach Luft.

Leider war sein Erschaffer verdammt scharfsinnig. „Aha, es ist also nicht irgendjemand. Es ist jemand Besonderer. Na, auf wen bist du denn scharf? Kenne ich ihn?"

„Es ist niemand!", log Eddie.

„Lügen steht dir nicht. Außerdem bist du kein guter Lügner." Luther deutete mit dem Kopf, um das Gefängnis um sich herum anzuzeigen. „Wenn ich nicht hier angebunden wäre, hätte ich dir alles beigebracht. Stattdessen musste ich dich Scanguards überlassen, damit sie deine Ausbildung fortsetzten." Er setzte ein schiefes Lächeln auf.

„Du hast mir versprochen, mich stark und unbesiegbar zu machen. Dies war nicht Teil der Abmachung!"

„Nein, das war nicht Teil der Abmachung, aber es war nicht meine Schuld. Kannst du das nicht in deinen sturen Schädel hineinbekommen? Scheinbar nicht! Denn als Vampir bist du immer noch so stur wie als Mensch. Welche Charakterzüge du auch immer vor deiner Verwandlung hattest, sie werden als Vampir nur noch verstärkt. So funktioniert das! Als du noch ein

Mensch warst, warst du in der Lage, deine Gefühle für andere Männer zu unterdrücken, aber jetzt als Vampir kannst du das nicht mehr. Deine Begierden sind jetzt stärker, und sie wachsen mit jedem Tag. Gib auf und bekenn dich zu dem, was du bist."

„Nein!", schrie Eddie ihn an. Er konnte das nicht akzeptieren. Es musste eine andere Erklärung geben.

Frustration machte sich in ihm breit. Seine Reißzähne fuhren sich herunter und seine Hände ballten sich zu Fäusten. Er beobachtete sich selbst, wie er seine rechte Faust in Luthers Gesicht schleuderte und dessen Kopf seitwärts peitschte. „Du hast mir das angetan!"

Luther stieß ihn zurück in die Mitte des Raumes, bevor er sich auf ihn stürzte. „Du hast Lust auf einen Kampf? Dann lass uns mal. Aber das wird nichts an den Tatsachen ändern!" Sein Erschaffer holte aus und landete einen rechten Haken unter Eddies Kinn.

Eddie schmeckte Blut, als seine Reißzähne seine eigene Lippe durchbohrten. Es machte ihn nur noch wütender. Er packte Luther an den Schultern und katapultierte ihn an die Wand mehrere Meter hinter ihm. Dann sprang er auf ihn und schlug mit den Fäusten auf ihn ein. Aber Luther war kein williger Boxsack. Er wehrte sich, griff mit seinen Krallen an und schnitt damit tiefe Furchen in Eddies Brust und Arme.

Der Geruch von Blut erfüllte den Raum, und lautes Grunzen vermischte sich mit dem Klang abgehackter Atemzüge. Beides hallte von den kahlen Wänden wider.

„Also, wer ist denn dein Geliebter?", provozierte Luther ihn.

Eddie kniff die Augen zusammen und verkrampfte seine Kiefer, dann zielte er auf Luthers Schläfe. Seine Knöchel brachen beim Aufprall, aber er ignorierte den Schmerz und schlug weiter auf seinen Erschaffer ein, obwohl er wusste, dass dies nichts daran ändern würde, wie er sich fühlte. Es würde seine Gefühle für Thomas nicht zerstören.

„Ist er ein Vampir?"

„Ich werde dir deinen verdammten Mund schließen, wenn du es nicht selbst schaffst!", antwortete Eddie und zielte seine Faust auf Luthers Mund, um ihm die Worte zurück in seine Kehle zu rammen. Aber Luther wich ihm aus und landete stattdessen einen Schlag gegen Eddies Seite, was ihn zum Stolpern brachte.

Luther dachte nicht daran, mit seiner Spöttelei aufzuhören. „Ist er gut?"

Rasend vor Wut kämpfte Eddie, um sein Gleichgewicht wieder zu gewinnen, warf sich auf Luther und zerrte ihn zu Boden.

„Wer nimmt's denn in den Arsch? Du oder er?"

„Fick dich!", schrie Eddie und drückte ihn auf den Boden.

Luther grinste durch das Blut, das aus seiner gespaltenen Lippe lief. „Nein, fick ihn! Denn darum geht's hier doch, oder? Du willst ihn ficken, aber du brauchst eine Ausrede, denn du willst nicht zugeben, was du bist. Du willst jemand anderem die Schuld dafür geben, was du fühlst."

Eddie wich schweratmend zurück. Sein Herz raste. Aber der Wille weiterzukämpfen verließ ihn wie die Ratten ein sinkendes Schiff. Er hatte den Kampf verloren.

„Ich habe gehört, sie haben dir einen Mentor zugeordnet. Warum hast du ihn denn nicht gefragt? Er hätte dir das gleiche sagen können wie ich. Dann hättest du dir die Fahrt erspart."

Eddie wich seinem Blick aus und erhob sich. Er wischte sich mit dem Handrücken das Blut aus dem Gesicht und keuchte.

Dann platzte ein kurzes Lachen aus Luthers Mund. „Ach, jetzt verstehe ich. Du konntest ihn nicht fragen, stimmt's? Du konntest Thomas nicht fragen, weil es um ihn geht. Er ist derjenige, auf den du scharf bist."

„Fick dich!", zischte Eddie und drückte auf den Knopf neben der Tür, um hinausgelassen zu werden.

Einen Augenblick später ließ er Luther und das Gefängnis hinter sich. Hatte Luther recht? Hatte er als Mensch schon *homosexuelle Tendenzen* gehabt? Eddie erinnerte sich an seine frühe Kindheit und seine Freunde von damals. Er und Nina waren bei Pflegeeltern aufgewachsen, aber seine frühen Jahre in den Pflegefamilien waren nicht außergewöhnlich gewesen. Genau wie alle anderen kleinen Jungs war er neugierig gewesen. Spielten denn nicht alle Kinder Arzt und begutachteten die Körper der anderen Kinder? Er und ein anderer Junge hatten manchmal so gespielt und einander neugierig berührt. Natürlich hatte das aufgehört, als seine Pflegemutter sie ertappt und den anderen Jungen nach Hause geschickt hatte. Der Junge hatte ihn nie wieder besuchen dürfen. Und Eddie hatte eine Woche lang nicht fernsehen dürfen. Er hatte seine Lektion gelernt und es nie wieder getan.

Später, als er dem Ringerteam seiner High School beigetreten war, hatte er sich in den Umkleideräumen immer unwohl gefühlt. Vor allem, weil er immer zu den unpassendsten Zeiten eine Erektion bekommen hatte. Es war ihm peinlich, und einige der anderen Jungs hatten ihn oft aus den Duschen ausgesperrt, weil sie nicht wollten, dass er mit ihnen duschte. Sie hatten ihn schikaniert, nur weil sein Körper Sachen machte, über die er keine Kontrolle hatte.

Er war aus dem Sportverein ausgetreten und Nina war enttäuscht gewesen. Sie hatte ihm vorgeworfen, kein Durchhaltevermögen zu haben. Natürlich hatte er ihr nicht sagen können, was wirklich passiert war, weil kein fünfzehnjähriger Junge mit seiner Schwester über sexuelle Sachen sprach. Er hatte sich damals selbst versprochen, dass er sie nie wieder enttäuschen würde. Sie hatte darum gekämpft, die Vormundschaft über ihn zu erhalten, damit sie von der letzten Pflegefamilie weg konnten, nachdem ihr Ziehvater Nina sexuell missbraucht hatte. Eddie wollte nicht undankbar erscheinen und seiner Schwester noch mehr Sorgen aufhalsen.

Waren diese Vorfälle Hinweise dafür, was seine wahre Natur war? Die wahre Natur, von der Luther behauptete, dass sie nun hervorkam, weil er ein Vampir war?

Hatte er seine Triebe so tief in seiner Psyche verdrängt, dass er deren Existenz völlig blind gegenüber stand?

Was würde passieren, wenn er nicht weiter dagegen ankämpfte, seine Begierden hervorkommen zu lassen? Würde dies seine Beziehung zu Nina, seine Freundschaft mit Thomas und das Leben, das er sich aufgebaut hatte, zerstören? Würden die Anderen ihn anders behandeln, wenn sie Bescheid wüssten? Aber die wichtigste Frage war: Wäre Nina wieder enttäuscht von ihm?

22

Thomas stand unter der Dusche und ließ das warme Wasser seinen Körper hinunterlaufen, als könnte er damit seine Sorgen wegwaschen. Eine weitere Nacht war ohne jegliches Zeichen der vier Vampire, die Sergio und seine Gefährtin getötet hatten, vergangen. Und obwohl sein Verstand begriff, dass er diese Tragödie nicht hätte verhindern können, fühlte er sich trotzdem dafür verantwortlich.

Er versuchte, die Gedanken aus seinem Kopf zu verbannen, doch dadurch schoben sich andere in den Vordergrund. Gedanken an Eddie. Eddie war mit seinem Motorrad davon gerast, sobald die Sonne untergegangen war und er hatte ihn die ganze Nacht nicht gesehen. Nach Einsicht des Dienstplans hatte er feststellen müssen, dass Eddie sich einen Tag Urlaub genommen hatte, der von Samson genehmigt worden war. Seltsam, dass weder Eddie noch Samson ihm gegenüber etwas erwähnt hatte.

Thomas griff nach dem Duschgel und seifte sich ein, wusch das Öl von seinem Körper, mit dem er sich beschmutzt hatte. Er hatte stundenlang an einem seiner Motorräder gebastelt. Die Konzentration auf die mechanischen Zusammenhänge hatte ihm gutgetan. Er musste irgendetwas tun. Herumzusitzen und auf die nächste Gräueltat zu warten war keine Option. Morgen Nacht würde er sich auf die Suche nach Xander machen, dem Mann, der ihn genötigt hatte, sich Kaspers Anhängern anzuschließen. Durch ihn würde er die anderen aufstöbern und dann herausfinden, wie er sie zerstören konnte.

Da er nun einen Plan formuliert hatte, fühlte er sich etwas besser, spülte die Seife von seinem Leib und drehte das Wasser ab. Es herrschte jetzt vollkommene Stille, die jedoch plötzlich durch die Atmung einer anderen Person unterbrochen wurde. Er atmete ein und erkannte den Duft.

„Verschwinde!“, befahl er und starrte weiterhin die Fliesen in seiner übergroßen Duschkabine an.

Aber kein Geräusch von Schritten folgte seinem Befehl.

„Eddie, hau ab! Du solltest nicht hier sein. Ich habe heute nicht die Kraft, mein Verlangen nach dir zu unterdrücken. Es wäre besser, wenn du dich in dein Zimmer einsperren würdest. Geh! Bitte geh!“

Er stützte eine Hand gegen die Wand, um das Gleichgewicht zu halten, während sein Körper ihn verriet und seinen Schwanz mit Blut vollpumpte, der wie ein Phoenix emporstieg. Er konnte sich jetzt nicht umdrehen. Schlimm genug, dass Eddie seinen nackten Hintern zu sehen bekam. Ihm seine Erektion zu zeigen und zuzugeben, dass er in Eddies Gegenwart machtlos war, würde alles nur noch schlimmer machen.

Er hörte nackte Füße auf dem Boden tappen und stieß fast schon einen Seufzer der Erleichterung aus – bis er bemerkte, dass sie die falsche Richtung einschlugen. Er schloss die Augen, biss die Zähne zusammen und kämpfte gegen den Drang an, sich umzudrehen und Eddie mit sich in die Dusche zu ziehen.

„Du musst gehen“, bat er noch einmal, aber es war zu spät.

Eddies Hand berührte seine Schulter und drehte ihn zu sich herum. Seine tiefbraunen Augen schauten ihn direkt an und ihre Blicke verschmolzen ineinander. Dann wanderte Eddies Blick Thomas’ Körper hinunter und verharrte an der Stelle, wo dessen Schwanz aufrecht stand.

Thomas ließ seinen Blick über Eddies Körper schweifen und fühlte, wie sein Herz beinahe aufhörte zu schlagen. Eddies Brust war nackt. Durchtrainierte Bauchmuskeln blickten über seiner niedrig sitzenden Pyjamahose hervor. Das dünne Material wölbte sich in Eddies Leistengegend zu einem Zelt. Thomas’ Kehle wurde staubtrocken. Er war nicht in der Lage zu schlucken.

Als Eddie über seine Brust streichelte, dabei eine Brustwarze berührte und diese in Sekunden erhärtete, war er unfähig, sich zu bewegen. Eddies Hand hielt sich nicht auf seiner Brust auf. Sie tauchte tiefer, vorbei an Thomas' Nabel, und erreichte das Nest an Haaren, das Thomas' intimste Stelle bewachte. Als Eddies Finger durch die groben Haare kämmten, hielt Thomas aus Angst, den Bann zu brechen, seinen Atem an. Beim ersten Kontakt von Eddies Hand mit seinem Schwanz konnte er sich jedoch nicht mehr zurückhalten und stieß ein unwillkürliches Stöhnen aus. Dann überschlug sich seine Atmung.

Eddies Hand wickelte sich um ihn herum und die warme Haut seiner Handfläche ummantelte ihn wie eine Decke.

„Oh, Fuck!", zischte Thomas leise.

Eddie hob seine Augen, bis sich ihre Blicke begegneten. Seine Lippen bewegten sich. „Magst du das?" Seine rosa Zunge leckte über seine Lippen und brachte Thomas dazu, einen weiteren Seufzer des Vergnügens auszustoßen. Träumte er? Ganz sicher tat er das, denn dies konnte unmöglich wahr sein. Warum war Eddie plötzlich in seiner Dusche aufgetaucht und berührte ihn, wenn er ihm doch erst vor zwei Nächten deutlich gemacht hatte, dass der Kuss auf der Baustelle nichts zu bedeuten hatte? Was hatte Eddie dazu bewegt, seine Meinung zu ändern?

Eddie verfestigte seinen Griff um Thomas' Erektion und glitt dann mit seiner Hand von oben bis unten daran entlang. „Wenn wir das hier tun, dann musst du mir etwas versprechen", forderte er.

„Alles", antwortete Thomas ohne nachzudenken, da sein Gehirn bereits stillgelegt war und sein Schwanz jetzt das Denken übernommen hatte.

„Niemand darf jemals davon erfahren."

„Niemand", flüsterte er zurück, während sein Atem desertierte, als Eddie immer näher kam.

„Zieh mich aus."

Thomas griff nach dem Band an Eddies Pyjamahose und löste die Schleife mit zitternden Fingern. Dann lockerte er den Bund und schob die Hose über Eddies schmale Hüften. Sie fiel auf den nassen Boden der Dusche und bündelte sich zu Eddies Füßen.

Thomas senkte den Blick und starrte auf Eddies Schwanz. Dieser war völlig erigiert und das Schönste, was er je gesehen hatte. Voll gepumpt mit Blut schlängelten sich kräftige Venen um ihn und die fast lilafarbene Spitze glänzte von einem Tropfen von Eddies Sperma. Thomas atmete tief und inhalierte damit den verlockenden Duft, der eine Lustwelle durch seinen Körper sandte.

„Eddie", murmelte er, unfähig, einen zusammenhängenden Satz zu bilden.

Stattdessen schob er seine Hand zwischen Eddies Beine und streichelte dessen Eier, dann packte er seine Erektion. Eddies Atem stockte und seine Hand hielt für einen Moment in seinen Bewegungen inne.

Eddie ließ Thomas' Schwanz los, ergriff dessen Hand und zog sie von seiner Erektion. Enttäuscht sah Thomas ihn an.

„Lass es uns zusammen machen", flüsterte Eddie und drückte seinen Schwanz gegen Thomas', dann legte er seine Hand um beide Schwänze gleichzeitig. Doch seine Handfläche konnte den Umfang beider nicht voll umfassen.

Thomas fügte seine Hand hinzu, und gemeinsam bewegten sie ihre Hände an beiden Erektionen nach oben und unten. Das Gefühl der weichen Haut von Eddies Schwanz, der gegen seinen eigenen glitt, überwältigte Thomas mit Empfindungen, die durch seinen Körper rasten: Feuer schoss durch seine Zellen, heizte seinen Körper auf, und erhöhte sein Verlangen.

Eddie stieß hart den Atem aus und schloss seine Augen. Thomas legte seinen Kopf zur Seite und senkte seine Lippen auf Eddies. Ein Stöhnen entkam Eddies Kehle und Thomas fing es ein und schloss seine Lippen über Eddies Mund.

In dem Moment, als ihre Zungen aufeinander trafen, stürzten Empfindungen über ihn herein, so intensiv, dass er darin umzukommen glaubte. Davon hatte er so oft geträumt, sich so viele Tage in seinem Bett vorgestellt, wie es sich anfühlen würde. Doch jetzt, wo es geschah, jetzt wo er und Eddie Liebe machten, wurde ihm klar, dass seine Fantasiebilder nur blasse Kopien der Wirklichkeit waren.

Eddies Hand streichelte ihn, seine Zunge duellierte sich mit seiner und sein Oberschenkel drückte gegen ihn: Es brachte Thomas' Puls zum Rasen. Und wenn Vampire Herzinfarkte erleiden könnten, dann würde Thomas sicherlich einem erliegen. Er legte seine freie Hand auf Eddies Hintern und drückte ihn fester an sich, um ihn auf sein unstillbares Verlangen aufmerksam zu machen.

Eddies Hand bewegte sich nun schneller, als sie an ihren Schwänzen auf und ab rutschte. Thomas bewegte sich im Gleichklang mit Eddie und fühlte dessen Erregung zusammen mit seiner eigenen steigen.

Thomas intensivierte den Kuss, saugte, streichelte, erforschte seinen Geliebten mit mehr Inbrunst, tauchte tiefer in die Höhle seines süßen Mundes ein, knabberte an seinen Lippen und leckte dann mit der Zunge darüber.

Als Eddies Kopf zurückfiel und damit den Kuss unterbrach, küsste Thomas seinen verlockenden Hals. Seine Lippen legten sich auf die kräftige Vene, die dort pulsierte. Er spürte das Blut, das durch die Vene rauschte, die pulsierende Empfindung, die den Herzschlag anzeigte, genauso wie er das Blut riechen konnte. Es zog ihn an wie ein Leuchtfeuer, das eine verlorene Seele ans Ufer geleitete. Das Blut eines Liebhabers zu trinken war etwas, was viele Vampire während des Sexualakts taten. Es erhöhte ihre Erregung und intensivierte ihre Verbindung. Versuchung ergriff Thomas, als seine Reißzähne sich senkten und gegen Eddies heiße Haut streiften.

Eddie spürte Thomas' Mund an seinem Hals und seine scharfen Fänge seine Haut entlang gleiten. Die Empfindung sandte einen Speer von Wärme durch sein Inneres und direkt in seinen Schwanz. Er hatte noch nie in seinem Leben etwas Besseres verspürt, und dabei rieben sie nur ihre Erektionen aneinander, ihre Hände übereinander gefaltet, im Rhythmus perfekter Harmonie.

Vielleicht war dies die beste Möglichkeit, die Sache ein für alle Mal aus seinem System zu verbannen. Zumindest hatte er mit dieser Hoffnung Thomas' Badezimmer betreten. Nur ein schneller Fick und er würde erkennen, dass er so etwas nicht wollte. Und so würde sich schließlich und endlich sein Verlangen nach Thomas in Luft auflösen und sie konnten wieder Kumpel sein. Leider war ihm sofort, als er seine Hand um Thomas' herrlichen Schwanz gelegt hatte, klar geworden, dass es nicht so einfach sein würde. Vielleicht müssten sie mehr als nur einmal ficken, bis Eddies *homosexuelle Tendenzen* befriedigt waren.

Eddies freie Hand wanderte über Thomas' Körper und erkundete die harten Muskelstränge auf dessen Bauch und die glatte, unbehaarte Haut, die seine Brust bedeckte. Dann glitt er seinen Rücken hinab, berührte seinen runden Hintern. Thomas' Pobacken ballten sich zusammen, als Eddie sie drückte. Ein Stöhnen rollte über Thomas' Lippen. Eddie spürte, wie Thomas' Hand über seinen Arsch glitt und versuchte, seine Reaktion zu unterdrücken, doch ein Seufzer kam trotzdem über seine Lippen. Die besitzergreifende Berührung erweckte etwas in ihm und drängte ihn, auf den Ruf seines Liebhabers zu reagieren, wie Tiere auf die Lockrufe ihrer Gefährten reagierten.

Thomas bewegte seine Hüften vor und zurück und stieß seinen Schwanz härter und schneller, während sich Thomas' Hand um Eddies Hand klammerte und ihre Schwänze fester aneinander rieb. Schon jetzt spürte er die Feuchtigkeit, die sie geschmeidig aneinander gleiten ließ. Aus wessen Schwanz sie gesickert war, konnte Eddie nicht mit Sicherheit sagen. Wahrscheinlich aus beiden.

„Ich komme", presste Thomas schwer atmend heraus. Er hob seinen Kopf von Eddies Hals. „Ich kann es nicht länger zurückhalten."

Eddie ließ seine Kontrolle, mit der er sich zurückgehalten hatte, gehen und stieß härter zu. „Ja!", rief er aus, stolz darauf, dass er einen mächtigen Vampir wie Thomas dazu bringen konnte, die Beherrschung zu verlieren, nur weil er dessen Schwanz mit seiner Hand pumpte. „Komm", forderte er ihn und nahm seine Lippen in einem leidenschaftlichen Kuss gefangen.

Dann fühlte er die Feuchtigkeit, die sich zwischen seinen Fingern ausbreitete, während ein lautes Stöhnen aus Thomas' Brust kam. Das Vergnügen, Thomas in seinen Armen kapitulieren zu fühlen, verursachte etwas in ihm: Heißes Sperma schoss durch seinen Schwanz und explodierte von der Spitze. Es strömte über seine und Thomas' Hände, als sie sich weiterhin gegenseitig streichelten. Eddies Körper erbebte vor Vergnügen und seine Knie wurden gleichzeitig weich. Er riss seine Lippen von Thomas' Mund und schnappte nach Luft, doch Thomas schlang seinen freien Arm um Eddies Taille, bevor dessen Knie einknicken konnten.

„Ich hab dich", murmelte Thomas und drückte seine Stirn gegen Eddies.

Eddie schloss die Augen, unfähig, sich Thomas' Blick zu stellen. Er hatte gerade mit einem Mann Liebe gemacht, und verdammt noch mal, es hatte ihm gefallen. Zu was machte ihn das? Er wollte über diese Frage nicht nachdenken. Er war nicht gegen die Antwort gewappnet. Außerdem hatten sie nur zusammen masturbiert. Taten das junge Kerle an der Uni nicht ständig?

Genau, antwortete eine sarkastische Stimme in seinem Kopf. *Und sie fassen wahrscheinlich auch ständig gegenseitig ihre Schwänze an.*

Eddie schob den Gedanken beiseite und spürte warmes Wasser seinen Körper hinunterlaufen und Thomas' Hände ihn sanft waschen. Ohne nachzudenken, lehnte er sich an ihn.

„Ich liebte es", gestand Thomas.

Eddie konnte sich nicht dazu bringen, die Worte zu erwidern, obwohl er tief im Inneren wusste, dass er genau das gleiche fühlte. Stattdessen vergrub er seinen Kopf in Thomas' Halsbeuge.

Er fühlte, wie Thomas nach dem Handtuch griff, das neben der Dusche hing, es um Eddies Rücken legte und ihn behutsam abtrocknete. Eddie ließ es geschehen, als wäre er ein hilfloses Kind. Er war nicht in der Lage, den Kontakt mit Thomas' Körper zu durchtrennen und erkannte auch den Grund dafür: Er war hungrig, hungrig nach mehr. Dieser Vorfall hatte seinen Appetit angeregt.

23

„Geh nicht“, bat Thomas.

Eddie stand an der Tür, ein Handtuch um seinen Unterkörper gewickelt, drauf und dran, Thomas’ Schlafzimmer zu verlassen. Er hatte all seine verbliebene Willenskraft benötigt, um die wenigen Schritte zur Tür des Schlafzimmers zu machen, nachdem Thomas sie beide abgetrocknet hatte. Aber er konnte sich nicht dazu überwinden, den Türknauf zu drehen und hinauszugehen. Was Thomas ihm anbot war zu verlockend. Sein Körper wollte es, doch noch kämpfte sein Geist dagegen an.

Thomas stand hinter ihm, die Hände auf Eddies Schultern. Sie glitten sanft seine Arme hinunter und seine Finger streichelten ihn. Gänsehaut bildete sich auf Eddies Haut und ein Seufzer kam über seine Lippen. Er hätte nie gedacht, dass die Berührung eines Mannes so zärtlich sein konnte. Ganz und gar nicht rau oder grob.

„Es ist besser, ich gehe.“

„Warum?“

Er fand keine Antwort, egal wie lange er in seinem Verstand nach einer suchte.

„Wovor hast du Angst?“ Thomas streichelte über seinen Rücken, seine Finger glitten unter das Handtuch, lockerten es und sandten heiße Ranken aus Lava über seine Hintern.

Eddies Atem stockte. Wenn er blieb, wusste er, was geschehen würde. Thomas würde ihn so lieben wie nur ein Mann einen anderen Mann lieben konnte. Und dazu war er nicht bereit. Verdammt, er wusste nicht, ob er jemals dazu bereit sein würde. Wie konnte er es erlauben, dass ein Mann ihn so nahm?

„Ich werde nichts tun, was du nicht willst."

Das Handtuch fiel auf den Boden und kühle Luft blies gegen seinen erhitzten Körper. Thomas' heiße Hände glitten über seinen Hintern und brachten Eddie dazu, sich an ihn zu drücken, obwohl sein Verstand ihm befahl, zu fliehen, solange er noch in der Lage dazu war.

„Ich werde nur das tun, was du willst." Seine Hände bewegten sich über Eddies Hüften und glitten zu seiner Leistengegend. Seine Finger fuhren durch Eddies Schamhaare und versprachen mehr Vergnügen.

Eddie schloss seine Augen, als sein Körper beinahe erbebte. Er konnte nicht mehr klar denken.

„Ich liebe es, dich zu berühren", gestand Thomas, umschlang Eddies Schwanz mit seiner Hand und streichelte ihn.

Unter seiner Berührung wurde er härter. Er versuchte, dagegen anzukämpfen, jedoch ohne Erfolg. Als Thomas ihn weiter streichelte, stand sein Schwanz zu voller Größe auf und drängte sich gegen ihn, um mehr zu fordern. Lust breitete sich in seinem Körper aus und kochte über. Er war unfähig, sie noch länger zu unterdrücken. Bald würde die Begierde seinen Körper übernehmen und Entscheidungen für ihn treffen.

„Lass mich dich lutschen. Ich verspreche dir, dass es dir gefallen wird."

Daran hatte Eddie keine Zweifel. Aber wenn er dies geschehen ließ, würde das seine Empfindungen nur noch verstärken? Würde das die ganze Situation nur noch schlimmer machen? Einem Mann zu erlauben, ihm einen zu blasen – war das nicht homosexueller Sex? Bestimmt noch eher, als sich nur von Thomas wichsen zu lassen. Verfing er sich immer tiefer in dieser Situation? Wäre es nicht besser, wenn er jetzt sofort ging und diese Handlung als eine einmalige Dummheit abschrieb? Eine Fehleinschätzung. Jeder machte doch mal Fehler. War ihm denn keiner erlaubt? Okay, vielleicht zwei Fehler, wenn er den Kuss auf der Baustelle mitzählte und die Befriedigung, die Thomas ihm mit der Hand beschert hatte.

Thomas drehte ihn herum, damit Eddie ihn ansehen musste. Sein Blick versank in Eddies Augen. „Bleib."

Unfähig eine Entscheidung zu treffen, starrte Eddie ihn nur an und protestierte nicht, als Thomas ihn zum Bett führte. Eddie legte sich auf den Rücken und blickte Thomas an. Nackt und erregt stand dieser über ihm. Er war das schönste Exemplar von Männlichkeit, das ihm je begegnet war. Konnte er ihm wirklich widerstehen und sich selbst das Vergnügen verleugnen, von einem Mann begehrt zu werden?

Ohne ein weiteres Wort senkte sich Thomas und schob Eddies Schenkel auseinander. Eddie fühlte sich bloßgestellt. Doch als er den hungrigen Blick sah, mit dem Thomas ihn bewunderte, erzitterte er vor Vergnügen. Er hatte sich in seinem Leben noch nie so begehrt gefühlt. Und es fühlte sich gut an – zu gut, um dagegen anzukämpfen, obwohl er wusste, dass er es sollte.

Als seine Lippen sich öffneten, hatte er keine Ahnung, warum. Nur als er seine eigenen Worte hörte, wusste er, dass er eine Entscheidung getroffen hatte. „Nimm ihn in den Mund."

Zumindest für heute würde er seinem Körper nachgeben. Morgen würde er versuchen, herauszufinden, was das alles bedeutete.

EDDIE LAG wie ein opulentes Festmahl auf dem Bett. Thomas ließ seine Augen schweifen und betrank sich am Anblick des nackten Körpers vor sich. Genau wie er den Duft von Eddies Erregung einsog. Hart und schwer krümmte sich Eddies Schwanz gegen seinen Nabel. Er hatte in der Dusche gespürt, wie hart Eddie gekommen war und es gefiel ihm, dass Eddie so schnell wieder bereit war. Obwohl er Eddies Zögern gespürt hatte. Er hatte immer noch Angst vor seinen Gefühlen, daran gab es keinen Zweifel. Der Ausdruck in Eddies Augen bestätigte ihm, dass er sich noch nicht vollständig seinem neuen Selbst ergeben hatte. Thomas würde ihn heute nicht drängen. So sehr er auch seinen schmerzenden Schwanz in Eddie versenken und seinen Hintern ficken wollte, bis die Sonne über dem Pazifischen Ozean unterging, wusste er doch, dass sein Liebhaber noch nicht dazu bereit war. Er müsste ihm noch mehr zureden, bis dieser das Unvermeidliche akzeptieren würde.

Ein kleiner Splitter eines Schuldgefühls schlich sich bei Thomas ein, als er seinen Kopf zwischen Eddies Beine senkte. Verführte er einen Unschuldigen? Benutzte er unwillkürlich seine dunkle Macht, um Eddie in sein Bett zu locken? Für einen Moment zog er sich zurück und suchte in seinem Inneren nach Anzeichen, dass sein dunkles Innerstes an die Oberfläche gestiegen war. Er ließ seine Sinne fließen und spürte das friedliche Gefühl, das ihn umgab. Nein, er hatte seine Macht nicht verwendet, um Eddie zu ihm zu bringen. Alles, was er getan hatte, war Eddie das Vergnügen zu zeigen, das ihm ein Mann schenken konnte. Eddie hätte ihn zu jeder Zeit stoppen können. Doch er war geblieben und hatte sich aus freiem Willen aufs Bett gelegt.

Thomas senkte seinen Kopf wieder. Seine Zunge leckte über Eddies Schwanzspitze. Unter ihm zuckte Eddie und gleichzeitig kam ein Stöhnen aus seiner Kehle.

„Keine Angst, es gibt noch mehr ..."

Er bemerkte, wie Eddies Hände die Laken ergriffen, als hinge sein Leben davon ab. Thomas ließ seine Hände auf Eddies Oberschenkel gleiten, um sie weiter zu spreizen und forderte ihn auf, seine Beine anzuwinkeln. So öffnete er sich weiter und bot ungehinderten Zugang zu seinen Hoden.

Mit einem Seufzer senkte Thomas seine Lippen auf Eddies Erektion und zog die Spitze in seinen Mund. Seine Zunge leckte über die Eichel und um sie herum, befeuchtete die Haut damit, bevor er an der gesamten Länge hinabglitt, und ihn ganz in den Mund nahm, so tief er konnte.

„Fuck!"

Eddies einziges Wort war Ermutigung genug, die Sache zu wiederholen. Er gab seinen Schwanz für einen Sekundenbruchteil frei, bevor er ihn wieder in den Mund saugte, während er seine Zunge flach an der Unterseite des harten Fleisches entlanggleiten ließ.

Eddie keuchte vor Erregung. Er schob seine Hand in Thomas' Haare und zog dessen Kopf hoch. Eddies Schwanz rutschte aus seinem Mund, als Thomas ihn mit einem fragenden Blick ansah. „Gefällt es dir nicht?"

„Wenn du so weitermachst, werde ich nicht länger als zehn Sekunden durchhalten."

Thomas fühlte, wie sich ein Lächeln auf seine Lippen stahl. „Mach dir keine Sorgen. Ich weiß, wie ich es andauern lassen kann."

Dann sank sein Mund wieder auf Eddies Erektion und saugte ihn noch härter. Er würde dafür sorgen, dass Eddie dies in vollen Zügen genießen würde, damit er immer wieder zu ihm zurückkommen würde, um mehr zu bekommen. Und mit jeder langsamen Verführung würden sie sich näherkommen und ihr Liebesspiel würde intimer werden.

Thomas war geduldig. Er hatte über ein Jahr darauf gewartet, und jetzt, wo sein Traum wahr zu werden schien, konnte er ebenso geduldig darauf warten, bis Eddie sich ihm vollkommen hingeben würde.

Thomas spürte, wie Eddies Schwanz in seinem Mund pulsierte und hörte sein Stöhnen und Seufzen, fühlte, wie seine Hüften sich nach oben drängten. Eddies Reaktion bereitete ihm fast so viel Freude wie an dem Abend, als er ihn mit seiner Hand zu einem monumentalen Höhepunkt gebracht hatte. Thomas' Schwanz war schon wieder steinhart, doch musste er diesen jetzt ignorieren und sich vollkommen auf Eddie konzentrieren. Dieser musste erkennen, wie sehr Männer einander Vergnügen bereiten konnten und dass nichts daran falsch war.

Thomas ergriff Eddies Erektion an der Wurzel, ohne sie aus seinem Mund zu nehmen und zog nach oben, dann streichelte er wieder nach unten und fügte mehr Druck mit seiner Hand bei. Mit den Fingerknöcheln seiner anderen Hand strich er über Eddies Eier, die sich nach oben gezogen hatten, ein Indiz dafür, dass er seinem Höhepunkt nahe war. Thomas wollte nicht, dass es schon so früh vorbei war und packte Eddies Hodensack. Vorsichtig zog er diesen wieder nach unten. Er fühlte, wie er sich unter seinem Griff entspannte und leckte weiter Eddies Schwanz.

„Verdammt, das ist gut!", rief Eddie aus.

Thomas hörte ein reißendes Geräusch, sah hoch und bemerkte, dass Eddies Hände die Laken zerfetzten, während er versuchte, die Beherrschung nicht zu verlieren. Stolz erfüllte seine Brust: Er lockte Eddies Vampirseite hervor – seine Urinstinkte, die Seite, die seine Lust nach Blut und Sex steuerte.

Ein dünner Schweißfilm hatte sich auf Eddies Hals und Brust gebildet, und winzige Bäche bahnten sich nun ihren Weg über die Rillen seiner muskulösen Brust nach unten. Er war schlank und nicht so breit gebaut wie Thomas – nur ein paar Zentimeter kleiner – doch in jeder Hinsicht perfekt. Eine haarlose Brust, ein flacher Bauch, kräftige Beine. Und dann sein Schwanz. Er hatte nicht erwartet, dass Eddie so groß war. Und so schön.

Thomas konnte nicht genug von ihm bekommen. Je länger er den harten Schwanz saugte und je mehr er Eddies Eier mit seiner Hand liebkoste, desto weniger wollte er damit aufhören. Eddies Geschmack war berauschend, und die winzigen Tropfen Feuchtigkeit, die von der Spitze tropften, machten ihn süchtig. Wann immer er anderen Männer einen geblasen hatte, hatte er stets schnell zum Ende kommen wollen, um mit anderen Dingen weiterzumachen, aber diesmal war es anders. Dies war nicht nur ein Vorspiel. Dies war kein mechanisches Blasen, damit sein Liebhaber hinterher für ihn seinen Hintern herhielt. Nein, diesmal erwartete er keine Gegenleistung, außer zu sehen, wie sich reines Vergnügen über die Gesichtszüge seines jungen Liebhabers ausbreitete. Alles, was er wollte, war Eddies Eingeständnis, dass Thomas derjenige war, der ihm dieses Vergnügen schenkte.

Als er Eddies Hand wieder auf seinem Kopf spürte, fragte er sich, ob er ihn nochmals zurückziehen wollte, aber dann glitt die Hand an Thomas' Nacken und seine warmen Finger streichelten ihn. Ein Schauer lief über seinen Rücken bis zu seinem Steißbein hinunter, wo das Kribbeln sich verteilte und schließlich seinen Schwanz erreichte.

Verdammt! Er war kein Neuling. Eine unschuldige Berührung wie diese sollte nicht so eine erotische Wirkung auf ihn haben, doch es fühlte sich an, als ob Eddie seinen Schwanz streichelte. Unwillkürlich stöhnte er auf und sein Atem blies gegen Eddies Erektion, die in seinem Mund zuckte.

„Ich komme, Thomas! Ich komme!", stieß Eddie mit einem atemlosen Stöhnen hervor, während er seinen Schwanz aus Thomas' Mund zu ziehen versuchte.

Aber Thomas ließ es nicht zu. Er saugte ihn härter, hielt an der Wurzel fest, sodass er nicht entkommen konnte.

„Du musst das nicht …", begann Eddie, aber seine Worte erstarben, als sich sein Rücken von der Matratze wölbte und sein Schwanz zuckte.

Ströme von heißem Sperma schossen in Thomas' Mund. Wie elektrische Impulse kamen sie und Thomas schluckte die Flüssigkeit ebenso schnell. Gleichzeitig verlängerten sich seine Fänge und schoben sich zwischen seinen Lippen hervor, um Eddies Haut zu spüren. Ohne nachzudenken ließ er Eddies Schwanz aus seinem Mund rutschen, sank seine Fänge in dessen Oberschenkel und vergrub sie dort tief im Fleisch.

Ein überraschter Aufschrei kam aus Eddies Mund und er fuhr hoch, aber dann ließ er sich wieder auf das Bett zurückfallen und seine Glieder entspannten sich. Thomas sog an der prallen Vene und kostete die reichhaltige rote Flüssigkeit, die seinen Mund füllte. Sex machte ihn immer hungrig, aber dieses Mal war es mehr als nur das. Dieses Mal wollte er Eddies und sein eigenes Vergnügen mit einem sinnlichen Biss intensivieren.

Eddies Blut war würzig mit einem Hauch Moschus. Reichhaltig und jung. Er ließ die Flüssigkeit seine Kehle hinunterlaufen und diese beschichten.

Thomas schloss die Augen, um das Gefühl zu genießen. Wenn er von Eddies Blut leben könnte, dann würde er das. Leider lieferte Vampirblut nur wenig Nahrung für einen anderen Vampir, obwohl er wusste, dass Maya nur Gabriels Blut trank. Da jedoch Gabriel zum Teil Satyr war, hatte sein Blut andere nährende Komponenten, die Maya ausreichend versorgten. Er und Eddie würden immer gezwungen sein, zusätzlich menschliches Blut zu sich zu nehmen. Das hinderte ihn jedoch nicht daran, jeden einzelnen Tropfen von Eddies Blut zu genießen.

Sein ganzer Körper stand in Flammen und jede Zelle lud sich mit Kraft und Hoffnung auf. Sein Geist beruhigte sich und zum ersten Mal in fast einem Jahrhundert spürte er die dunkle Macht in seinem Inneren nicht. Als ob sie sich verzogen hätte. Sex hatte ihn zwar schon immer von dem Bösen in ihm abgelenkt, jedoch war es nie zuvor so sehr verdrängt worden, dass es kaum noch wahrnehmbar schien. Gab Eddie ihm die Kraft, die er benötigte, um das Böse in seinem Inneren zu besiegen?

Thomas nahm einen letzten, langen Zug aus der offenen Vene, bevor er seine Reißzähne einfuhr und über die winzigen Stichwunden leckte, um sie zu schließen.

Dann erhob er sich, legte sich neben Eddie und zog ihn in seine Arme. Eddies Augen öffneten sich und sahen ihn verwundert an. Seine Lippen teilten sich, aber kein Wort kam aus seinem Mund.

„Danke“, flüsterte Thomas. „Du hast keine Ahnung, was mir das bedeutet.“

Eddies legte seine Hand auf Thomas’ Nacken und zog ihn näher zu sich. Wortlos drückte er seine Lippen auf Thomas’ und küsste ihn leidenschaftlicher als je zuvor. Hatte sich endlich etwas zwischen ihnen geändert? Akzeptierte Eddie ihn und die Gefühle, die zwischen ihnen wuchsen?

24

Eddie schwang sich auf sein Motorrad, rollte aus der Garage und schloss das Garagentor hinter sich, bevor er den Motor einschaltete. Die Sonne war gerade untergegangen und Thomas schlief noch. Er wollte ihn nicht wecken. Er wusste nicht, wie er sich nach dem, was keine acht Stunden zuvor passiert war, Thomas gegenüber verhalten sollte.

Er hatte nicht geplant, bei Thomas zu schlafen, doch nach dessen leidenschaftlichen Liebkosungen war er nicht imstande gewesen, das Bett zu verlassen. Er wollte Thomas' Körper nahe an seinem spüren. Und Thomas hatte genau das getan: Er hatte die ganze Zeit hinter ihm gelegen, in Löffelchenstellung, seine Brust an Eddies Rücken gedrückt und seine Beine unter Eddies Knie angewinkelt, sodass sich sein Geschlecht an Eddies Hintern schmiegte. Und er hatte das Gefühl von Thomas' schützenden Armen um ihn genossen. War er deshalb ein Mädchen?

Verärgert schob er den Gedanken beiseite. Er war ein Mann! Nur weil er Thomas erlaubt hatte, ihn so zu umarmen, war er noch lange kein Mädchen.

Eddie hielt an der nächsten Ampel an und wartete auf Grün, während er in seinem Kopf seinen Fahrtweg überdachte. Nina hatte ihm eine dringende SMS geschickt mit der Bitte, ihn im Missionsbezirk zu treffen und er fragte sich, was passiert war. Hatten sie und Amaury gestritten, und war das der Grund, warum sie ihn nicht zu sich nach Hause gebeten hatte?

Besorgt um seine Schwester setzte er seine Fahrt den Berg hinunter fort. Er fühlte sich für sie verantwortlich, obwohl sie drei Jahre älter war als er. Aber nach den schrecklichen Ereignissen in ihrer letzten Pflegefamilie hatte er stets das Bedürfnis, auf sie aufpassen zu müssen, so wie sie sich nach dem Verlust ihrer Eltern um ihn gekümmert hatte. Sie waren gemeinsam durch dick und dünn gegangen und hatten es endlich geschafft, ein neues Leben anzufangen.

Eddie fand die Adresse sofort, obwohl er die Hausnummer des zweistöckigen Hauses nicht erkennen konnte. Aber Nina, die davor stand und ihm zuwinkte, als er sich näherte, war schwer zu übersehen. Er stoppte vor der Garage und stellte den Motor ab, nahm seinen Helm ab und hängte ihn über den Rückspiegel.

„Hi Nina! Was ist denn los? Bist du in Schwierigkeiten?“, fragte er und fuhr den Ständer des Motorrads aus, während er abstieg.

Sie schüttelte verwundert ihre blonden Locken. „Warum sollte ich denn in Schwierigkeiten sein?“

„Deine Nachricht klang dringend.“

„Ich will dir was zeigen“, antwortete sie und bedeutete ihm, näher zu kommen.

Er näherte sich und drückte sie kurz, bevor sie sich zur Eingangstür drehte und einen Schlüssel aus ihrer Hosentasche zog. Sie steckte ihn ins Schloss und drehte ihn herum, dann öffnete sie die Tür.

Eddie folgte ihr hinein und bemerkte, dass das Haus leer war. Nicht ein einziges Möbelstück stand in dem großen offenen Wohnbereich, den sie betraten. Erkenntnis erfüllte ihn. Er wusste jetzt, warum Nina ihn hierher gebeten hatte: Dieses Haus war zu vermieten.

Plötzlich überfiel ihn ein Schuldgefühl wie aus dem Nichts. Sich eine Wohnung anzusehen nach all dem, was zwischen ihm und Thomas geschehen war, fühlte sich plötzlich an wie Verrat. Das sollte es nicht, schließlich hatte er seinem Mentor keinerlei Versprechungen gemacht. Kein Wort war zwischen ihnen gefallen, wie oder ob sie ihre sexuelle Beziehung weiterführen würden. Dennoch – hinter Thomas’ Rücken umherzuschleichen und heimlich nach einer Wohnung zu suchen, gab Eddie das Gefühl als wäre er ein totaler Scheißkerl.

„Ich weiß nicht, Nina“, begann er und sah sich schnell in dem Zimmer um.

„Ich weiß schon, dass es im Moment nicht nach viel aussieht. Aber stell dir die Bude mal mit coolen Möbeln vor. Und du musst auch neu ausweißen, aber ich bin sicher, dass ein paar der Jungs dir dabei helfen werden", unterbrach sie.

Sie klang wie eine Immobilienmaklerin, die eine rattenverseuchte Bruchbude anbot.

„Komm, ich zeig dir die Küche." Sie packte ihn am Arm und zog ihn in den hinteren Teil des Hauses.

„Die Küche interessiert mich wirklich nicht", sagte er, als er ihr widerstrebend folgte. „Wie du weißt, esse ich ja nichts, also muss ich auch nicht kochen."

Sie drehte den Kopf und verdrehte die Augen. „Für den Wiederverkaufswert ist es aber wichtig. Küchen verkaufen Häuser", behauptete sie.

„Wiederverkauf?"

„Ja, dieses Haus ist zu verkaufen. Ich dachte, es wäre besser, wenn du dir gleich ein Haus kaufst, anstatt etwas zu mieten. Die Mieten in der Stadt sind wirklich enorm gestiegen und wenn du dir jetzt kein Eigentum schaffst, kannst du dir in ein paar Jahren nichts Anständiges mehr leisten. Glaub mir das."

Nina stapfte in die Küche. Er folgte ihr und musste zugeben, dass sie groß und geräumig war, jedoch völlig veraltet.

„Originale Fliesen aus den 60ern, aber das kannst du alles ändern. Stell dir Geräte aus Edelstahl vor, einen Tresen aus Granit und neue Einbauschränke. Du kannst in der Mitte sogar eine Kücheninsel bauen und wirst immer noch genug Platz haben, dich ungehindert zu bewegen."

Eddie seufzte. „Nina, ich habe wirklich kein Interesse daran, ein Haus zu kaufen. Ich wollte nur ..." Nun, er war sich nicht mehr sicher, was er wollte. Alles hatte sich irgendwie geändert. Aber seiner Schwester konnte er das nicht gestehen. Denn wenn er ihr sagte, dass er plötzlich nicht mehr ausziehen wollte, würde sie Lunte riechen und weiter graben, bis sie die Wahrheit herausgefunden hatte. Es war besser, wenn er sie weiter belog.

„Wenn du dich wegen des Geldes sorgst, Amaury hat gesagt, er würde dir ein Darlehen geben, damit du dich nicht mit einer Bank rumschlagen musst", sagte Nina.

„Das ist nett von ihm, aber ich möchte das nicht. Ich will kein Haus. Ich will nur eine kleine Wohnung." Und wenn er ehrlich wäre, würde er jetzt zugeben, dass er nicht sicher war, ob er wirklich eine eigene Wohnung wollte. Nachdem er den Tag in Thomas' Bett verbracht hatte, war nun alles kompliziert und verwirrend.

„Wenn dir dieses Haus nicht gefällt, kann ich mich weiter für dich umsehen und was anderes finden. Und es muss nicht so groß sein wie dieses. Vielleicht nur ein kleines Häuschen wie das von Yvette und Haven?" Ihre Augen funkelten plötzlich auf. „Jetzt wo sie ein Baby haben, wette ich, dass sie ein größeres Haus haben wollen. Sie haben nur zwei Schlafzimmer, und das zweite ist recht klein. Vielleicht verkaufen sie dir ja das Haus. Ich kann sie fragen."

„Nein!" Das fehlte ihm gerade noch: dass jeder bei Scanguards mitbekam, dass er nach einer Wohnung suchte. Es würde in Sekundenschnelle Thomas zu Ohren kommen.

„Warum denn nicht? Telegraph Hill ist eine ausgezeichnete Gegend."

Eddie stieß einen verzweifelten Atemzug aus. „Nina, ich habe dir schon gesagt, dass ich kein Haus will."

Sie zuckte mit den Schultern und seufzte. „Na schön. Aber es ist dir hoffentlich klar, dass du mit einer Wohnung immer Nachbarn haben wirst und vorsichtiger sein musst, damit niemand herausfindet, was du bist."

Er nickte automatisch. „Dessen bin ich mir bewusst."

„Na ja, wenn du dich also entschieden hast. Amaury sagt dem Makler dann, dass dieses Haus nichts für dich ist." Sie ging in Richtung Ausgang.

Erleichtert folgte Eddie ihr. „Wie hast du überhaupt den Schlüssel bekommen? Begleiten denn die Immobilienmakler ihre potenziellen Kunden nicht?"

Nina öffnete die Haustür und trat hinaus. „Du vergisst, dass Amaury eine Immobilien-Lizenz hat. Er bekommt jederzeit Schlüssel von anderen Maklern. Glaub mir, die sind froh, am Abend keine Hausbesichtigungen machen zu müssen und zuhause bei ihren Familien sein zu können."

Eddie wartete auf der Treppe, während Nina absperrte und den Schlüssel wieder in ihre Hosentasche steckte.

„Kann ich bei dir mitfahren?", fragte sie. „Amaury hat mich vorher hier abgesetzt, aber er musste ins Büro, um sich um ein paar Sachen zu kümmern."

„Klar, ich fahre dich heim." Er ging zu seinem geparkten Motorrad und schwang sich hinauf, während er den Ständer wegkippte.

„Ich will nicht heim. Kannst du mich zu Portia fahren? Sie und ich wollten einkaufen gehen, um ein paar Sachen für Yvettes Baby zu besorgen." Nina stieg hinter ihm auf. „Wir schmeißen ihr eine Baby-Party."

„Eine Baby-Party?"

„Ja, eine Baby-Party, wo alle Frauen zusammenkommen und Geschenke für das Baby mitbringen."

Eddie schüttelte den Kopf. „Solange ich nicht daran teilnehmen muss", murmelte er vor sich hin. Dann nahm er den Helm vom Lenker und reichte ihn ihr. „Du musst den aufsetzen."

Sie nahm ihn ohne Protest entgegen und setzte ihn auf.

„Bist du soweit?", fragte er und spürte, wie sie ihre Arme um seine Taille legte.

„Dann mal los."

Er bog in die Straße ein und achtete auf seine Geschwindigkeit. Es war eine Sache, mit einem anderen Vampir zu fahren, aber eine ganz andere, einen Menschen auf dem Motorrad zu haben. Er ging nie irgendwelche Risiken ein, wenn Nina mit ihm fuhr. Während er bei einem Unfall unversehrt davonkommen würde, hätte eine zerbrechliche, sterbliche Frau wie Nina nicht unbedingt so viel Glück. Und Amaury würde ihm das Fell über die Ohren ziehen, sollte Nina jemals etwas unter Eddies Obhut geschehen. Genauso wie Eddie nicht weiterleben könnte, sollte Nina etwas geschehen, weil er Mist gebaut hatte.

„Fährt diese Maschine nicht schneller?", hörte er sie hinter sich klagen.

„Das tut sie schon, aber in der Stadt gibt es Geschwindigkeitsbegrenzungen", lenkte er ab, wohl wissend, dass er sie verärgern würde, wenn er ihr sagte, dass er wegen ihr langsam fuhr.

„Seit wann hältst du dich denn an Geschwindigkeitsbegrenzungen?"

„Seit jetzt", grummelte er. „Also hör auf zu meckern oder du kannst zu Fuß gehen." Natürlich würde er sie nicht zu Fuß gehen lassen, aber es gab nur wenige Dinge, die Nina dazu brachten, die Klappe zu halten.

Es dauerte weniger als fünf Minuten, bis sie Portias und Zanes Haus im Missionsbezirk erreichten. Eddie bog in die Einfahrt ein und hielt an, indem er seine Füße auf den Boden setzte, um das Motorrad im Gleichgewicht zu halten, während Nina absprang. Sie nahm den Helm ab und reichte ihn ihm.

„Willst du kurz mit reinkommen?"

Er schüttelte den Kopf, als er sah, wie sich das Garagentor hob. Augenblicke später kam Portia mit Zane im Schlepptau aus der Garage.

„Hallo!", grüßte sie sie. Ihre nächsten Worte wurden von dem verrückten Golden Retriever Welpen hinter ihr erstickt, der das Motorrad anbellte, als wäre dieses ein Eindringling, gegen den er sich verteidigen musste.

„Z!", züchtigte Zane den Hund. „Reiß dich zusammen!"

Der Hund drehte seinen Kopf zu seinem Besitzer und hörte für einen kurzen Moment auf zu bellen, dann wandte er sich wieder dem Motorrad zu und machte ebenso laut weiter wie zuvor.

„Z!", rügte Portia ihn und bückte sich, um ihn in ihre Arme zu heben. Der Hund hörte sofort zu bellen auf.

Zane näherte sich, legte seinen Arm um Portia, und warf dem Hund einen strengen Blick zu. „Eines Tages wirst du dich ausgesperrt finden, und keiner wird dich wieder ins Haus lassen!"

Portia gluckste und grinste ihren Gefährten an. „Du weißt doch, dass diese Drohungen bei ihm nicht funktionieren, weil er genau weiß, dass du sie nie wahr machen wirst."

Zane grunzte, dann sah er Eddie und Nina an. „Hallo Leute, was gibt's?"

„Ich habe Eddie gerade ein Haus gezeigt. Und Portia und ich wollen für die Baby-Party einkaufen gehen", antwortete Nina, bevor Eddie sie stoppen konnte.

Zane warf ihm einen überraschten Blick zu. „Du ziehst bei Thomas aus? Davon hat er überhaupt noch nichts erwähnt."

„Es ist ja noch nicht ganz entschieden", antwortete Eddie schnell. „Wie auch immer, ich muss mich auf den Weg machen. Wir sehen uns in einer halben Stunde auf dem Schießstand?"

Zane nickte. „Ich war gerade dabei, mich fertig zu machen."

„Schießstand?", fragte Nina und starrte Eddie überrascht an. „Seit wann schießt du denn gerne?"

„Eddie bekommt fast täglich Scharfschießunterricht von mir. Er schießt ziemlich passabel", antwortete Zane.

„Passabel?", wiederholte Eddie. „Ich bin besser als passabel!" Verdammt, er strengte sich unheimlich an, um ein perfekter Scharfschütze zu werden.

Portia lachte. „Ich glaube, Eddie, du kennst Zanes Ratingskala noch nicht. *Passabel* ist in Zanes Augen ein Riesenkompliment."

Zane verdrehte die Augen. „Hör nicht auf Portia. Sie will nur, dass du dich nicht mies fühlst. Du musst noch sehr viel lernen."

Bevor Eddie wieder protestieren konnte, legte Nina ihre Hand auf seinen

Arm. „Wie kommt es, dass ich immer die Letzte bin, die herausfindet, was mit dir vor sich geht?"

Eddie zuckte mit den Schultern. „Hey, ist ja nicht der Rede wert. Das ist nur ein Teil meiner Arbeit." Obwohl er für seinen Job kein Scharfschütze sein musste. Aber nachdem Thomas vor ein paar Monaten mit seinem Schöpfer gekämpft hatte und Eddie nicht in der Lage gewesen war, diesen zu erschießen, aus Angst, Thomas zu treffen, hatte Eddie sich geschworen, sein Schießen zu perfektionieren.

„Also, ich muss jetzt aber wirklich los. Auf bald!", sagte er schnell, bevor seine Schwester noch mehr Fragen stellen konnte, und setzte seinen Helm auf.

„Danke für die Fahrt!", rief Nina ihm nach, als er das Motorrad umdrehte und in die Straße einbog.

Vielleicht hätte er Nina jetzt sagen sollen, dass er seine Meinung über die Wohnungssuche geändert hatte. Oder zumindest, dass er die Suche auf Eis legen wollte, bis er sich klar war, was er wirklich wollte. Aber er hatte keine Antworten parat auf die Fragen, die seine Meinungsänderung hervorgerufen hätte. Außerdem wusste er nicht wirklich, was er wollte: bei Thomas bleiben oder ausziehen?

25

Thomas legte das Blatt Papier, das er studiert hatte, auf seinen Schreibtisch und begann, auf die Tastatur einzutippen. Der neue Eigentümer von Als Laden war eine Aktiengesellschaft, die nur ein Postfach als Adresse angegeben hatte. Als könnten sich die Leute, die Als Laden gekauft hatten, hinter einem Postfach verstecken. Er hatte bereits die Eintragung auf der Webseite der California Secretary of State geprüft, aber auch dort war nur ein Postfach angegeben. Jetzt besuchte er eine Website, die er häufig verwendete, um verdächtige Unternehmen und Einzelpersonen zu überprüfen und machte sich an die Arbeit.

K Industries war eine Firma, die in Delaware zugelassen war. Das bedeutete, dass, wer auch immer sie gegründet hatte, den steuerbegünstigten Status dieses Oststaates liebte. Wieder wurde nur ein Postfach als Adresse des Unternehmens angegeben, aber nach weiterer Nachforschung wurde Thomas fündig. Der Name eines Anwalts in Kalifornien erschien auf einem der Dokumente, die bei dem Bundesstaat Delaware eingereicht worden waren. Doch die Namen der Personen, denen das Unternehmen gehörte, fand er nicht. Scheinbar war das Unternehmen die Tochterfirma eines anderen Unternehmens – auf jeden Fall ein Versuch, um die wirklichen Besitzer von K Industries zu verschleiern. Er folgte der Spur der verschiedenen

Unternehmen, die ihn wiederum zu einigen anderen Steueroasen führten und schließlich in einer Sackgasse endeten.

Somit blieb ihm nur der Anwalt, der die Papiere eingereicht hatte. Thomas tippte den Namen des Rechtsanwaltes in die Webseite der Anwaltskammer ein und bestätigte die Eingabe.

„Volltreffer!“, sagte er, als die Suche den Namen des Anwalts mit einer Anschrift in San Francisco zeigte. Er notierte die Adresse auf einem Blatt Papier und schob es in seine Tasche. Wenigstens hatte er etwas gefunden, mit dem er beginnen konnte. Der Anwalt würde in seinem Büro Akten seiner Mandanten aufbewahren. Jemand musste ihn ja bezahlt haben.

Thomas erhob sich von seinem Stuhl und marschierte zur Tür. Er wollte kurz bei Zane nachfragen, ob dieser noch irgendetwas herausgefunden hatte, und sich dann auf den Weg zur Anwaltskanzlei machen.

Als er die Tür öffnete und einen Schritt in den Flur trat, sah er Eddie vor dem Schwarzen Brett mit den Einsatzplänen stehen. Zwei Vampire gingen an ihm vorbei. Sofort erwachte wieder Verlangen in Thomas.

„Eddie“, rief Thomas ihm zu.

Eddies Kopf schnellte in seine Richtung, seine Augen aufgerissen, als wäre er bei etwas erwischt worden.

„Hast du eine Minute Zeit?“

Sich umblickend trat Eddie zögernd auf ihn zu. „Ich sollte mich für meine Patrouille fertigmachen.“

„Es dauert nur eine Minute“, fügte Thomas hinzu und deutete auf sein Büro.

Eddie senkte seine Lider, als wollte er vermeiden, ihn direkt anzusehen, dann ging er an ihm vorbei ins Büro. Thomas folgte ihm und schloss die Tür.

Tief einatmend nahm er Eddies Duft in sich auf. Er war genauso verlockend wie vor einigen Stunden.

„Du bist früh gegangen.“

Eddies Adamsapfel hüpfte. „Ich habe viel zu tun.“

„Du hättest mich wecken sollen, bevor du mein Bett verlassen hast.“ Thomas ging näher auf ihn zu und bemerkte, wie sich Eddie an die Wand hinter sich drückte.

„Ich konnte nicht mehr schlafen.“

„Habe ich dich mit meinem Schnarchen wachgehalten?“

Eddie schüttelte den Kopf. „Du schnarchst nicht."

„Das freut mich aber." Thomas brachte sein Gesicht näher zu Eddies und ließ seinen Blick auf dessen geöffnete Lippen fallen. Zitterten diese leicht, oder bildete er sich das nur ein? „Es wäre schrecklich, wenn du nicht in meinem Bett schlafen wolltest, weil ich schnarche."

Eddies Brust hob und senkte sich. „Ich, äh, ich ..."

„Natürlich gibt es noch andere Dinge, die dich in meinem Bett wachhalten könnten. Ich werde dir nicht immer garantieren können, dass du genug Schlaf bekommst, wenn du bei mir bist." Thomas ließ seine Lippen weniger als einen Zentimeter über Eddies verharren und atmete den berauschenden Duft ein. Er spürte, wie dieser einen tiefen Atemzug nahm. In dieser Distanz fuhr er fort: „Was wir gemacht haben, hat mir gefallen. Jede einzelne Sekunde davon."

Eddies Augen schlossen sich. „Thomas, ich bin nicht sicher ... Ich glaube nicht, dass ich es kann ..."

„Schhhh ... Ich stelle keine Ansprüche an dich." Jedenfalls noch nicht. Aber bald würde er nicht mehr in der Lage sein, sich zurückzuhalten das zu fordern, wonach ihm verlangte. „Ich hoffe, du bist nicht böse auf mich, weil ich dich gebissen habe. Aber die Versuchung war zu groß, um ihr zu widerstehen. Du schmeckst so gut." Selbst jetzt konnte er noch Eddies Blut auf der Zunge schmecken, und der bloße Gedanke daran ließ ihn hart werden.

Ohne nachzudenken drückte er seine Hüften gegen Eddies.

Ein gestockter Atemzug entkam Eddies Mund und er riss seine Augen auf. Sein Blick verfing sich mit Thomas'.

„Oh Gott, Eddie, ich will dich schon seit so langer Zeit. Und jetzt will ich dich sogar noch mehr."

In Zeitlupe drückte er seinen Mund auf Eddies. Thomas neigte seinen Kopf zur Seite, fuhr mit seiner Zunge zwischen Eddies geöffnete Lippen und streichelte sanft gegen Eddies Zunge. Der Kontakt sandte eine Hitzewelle durch seinen Körper und direkt in seinen Schwanz. Unwillkürlich drückte er seine Hüften fester an Eddies.

Mit langen und bestimmten Strichen erforschte er Eddies Mund und duellierte sich mit seiner Zunge. Er spürte, wie der junge Vampir in seinen Armen den Widerstand aufgab und sich an ihn rieb. Als Thomas Eddies Hände seinen Hintern ergreifen fühlte, um ihn fester an ihn zu pressen, entkam ihm ein Stöhnen.

Er plünderte Eddies Mund, schwelgte in seinem Geschmack, den festen Schlägen seiner Zunge und dem harten Druck seiner Lippen. Er hatte die Art und Weise, wie ein Mann küsste, schon immer geliebt: mit Entschlossenheit und Stärke. Und Eddie war nicht anders: Er küsste voller Leidenschaft, selbst wenn Thomas derjenige gewesen war, der den Kuss initiiert hatte.

Eddies Hand auf seinem Hintern drückte seine Pobacken im gleichen Rhythmus, wie er seinen Unterleib gegen Thomas presste. Die harte Beule in Eddies Hose war nicht zu übersehen. Sein Liebhaber hatte eine Erektion gewaltiger Ausmaße. Diese Tatsache schoss eine heiße Flamme durch Thomas: Er konnte Eddie innerhalb von Sekunden erregen. Es gab ihm Hoffnung, dass sich die Dinge zwischen ihnen schnell weiter entwickeln und bald noch intimer werden würden.

Plötzlich übertönte das Klingeln des Telefons das Geräusch von schwerem Atmen im Raum.

Eddie riss seine Lippen von seinen, entzog sich der Umarmung und wich zurück. Panik leuchtete aus seinen Augen. „Die Anderen werden es herausfinden."

Das Telefon klingelte nochmals.

Eddie wandte sich zur Tür und riss sie auf.

„Eddie, bitt …"

Aber Eddie stürmte hinaus und rannte den Korridor hinunter. Frustriert schlug Thomas die Tür zu. Vielleicht war es nicht unbedingt die klügste Idee gewesen, Eddie im Büro zu küssen, wo sie jederzeit unterbrochen werden konnten. Es war offensichtlich, dass Eddie beim Klang des Telefons seine Sinne wiedererlangt hatte und in Panik geraten war.

Thomas schob eine Hand durch sein Haar. Er würde bei Sonnenaufgang, wenn sie beide zu Hause waren, mit ihm sprechen und ihm versichern, dass er von nun an jegliche Zurschaustellung von Zuneigung auf ihr Zuhause beschränken würde, wo sie die nötige Privatsphäre hatten.

Das Telefon klingelte ein drittes Mal. Thomas wandte sich zu seinem Schreibtisch und nahm den Hörer ab. „Thomas." Seine Stimme klang rauer als gewöhnlich. Kein Wunder! Schließlich war er kurz davor gewesen, Eddie gegen die Wand in seinem Büro zu ficken.

„Bitte zieh deine Leute von der Suche nach mir ab", kam eine vertraute Stimme durch die Leitung.

Thomas war mit einem Schlag zurück in der Gegenwart. „Al!"

„Hör zu, ich kann nicht lange reden, aber vergiss, dass du mich kennst."

„Was ist los, Al? Wo bist du? Warum hast du das Geschäft verkauft?"

Es gab eine kurze Pause, in der Thomas den schweren Atemzug hören konnte, den Al ausstieß. „So ist es sicherer."

„Sicherer? Hat dich jemand bedroht?"

„Halte dich da raus, Thomas. Du wirst es nur bereuen. Ich tat, was ich tun musste", schoss Al zurück.

„Wir können dich beschützen. Scanguards kann ..."

„Niemand kann mich vor denen beschützen", unterbrach Al ihn. „Es ist besser, denen aus dem Weg zu gehen. Sie sind zu stark."

„Womit haben sie dir gedroht?", fragte Thomas in der Hoffnung, ihn umstimmen zu können.

„Das spielt keine Rolle mehr. Lass es auf sich beruhen, oder Leute werden leiden."

Thomas seufzte. „Ein paar haben schon gelitten. Sergio und seine Gefährtin sind tot."

Ein Keuchen hallte durch die Leitung. „Verdammt! Er muss sich gegen sie gewehrt haben. Aber ich bin nicht dumm genug, den Helden zu spielen. Lass sie haben, was sie wollen und hau ab. Du kannst sie nicht aufhalten."

„Das kann ich und das werde ich! Aber ich brauche deine Hilfe. Wo halten sie sich auf?"

„Ich weiß es nicht. Und das ist mir auch lieber so. Es ist sicherer, nichts zu wissen."

„Al–" Aber das Klicken in der Leitung bedeutete, dass Al aufgelegt hatte.

„Scheiße!", fluchte Thomas. Er musste kein Mathematikprofessor sein, um zwei und zwei zusammenzuzählen: Kaspers Anhänger steckten dahinter. Sie waren die Neulinge und sie hatten Al zum Verkauf gezwungen und ihn genötigt, die Stadt zu verlassen. Sie hatten versucht, das Gleiche mit Sergio zu tun. Doch Sergio hatte nicht klein beigegeben.

Thomas riss die Tür auf und marschierte zu Zanes Büro. Er musste das Nest der bösen Eindringlinge, die die guten Vampire aus der Stadt vertrieben, um sie mit ihren eigenen Marionetten zu ersetzen, finden.

Thomas klopfte an die Tür zu Zanes Büro. „Zane?" Ohne eine Antwort abzuwarten öffnete er und beobachtete, wie Zane gerade einen silbernen Dolch in eine Scheide schob und diese um seinen Knöchel band.

„Gehst du weg?", fragte Thomas.

Zane nickte. „Patrouille."
„Planänderung. Teil deinem Patrouillenpartner mit, Ersatz zu finden."
„Weshalb?"
„Ich brauche dich für einen kleinen Einbruch."
Zanes Lippen kringelten sich zu einem Beinah-Lächeln. „Cool!"

26

Thomas blickte über Zanes Schulter und sah ihm zu, wie dieser das Schloss der Eingangstür bearbeitete. Das Gebäude, ein heruntergekommenes, zweistöckiges Haus, lag an einer viel befahrenen Straße entlang einer der Straßenbahnlinien im Stadtteil Outer Parkside. Der Name des Anwalts, Wilbur Wu, war in goldenen Buchstaben auf dem großen Fenster mit Blick auf die Straße aufgeklebt worden. Teile der Buchstaben waren weggeblättert und verblasst und verliehen der Kanzlei hinter der nicht gerade einladenden Fassade einen schmuddeligen Eindruck. Irgendwie konnte Thomas sich nicht vorstellen, dass dieser Anwalt viel Laufkundschaft hatte.

„Ich hab's", murmelte Zane, stieß die Tür auf und drang in das dunkle Innere.

Thomas folgte wortlos und schloss die Tür lautlos hinter sich. Auf der linken Seite war eine Treppe, die in den ersten Stock führte; vor ihm lag ein dunkler Gang, und auf der rechten Seite war eine Tür. Er deutete auf diese.

„Lass uns hier anfangen."

Die Tür führte in ein Büro. Mehrere Aktenschränke waren an einer Wand aufgereiht; ein massiver Schreibtisch dominierte die Mitte des Raumes, und zwei klapprige alte Stühle, die vermutlich für Kunden bestimmt waren, standen davor. Thomas konnte sich allerdings nicht vorstellen, welche geistig gesunde Person sich auf diese Stühle setzen würde, die schon unter dem Gewicht einer Katze zusammenbrechen würden.

„Die Jalousien", riet Zane und ging zum Fenster, wo er die Jalousien herunterließ und sie so drehte, dass kein Lichtschein nach draußen dringen konnte.

Thomas zog eine Taschenlampe hervor und schaltete sie an. Er richtete den Lichtstrahl auf die Aktenschränke. „Na, dann lass uns mal loslegen."

Sie durchwühlten Schublade um Schublade, beginnend mit der, die den Buchstaben *K* enthielt. Thomas richtete den Lichtstrahl auf die Etiketten der Akten und suchte nach K Industries.

„Hier ist nichts", kommentierte er.

Zane grunzte. „Wenn er etwas zu verbergen hat, wird er die Unterlagen bestimmt nicht unter *K* ablegen."

„Du hast recht." Thomas setzte seine Suche fort und durchsuchte Akte nach Akte.

„Hatte Al denn überhaupt keine Informationen?", fragte Zane aus heiterem Himmel.

„Wenn ja, dann wollte er sie nicht mit uns teilen. Alles, was er sagte, war, dass wir sie nicht bekämpfen sollen. Und Al ist kein Feigling."

Thomas konnte ihm seine Vorsicht nicht übelnehmen. Die dunkle Macht, die diese Vampire besaßen, konnte jedem Angst einjagen. Es gab keine Verteidigung gegen die Gedankenkontrolle, die sie auf einen ahnungslosen Vampir entfesseln konnten. Nur jemand wie Thomas, der die gleiche Art von dunkler Macht besaß, hätte eine Chance, sie zu bekämpfen. Aber dazu musste er sie erst einmal finden.

Zane schloss eine weitere Schublade. „Hier drin ist auch nichts."

Thomas stieß einen resignierten Atemzug aus. „Dann nach oben. Das kann noch nicht alles sein."

Sie verließen das Büro und stiegen die knarrende Treppe hinauf. Als sie den ersten Stock erreichten, erhaschte Thomas' Nase einen Geruch.

„Riechst du das?"

„Kein gutes Zeichen."

Thomas folgte dem Geruch, der ihn zu einer Tür am Ende des Flurs führte. Hier war der Gestank am intensivsten. Er bereitete sich auf das vor, was er sehen würde und stieß die Tür auf.

Ein chinesischer Mann Mitte Fünfzig, vermutlich Wilbur Wu, lag auf dem Boden, sein Körper leblos. Trotz der Wunden auf seinem Gesicht gab es überraschend wenig Blut. Sein Mund war aus seinem Gesicht geschnitten worden und seine weißen Zähne waren entblößt. Seine Zunge fehlte.

Zane wies auf die Verletzungen. „Sieht aus wie eine Warnung."

Thomas konnte dem nur zustimmen. „Er wusste etwas, das er nicht hätte wissen dürfen."

„Und wollte es ausplaudern", fügte Zane hinzu. Er verwies auf die Akte, die der Tote in seiner Hand hielt.

Thomas bückte sich und nahm sie an sich. Die Beschriftung war abgerissen worden. Er öffnete die Akte. Sie war leer. Das hatte er erwartet. Warum sollte auch jemand Wu töten und Beweise zurücklassen? „Zu spät. Was auch immer hier zu finden war ist weg."

Thomas erhob sich und stützte sich an einen Aktenschrank, der mit *Bankunterlagen* beschriftet war.

„Wahrscheinlich war er gierig und versuchte es mit Erpressung. Was sie ihm bezahlt haben, hat ihm wohl nicht gereicht."

„Gier ist eine schreckliche Sache", bestätigte Thomas.

„Ja. Aber sein Bankkonto konnte er jetzt auch nicht mitnehmen."

Plötzlich klickte etwas in Thomas' Gehirn. „Sein Bankkonto! Natürlich!"

„Wovon redest du?"

Thomas wandte sich dem Aktenschrank hinter sich zu und zeigte auf das Etikett. „Wenn Wu bezahlt worden ist, dann dürfte es Unterlagen von Überweisungen oder Schecks geben." Er riss die oberste Schublade auf und blickte auf die ordentlich organisierten Akten. „Perfekt, sie sind in chronologischer Reihenfolge."

Er erinnerte sich an das Datum, an dem die Firmengründung in Delaware eingereicht worden war und entnahm die Akten, die diesen Zeitraum umfassten. Eine davon warf er Zane zu, während er die andere selbst prüfte. „Sie hätten Wu für die Registrierung der Firma bezahlen müssen, und die meisten Anwälte wollen das Honorar im Voraus. Und da das Unternehmen noch kein Bankkonto haben konnte, bevor es registriert wurde, hätte jemand einen Scheck von seinem Privatkonto ausstellen müssen."

„Siehst du, darum bist du das Genie bei Scanguards", behauptete Zane.

„Wohl kaum."

„Na, na, warum so bescheiden? Du weißt doch, dass jeder zu dir aufschaut, oder?"

Thomas schüttelte den Kopf. „Bestimmt nicht."

„Also blind und ein Genie! Du solltest dich gelegentlich mal umschauen. Besonders die jungen Kerle bei Scanguards schauen zu dir auf wie zu einem Halbgott!"

„Zane, du steckst wie immer voller Scheiße. Willst du was von mir, oder warum schleimst du dich sonst bei mir ein?"

Zane verdrehte die Augen. „Mich einschleimen? Also wirklich! Aber jetzt wo du's erwähnst, kannst du mir Maya vom Hals halten? Sie liegt mir wegen einer Entschuldigung an Oliver in den Ohren."

Thomas steckte seinen Kopf zurück in die Akte und fuhr fort, die Dokumente zu studieren. „Du brichst dir keinen Zacken aus der Krone, wenn du dich entschuldigst. Außerdem dachte ich, ich hätte Maya die Party ausgeredet und sie überzeugt, dass wir Ursula und Oliver eine Auslandsreise schenken."

„Sie redet immer noch von einer Party. Und du weißt ja, wie sehr ich solche Sachen hasse."

„Ich rede mit ihr."

„Danke."

Thomas schloss die Akte, nachdem er nichts gefunden hatte. „Irgendwas bei dir?"

Zane zog ein Blatt Papier hervor und betrachtete es genauer. „Kann sein. Das ist eine Fotokopie eines Schecks und am Rand wurden ein paar Notizen gemacht."

Thomas griff danach und beleuchtete die Worte, die Wu neben den Scheck gekritzelt hatte. *Del Antrag, KI*, dann ein Datum etwa zwei Wochen vor dem Registrierungstag.

„Sieht so aus", murmelte Thomas und verlagerte den Lichtstrahl, um den Scheck besser zu beleuchten.

Eine Adresse war in die linke Ecke gedruckt. Die Adresse war in San Francisco, aber den Namen konnte er nicht lesen. Wer auch immer den Scheck fotokopiert hatte, hatte dabei den oberen Teil, auf dem der Name des Ausstellers stand, abgeschnitten.

Thomas' Augen wanderten zu der Unterschrift. In einer eher

altmodischen Handschrift war in Tinte ein Name geschrieben. Er konnte ihn nicht entziffern. Dennoch setzte sein Herz einen Schlag aus. Er kannte diese Handschrift. Er schüttelte den Schauer ab, der ihm über den Rücken hochkroch. Er musste sich irren. Viele Leute hatten eine ähnliche Handschrift.

27

Die Adresse, die sie auf dem Scheck gefunden hatten lag am Rande von Chinatown, an der Grenze zu Little Italy oder North Beach, wie die Gegend offiziell hieß. Die Straßen waren hier schmal und die Gebäude meist drei Stockwerke hoch, gelegentlich vier. Geschäfte reihten sich an Restaurants und darüber lagen Wohnungen, auf deren Feuerleitern Wäsche zum Trocknen aufgehängt war. Die Nachbarschaft war bunt, um es gelinde auszudrücken.

Selbst zu dieser späten Stunde hatten viele der Läden noch offen, und stechende Gerüche drangen aus deren Eingängen. Thomas rümpfte die Nase und warf Zane einen Blick zu.

Zanes Lippe zog sich vor Ekel hoch. „Und jetzt?"

„Lass uns die Adresse mal überprüfen." Thomas winkte seinem Kollegen, ihm die steile Nebenstraße hinauf zu folgen, bis sie das Gebäude erreicht hatten. Es war nichts Besonderes: ein einfaches, graues, dreistöckiges Haus, das wahrscheinlich in den sechziger oder siebziger Jahren gebaut worden war. Es hatte kleine Fenster und keine architektonischen Besonderheiten. Im Erdgeschoss lag eine Garage, eine Seltenheit in diesem Stadtteil, wo Parkplätze teuer waren.

Thomas sah sich das Haus an und bemerkte, dass die Straßenlaterne davor nicht funktionierte, sodass dieser Teil der Straße dunkler war und deshalb den Hauseingang vor menschlichen Augen verbarg. Seine Vampirsehkraft jedoch ließ ihn die Tür deutlich erkennen. Er hob den Kopf zu den Fenstern hoch. Hinter ihnen lag Licht, und im Erdgeschoss und ersten Stock waren die Jalousien offen. In der zweiten Etage versperrten Vorhänge den Blick ins Innere.

Er konzentrierte seinen Blick auf ein Fenster über der Garage. Der Raum dahinter war gut beleuchtet. Schweigend stand Thomas in der Dunkelheit eines Geschäftseingangs und wartete, Zane neben ihm. Daran waren sie gewöhnt. Warten und Beobachten war Teil ihrer Arbeit. Sie hatten es schon tausende Male gemacht, und während sie alle das Warten hassten, wussten sie doch beide, dass es notwendig war.

Es dauerte ein paar Minuten, bevor sich im Haus etwas bewegte. Ein Mann ging am Fenster vorbei, ein Handy an sein Ohr gedrückt.

„Jemand scheint zuhause zu sein," sagte Zane und verlagerte sein Gewicht auf die Fersen. „Willst du ihnen einen Besuch abstatten?"

Thomas wollte gerade nicken, als eine zweite Person erschien. Er erkannte diese sofort: Xander, der Mann, der ihn ein paar Nächte zuvor aufgesucht hatte. Seine Anwesenheit hier überraschte ihn nicht. Es bestätigte nur, was er bereits wusste: Xander steckte hinter K Industries. Er war die treibende Kraft, die versuchte, Kaspers Reich nach dessen Ableben wieder aufzubauen. Wenn er Xander ausschalten konnte, dann würden die anderen in die Löcher zurückkriechen, aus denen sie gekommen waren. Xander war der Mächtigste unter ihnen. Und Xanders Macht konnte er besiegen.

Doch Zane musste er da raushalten. Obwohl sein Freund eine absolute Kampfmaschine war, konnte selbst er keinen Kampf gegen einen Vampir, der Kaspers Blut in sich trug, gewinnen.

„Nein. Wir warten. Ich werde erst mit Samson darüber sprechen", log Thomas. Er deutete auf das Haus. „Die laufen uns nicht davon. Wir kommen zurück, nachdem wir einen Plan ausgearbeitet haben."

„Na gut", stimmte Zane zu. „Dann lass uns mal mit Samson reden."

„Ich kümmere mich darum. Warum gehst du nicht zurück zu Wus Büro und organisierst die Aufräumarbeiten? Wir können die Leiche nicht einfach so liegen lassen."

Zane kniff die Augen zusammen und sah ihn argwöhnisch an. Konnte Zane erkennen, dass Thomas nur nach einem Vorwand suchte, um ihn loszuwerden?

„Wie du meinst. Bis später."

Als Zane sich auf den Weg machte, stieß Thomas einen Seufzer der Erleichterung aus und schlug die entgegengesetzte Richtung ein, in der sich Nob Hill und Samsons Haus befanden. Nur für den Fall, dass Zane sich umdrehte, um sicherzugehen, dass Thomas ihn nicht belogen hatte.

Nach zwei Blocks wandte Thomas sich wieder um und kehrte zu dem Haus zurück, in dem er Xander gesehen hatte. Nach links und rechts blickend überquerte er die Straße und näherte sich der Eingangstür. Davor hielt er inne und atmete tief ein. Dann schloss er die Augen und ließ seinen Geist durch die Tür in das Innere des Gebäudes wandern.

Er konnte deutlich mehrere Vampire in dem Haus spüren. Xander und wer auch immer am Telefon gewesen war, waren nicht allein. Diese Tatsache schreckte ihn nicht ab. Wenn er es schaffte, Xander auszuschalten, würden die anderen leichte Beute sein. Er musst es nur schaffen, Xander in Sicherheit zu wiegen. Dann, wenn dieser seinen Schutzwall fallen ließ, würde Thomas angreifen.

Thomas beruhigte seinen Geist und klingelte. Er wartete, sein ganzer Körper wachsam und jederzeit für seinen Feind bereit. Schritte von drinnen machten ihn darauf aufmerksam, dass sich ein Vampir näherte. Die Person, die hinter der Tür stoppte, zögerte kurz, aber dann wurde der Riegel weggeschoben und die Tür öffnete sich.

Xander stand vor ihm. Thomas hatte erwartet, dass einer seiner Schergen die Tür öffnete. Aber er ließ sich seine Überraschung nicht anmerken. Auch Xander war scheinbar nicht überrascht, Thomas vor seine Haustür vorzufinden.

„Du hast mich also gefunden“, sagte er einfach und winkte ihm, einzutreten.

Thomas ging an ihm vorbei, war jedoch weiterhin auf der Hut und zwang seine Sinne, wachsam zu bleiben, um auf plötzliche Bewegungen seines Gegners gefasst zu sein. Er wartete, Xander zugewandt, bis dieser die Tür geschlossen und verriegelt hatte.

„Hier entlang“, meinte Xander und führte ihn ins Wohnzimmer, wo Thomas nur wenige Minuten zuvor ihn und einen anderen Vampir gesehen hatte. Das Zimmer war leer.

„Wo sind deine Anhänger?“, fragte Thomas und ließ seine Sinne schweifen. Er konnte die Anwesenheit anderer Vampire im Haus deutlich spüren.

„Meine Anhänger?“ Er kicherte. „Du überschätzt mich.“

„Wir beide wissen, dass du nicht alleine bist.“

Xander nickte und ließ sich in einen altmodischen Sessel vor dem Kamin nieder. Er deutete auf den Sessel gegenüber seinem. „Bitte. Ich verrenke mir ungern den Hals.“

Vorsichtig setzte Thomas sich.

Sein Gastgeber sah ihn mit billigendem Blick an. „Du hast natürlich recht. Ich bin nicht allein. Aber ich habe meine ... Mitarbeiter gebeten, nach oben zu gehen, damit wir unter vier Augen reden können.“

Thomas nickte zustimmend. Diese Situation war sogar noch besser, als er gehofft hatte: Da er mit Xander allein war, würde es einfacher sein, ihn auszuschalten. Bis die Anderen im Haus herausfanden, was vor sich ging, würde Thomas seine Kräfte wieder gesammelt haben und für einen weiteren Angriff gewappnet sein.

„Gut, lass uns reden“, fing Thomas an. „Ich weiß, was du vorhast.“

„Das hoffe ich doch. Immerhin habe ich dafür gesorgt. Was wäre denn der Sinn der Sache, dich auf unsere Seite bringen zu wollen, wenn wir uns vor dir verstecken?“

Gab Xander ihm damit zu verstehen, dass er absichtlich Beweise in Wus Büro zurückgelassen hatte, damit Thomas ihn aufspüren konnte? „Du hast eine komische Art und Weise, neue Anhänger zu gewinnen.“

„Anhänger? Du würdest kein Anhänger sein. Ich dachte, das hätte ich während unseres letzten Gesprächs klar gemacht.“

„Ebenso wie ich es klar gemacht habe, dass ich will, dass du mein Revier verlässt.“

Xander lächelte. „Ich fürchte, das geht nicht. Wir haben Pläne, die Welt der Vampire zu dominieren.“

„Indem ihr gesetzestreuen Vampiren droht und sie aus der Stadt jagt? Oder sie tötet, wenn sie euch nicht Folge leisten?“

Xander zuckte mit den Schultern. „Verluste sind zu erwarten. In jedem Krieg kommen Leute um.“

„Das hier ist kein Krieg. Und du wirst scheitern“, versprach Thomas.

„Wieso bist du dir da so sicher?“

Thomas stand auf und sammelte seinen Geist. „Weil ich dich vernichten werde!“ Er konzentrierte sich auf Xander, bündelte seine geistige Energie und entfesselte sie auf seinen Gegner. Xander schoss von seinem Stuhl hoch und die Luft zwischen ihnen begann zu vibrieren. Dann sandte ein Stoß Thomas in die Wand hinter ihm und zerstörte damit seine Konzentration.

Die dunkle Macht, die plötzlich von Xander gekommen war, überraschte ihn. Wie war das möglich? Er hatte zuvor nur eine schwache Macht von Xander gespürt, doch sein Feind hatte ihn mit einer viel stärkeren Macht bekämpft.

Xander lachte und der Klang prallte von den Wänden ab und kreierte ein unheimliches Echo. „Du hast es immer noch nicht kapiert, nicht wahr? Je mehr unserer Art sich zusammenschließen, desto stärker wird die Kraft in uns. Es ist wie die Schwerkraft. Sie zieht mehr und mehr Vampire unserer Art an, und wenn sich unsere Kräfte vereinen werden wir stärker. Du hast in dieser Sache keine Wahl. Du wirst bald einer von uns sein! Du wirst dich unserer Familie anschließen."

„Niemals! Ich habe bereits eine Familie!"

„Ach, du meinst wohl Scanguards. Oder redest du von dem Jungen, den du fickst?"

Wut schoss durch Thomas' Körper, als er sich von der Wand wegdrückte. Xander wusste über ihn und Eddie Bescheid?

„Du glaubst wohl, er kann dich retten", spottete Xander. „Mach dir doch nichts vor. Nicht einmal er kann dich vor dir selbst retten. Gib doch zu, was du bist!"

Blind vor Wut stürzte Thomas sich auf ihn und packte ihn am Hals, hob ihn in die Luft und knallte ihn gegen den Kamin. „Wenn du auch nur einen von ihnen anfasst, bist du Staub."

Schritte erklangen auf der Treppe. Thomas wusste, dass er die kollektiven Kräfte seiner Gegner nicht besiegen konnte, zumindest nicht in dem Zustand, in dem er sich im Moment befand und rannte aus dem Zimmer und zur Eingangstür. Er entriegelte sie und stürmte nach draußen, bevor sie ihn erreichen konnten.

KASPER EILTE ins Wohnzimmer und sah wie Xander sich vom Kamin aufrappelte. Zum Glück brannte dort kein Feuer, sonst hätte die Kleidung seines Anhängers Feuer gefangen.

„Wie ich sehe, ist Thomas hitzköpfig wie eh und je", bemerkte er.

Xander rieb seinen Hintern. „Ich weiß wirklich nicht, warum du nicht selbst mit ihm reden wolltest."

Kasper kniff die Augen zusammen. Er duldete Insubordination von niemandem. „Weil ich glaube, dass es so besser ist. Also, wenn du nicht dem gleichen Schicksal wie dein Vorgänger unterliegen willst, tätest du besser daran, meine Entscheidungen nicht in Frage zu stellen. Verstehen wir uns?"

Xander senkte den Kopf in Unterwerfung. „Ja, Master Kasper."

Kasper wandte sich an die sechs Männer, die ihm gefolgt waren. „Geht wieder nach oben! Ich rufe euch, wenn ich euch brauche."

Sie wandten sich ohne zu protestieren um und marschierten davon. Er hatte seine Schergen gut trainiert. Sie hatten vor ihm Angst. Und Angst führte zu Gehorsam. Er hatte sie alle erschaffen, aber sein Blut war in ihnen nicht so stark wie Thomas, denn ihr Verstand war schwach, und die dunkle Macht konnte nicht in einem schwachen Geist gedeihen.

Er drehte sich zu Xander. „Na gut. Was hast du zu berichten?"

„Du lagst mit deinem Verdacht richtig: Er hat einen Liebhaber, einen jungen Vampir, der mit ihm lebt. Als ich ihn damit konfrontiert habe, ist er ausgerastet."

Kasper fühlte eine Welle der Eifersucht in sich hochkochen und drückte sie wieder nach unten. Dies war nicht die Zeit für Schwäche. Er würde Thomas zurückbekommen, und gemeinsam würden sie über die Welt der Vampire herrschen. So wie es bestimmt war.

„Er ist stark, so wie du gesagt hast. Wenn du deine Macht nicht durch mich geleitet hättest, als er mich angriff, hätte er mich umgebracht."

„Ich weiß." Er zog mit einem Knurren die Oberlippe hoch. „Lass dir das eine Lehre sein. Jetzt geh zu den anderen. Ich will alleine sein."

Xander verbeugte sich, verließ schnell den Raum und schloss die Tür hinter sich.

Kasper ging zu einem der Sessel und atmete tief ein. Thomas' Duft driftete in seine Nase. "Ich bin jetzt da. Du hattest deinen Spaß. Aber es ist an der Zeit, nach Hause zu kommen."

28

Thomas klingelte bei Samsons Haus in Nob Hill und war überrascht, dass ihm sofort geöffnet wurde.

Samson begrüßte ihn mit seiner neun Monate alten Tochter Isabelle auf dem Arm und winkte ihm zu hereinzukommen. „Hey Thomas, du bist genau der Mann, den ich jetzt brauche."

„Was gibt's denn?", fragte Thomas, trat ein und schloss die Tür hinter sich.

„Maya und Delilah sind oben und sortieren Isabelles Spielzeug und Kleidung aus, um sie an Yvette weiterzugeben."

Thomas grinste. „Na, dann ist ja alles unter Kontrolle. Dann können wir zwei uns wohl zurücklehnen und entspannen."

„Schön wär's! Leider haben mir die Zwei Arbeiten aufgetragen." Er deutete in Richtung Flur. „Ich muss was aus dem Abstellraum im Keller holen."

„Ich komme mit."

Als sie die Treppe zum Keller hinabstiegen, wo sich die Garage, ein Abstellraum, das Waffenarsenal und ein Sicherheitsraum befanden, bemerkte Thomas, wie Samson einen kurzen Blick mit Isabelle austauschte. Konnten die beiden sein Unbehagen spüren?

„Stimmt etwas nicht?", fragte Samson beiläufig, als er den Lagerraum öffnete und das Licht anknipste.

„Zane und ich sind einer Spur zu den neuen Eigentümern von Als Laden nachgegangen. Wir fanden den Anwalt, der die Papiere für das Unternehmen registriert hat. Er ist tot."

Samson erstarrte. „Kein natürlicher Tod, nehme ich an."

„Jemand schnitt ihm die Zunge heraus. Da wollte jemand eine Botschaft hinterlassen."

Samson erschauderte sichtbar. „Ist die Leiche noch dort?"

„Zane schickt gerade eine Aufräumkolonne hin. Aber wir fanden noch etwas anderes. Eine Adresse derjenigen, die hinter dem Unternehmen stecken."

„Dann schauen wir sie uns mal genauer an."

„Das habe ich schon gemacht. Es sind die gleichen Vampire, die Sergio und seine Gefährtin getötet haben."

„Dann lass uns ein Team zusammenstellen und sie ausschalten. Gute Arbeit, dass ihr sie gefunden habt, Thomas."

„Ich fürchte, so einfach wird das nicht sein. Da gibt es noch etwas."

Samson hob fragend eine Augenbraue. „Was noch?"

„Wir müssen reden. Unter vier Augen." Thomas deutete zu Isabelle.

Isabelle runzelte ihre Stirn. Samsons Tochter schien viel zu viel zu verstehen. Ihre telepathischen Fähigkeiten bedeuteten auch, dass sie in der Lage wäre, alles Gehörte ihrer Mutter mitzuteilen. Und was Thomas Samson sagen wollte, war nur für dessen Ohren bestimmt.

„Kannst du den Buggy nehmen und ihn hinauftragen? Ich bringe in der Zwischenzeit Isabelle zurück zu Delilah." Samson wartete nicht ab, ob Thomas seiner Bitte nachkam und stieg die Treppe hinauf.

Thomas holte einen tiefen Atemzug und atmete die staubige Luft des Kellers ein. Er hoffte, dass er nicht einen riesigen Fehler machte, aber er wusste wirklich keinen anderen Ausweg. Die Macht, die von Xander ausgegangen war, hatte sein Vorhaben, ohne Scanguards' Unterstützung vorzugehen, in Frage gestellt. Er hatte gedacht, dass es leicht wäre, Xander und seine Anhänger alleine zu zerstören, aber er hatte seine Gegner falsch eingeschätzt. Er brauchte Scanguards' Hilfe.

Thomas packte den Buggy, auf den Samson gezeigt hatte, und trug ihn hinauf ins Foyer, wo er ihn absetzte und wartete. Es dauerte nur wenige Augenblicke, bis Samson vom oberen Stockwerk zurückkam.

„Mein Büro“, wies er an und marschierte durch den langen Flur.

Thomas betrat hinter Samson das Büro und schloss die Tür hinter sich. Samson drehte sich zu ihm um.

„Was beunruhigt dich?“

Thomas ließ seinen Blick über seinen alten Freund und Chef schweifen. „Wie du und einige der anderen wissen, habe ich besondere Fähigkeiten der Gedankenkontrolle.“

Samson nickte. „Das hast du bewiesen, als du vor nicht allzu langer Zeit deinen Erschaffer bekämpft hast. Ich war nicht dabei, aber Quinn hat mir davon berichtet.“

„Ich bin nicht der Einzige mit diesen Fähigkeiten.“

Samson lehnte sich an die Kante seines Schreibtischs. „Das ist mir schon klar. Dein Erschaffer hatte die gleichen Fähigkeiten.“

Thomas bestätigte Samsons Worte mit einem kurzen Nicken. „Was ich dir jetzt sage, darf diese vier Wände nie verlassen. Niemand darf es jemals herausfinden, nicht einmal Delilah. Kannst du mir das versprechen?“

„Das klingt ernst.“

„Das ist es auch. Ich brauche dein Wort.“

„Du hast es.“

Thomas fuhr sich mit einer Hand durchs Haar und fühlte den Schweiß, der sich auf seinem Nacken gebildet hatte. Er hatte noch nie jemandem von seiner dunklen Macht erzählt und dies jetzt zu enthüllen war ein Risiko. Aber er musste es tun, um die Sicherheit aller bei Scanguards zu gewährleisten.

„Meine Fähigkeit fordert einen hohen Preis. Tagtäglich kämpfe ich gegen das Böse in meinem Inneren an. Es ist eine dunkle Macht, die die Kraft für meine Fähigkeit liefert, eine böse Macht, die mich stark macht und mir erlaubt, andere mit nur meinen Gedanken zu zerstören. Wenn ich sie nicht kontinuierlich zurückschlage, wird sie durchbrechen und herrschen wollen.“ Er blickte in die geweiteten Augen seines Freundes. „Wenn ich es zulasse, wird sie mich übermannen und in einen grausamen, gewalttätigen und herzlosen Mann verwandeln. Einen Mann, der sogar diejenigen zerstören wird, die er liebt.“

„Thomas“, murmelte Samson deutlich schockiert.

Thomas hob die Hand. „Ich bin noch nicht fertig. Es gibt noch mehr.“ Er füllte seine Lunge mit Luft. „Derjenige, der mir diese dunkle Macht gegeben hat, ist Kasper oder Keegan, wie du ihn kennst. Ich hatte gehofft, dass sein Tod mir endlich Frieden bringen würde, aber das war nicht der Fall. Er erschuf viele andere Vampire, und alle haben die gleiche dunkle Macht in sich. Und sie nutzen sie zum Bösen. Sie sind hier, Samson. Sie sind gekommen, um Unheil anzurichten."

„Die Neuankömmlinge?", fragte Samson, Verständnis in seinen Augen dämmernd.

„Ja. Sie sind es. Die Vampire, die Als Laden gekauft haben, die gleichen, die Sergio getötet haben. Sie sind gekommen, um die Herrschaft zu übernehmen, und sie wollen, dass ich mich ihnen anschließe."

Samson stieß sich von seinem Schreibtisch ab und sein Brustkorb hob und senkte sich. „Du gehörst zu uns, Thomas!"

Thomas kniff die Augen zusammen. „Scanguards ist meine Familie. Daran gibt es keinen Zweifel. Aber es gibt Dinge, die außerhalb meiner Kontrolle liegen. Je mehr von ihnen kommen, desto mehr wird ihre kollektive Macht meine eigene dunkle Macht an die Oberfläche locken. Ich spürte es heute Abend, als ich ihren Anführer konfrontierte."

„Du gingst auf eigene Faust vor? Bist du verrückt?", fragte Samson scharf.

„Ich dachte, ich könnte ihn besiegen. Seine Macht schien so schwach zu sein, dass ich davon überzeugt war, ihn überwältigen zu können und danach seine Anhänger ausschalten zu können, aber ich habe mich verrechnet. Seine Macht war zu stark. Stärker als meine. Er muss gelernt haben, sie effektiver anzuwenden als ich." Er seufzte. „Ich habe meine Fähigkeiten nie verfeinert." Er hatte immer zu viel Angst vor den Folgen gehabt, Angst davor, dass er zu mächtig werden würde und dass die Macht wie eine Droge auf ihn wirken und ihn in etwas verwandeln würde, das er nicht wollte. „Ich habe versagt, Samson. Darum bin ich hier. Du kannst kein Team hineinschicken, ohne zu wissen, womit du es zu tun hast. Sie werden uns vernichten."

Samsons Gesicht war ernst und die Sorge ließ tiefe Furchen auf seiner Stirn erscheinen. „Was wollen sie?"

„Was Kasper schon einmal versucht hat: über die Welt der Vampire herrschen. Bei seinem ersten Versuch kam er um. Jetzt sind seine Anhänger zurück. Sie übernehmen ein Geschäft nach dem anderen und verjagen alle guten Vampire aus der Stadt, um sich hier eine Hochburg zu bauen. Sobald sie diese Stadt kontrollieren, werden sie sich weiter ausbreiten."

„Wir müssen sie stoppen, bevor es so weit kommt."

„Ich habe es versucht, Samson, aber ich bin zu schwach."

Samson ergriff Thomas' Schultern und schüttelte ihn. „Du bist nicht schwach, Thomas. Keegan war dein Erschaffer. Das heißt, du hast die Macht in dir, genauso wie die anderen. Du bist ein starker Mann, und es gibt keinen Grund, warum du diese Macht in dir nicht schärfen könntest, um stärker als die anderen zu werden. Du musst es versuchen."

„Das kann ich nicht, Samson. Es ist zu gefährlich. Das würde bedeuten, die Macht aus dem Käfig zu lassen. Ich werde nicht in der Lage sein, sie im Zaum zu halten. Sie wird mich automatisch zu den anderen hinziehen und es mir unmöglich machen, ihnen Widerstand zu leisten."

„Wir brauchen dich, Thomas", plädierte Samson. „Wenn es so gefährlich ist, wie du sagst, dann werden wir mit unseren konventionellen Waffen keinen Erfolg haben. Wir werden hoffnungslos im Nachteil sein, wenn sie uns mit Gedankenkontrolle bekämpfen können. Es gibt niemanden, abgesehen von dir, der ihnen Widerstand leisten kann."

Thomas entzog sich Samsons Händen. „Verlang das nicht von mir! Du hast keine Ahnung, was du damit heraufbeschwörst." Er ballte die Hände zu Fäusten und biss die Zähne zusammen. „Schon jetzt kann ich die dunkle Macht an den Türen zu ihrem Käfig rütteln spüren. Sie wird immer stärker. Sie wird mich überwältigen und zwingen, Dinge zu tun, die ich nicht will. Ich habe das Böse entfesselt gesehen. Was mit Sergio passiert ist, könnte wieder passieren. Nur das ich das nächste Mal die Ursache dafür sein könnte. Siehst du das nicht? Ich muss die Macht gefesselt lassen. Es gibt keinen sicheren Weg, sie zu trainieren."

Er deutete auf das Fenster, um die Welt dort draußen anzuzeigen. Mit jeder Sekunde wurde seine Stimmung düsterer. „Diese Vampire konnten ihre Fähigkeiten schärfen, weil sie sich keinen Dreck scheren, wem sie dabei wehtun. Sie haben keine Familien, um die sie sich sorgen. Sie wissen nicht, was Liebe ist."

Thomas' Gedanken wanderten sofort zu Eddie. Wenn er seine dunkle Macht frei ließe, würde er Eddie Schmerzen zufügen. Sein Verlangen nach ihm würde ihn dazu bringen, Eddie zu zwingen, sich ihm vollständig zu ergeben, ob er dazu bereit war oder nicht. Er würde damit dessen Vertrauen brechen und jegliche Chance verlieren, Eddies Liebe zu gewinnen.

„Du musst die anderen auf das vorbereiten, was sie erwartet. Aber ich kann nicht daran teilnehmen. Ich muss so weit wie möglich von Xanders Leuten fernbleiben. Wenn ich nur in ihrer Gegenwart bin, erwacht meine dunkle Macht, und ich weiß nicht, wie lange ich sie noch unterdrücken kann."

Samsons Adamsapfel hüpfte wild auf und ab und seine Augen waren weit aufgerissen. „Dann helfe uns Gott."

29

Eddie fuhr in die Garage und lauschte auf das Geräusch des schließenden Tores. Er drehte den Schlüssel in der Zündung, stellte den Motor ab und schloss die Augen für einen Moment. Er war mit Cain auf Patrouille gewesen, und obwohl er Cain mochte, hatte er die Zusammenarbeit mit Thomas vermisst. Cain war früh abberufen worden, um einen Mord-Tatort zu säubern und daher hatte Eddie die Patrouille vorzeitig beenden müssen. Der Befehl, dass niemand alleine auf Patrouille ging, galt noch immer.

Kurz bevor er sich für seinen Einsatz gemeldet hatte, hatte Nina ihn auf dem Handy angerufen, um ihn nochmals nach seinen genauen Vorstellungen über seine zukünftige Wohnung zu fragen, damit sie die Suche eingrenzen konnte. Er hatte nicht den Mut gehabt, ihr zu sagen, dass er überhaupt nicht mehr sicher war, ob er noch ausziehen wollte. Im Moment war er sich über gar nichts mehr im Klaren.

Eddie stieg von seinem Motorrad, nahm den Helm ab und legte ihn auf die Bank neben der Treppe, dann hängte er seine Jacke daneben auf. Er setzte seinen Fuß auf die erste Stufe, als er ein Geräusch aus der anderen Richtung hörte. Er erstarrte und seine Ohren schärften sich. Mit angehaltenem Atem lauschte er aufmerksam. War ein Eindringling im Haus?

Ein Geräusch ähnlich eines Stöhnens kam aus dem Raum, das tief in den Hang gebaut worden war. Die Höhle, wie Thomas ihn nannte. Als Eddie eingezogen war, hatte Thomas ihm mitgeteilt, dass dies der einzige Raum war, den er nie betreten durfte. Eddie hatte Thomas' Wunsch respektiert, war jedoch schon immer neugierig gewesen, was in diesem Raum verborgen lag.

Leise näherte er sich der Tür und drückte sein Ohr dagegen. Sonderbare Geräusche, die er nicht identifizieren konnte, ertönten dahinter. Er atmete tief ein und nahm zwei sehr unterschiedliche Düfte wahr: den Geruch eines Menschen und den Duft von Vampirblut. Thomas' Blut! Jemand tat Thomas weh.

Eddie riss die Tür auf und stürmte in den Raum. Blitzschnell machten sich seine Augen ein Bild der Situation, während sich sein Körper bereit machte, den Eindringling, der irgendwie Thomas übermannt haben musste, zu bekämpfen.

Seine Augen fanden Thomas über einem Gestell an der Wand gebeugt, seine Handgelenke an eine Stange über ihn gebunden, sein Körper nackt, die Beine breit gespreizt. Sein Rücken und Hintern waren mit blutverschmierten Schnitten durchzogen, die ihm zweifellos von dem Menschen, der eine Lederpeitsche hielt, zugefügt worden waren.

Eddie stürzte sich auf den Mann, schnappte dessen Hand und hinderte ihn daran, noch weitere schmerzhafte Peitschenhiebe auf Thomas' Rücken auszuteilen. Der Mann wirbelte herum, schockiert, erwischt worden zu sein.

„Was zum Teufel!", zischte Eddie und schlug den Mann ins Gesicht, sodass er zu Boden fiel.

„Eddie!"

Er wirbelte seinen Kopf zu Thomas und bemerkte, dass dieser seinen Kopf zu ihm gedreht hatte.

„Tu ihm nichts!", befahl Thomas.

Eddie kniff die Augen zusammen. „Er hat dich ausgepeitscht!" Er deutete auf den Mann, der nun versuchte, aufzustehen. „Er verdient das, was ich ihm besorgen werde!"

„Nein, Eddie! Verschwinde!"

„Ich soll verschwinden? Bist du verrückt? Er hat dich gefesselt und du willst, dass ich dich mit ihm alleine lasse?" Was war nur mit Thomas passiert? Stand er unter irgendeiner Art von Magie? War er durch Gedankenkontrolle überwältigt worden? „Was zum Teufel meinst du damit?"

„Er hat darum gebeten", presste der Mann hervor, als er die Peitsche, die aus seiner Hand gefallen war, aufhob.

„Was?“ Eddie sah von Thomas zu dem Sterblichen, dann zurück, und erst jetzt erkannte er, dass die Riemen, die um Thomas Handgelenke lagen, aus Leder und nicht aus Silber waren. Thomas könnte sich jederzeit befreien, wenn er das wollte. Es schien jedoch, als wollte er es nicht.

Dann nahmen Eddies Augen mehr von seiner Umgebung wahr. Alle Arten von Auspeitschinstrumenten hingen an den Wänden der Höhle, die mit Folterbänken, einer Chaiselongue und mehreren Schränken eingerichtet war. Was versteckte sich hinter den Türen dieser Schränke? Mehr Folterspielzeug?

Erkenntnis brach über Eddie herein. Machte Thomas dies, weil es ihn erregte? Wütend starrte er den Sterblichen an. „Raus! Verschwinde!“

Er ließ seine Fänge aufblitzen, und der Mann fiel vor Entsetzen auf den Arsch. „Raus!“, schrie er nochmals und zeigte zur Tür. Bevor der Mann sich umdrehte, konzentrierte Eddie sich auf dessen Geist und löschte jegliche Erinnerung an diesen Vorfall.

Erst als Eddie hörte, wie sich die Tür zur Garage wieder schloss und er wusste, dass der Mann das Haus verlassen hatte, wandte er sich zu Thomas.

Er ließ seine Augen über seinen Mentor schweifen. Die Wunden schienen oberflächlich zu sein. Mehrere Schnitte auf seinem Rücken bluteten, sowie eine auf seinem Po.

Thomas starrte ihn an. „Ich habe dir gesagt, dass du nie hier reinkommen darfst.“

Eddie ignorierte Thomas' Tadel und näherte sich langsam. Er setzte einen Fuß vor den anderen, sein ganzer Körper angespannt. Als er näher kam, intensiviert sich der Duft von Thomas' Blut.

„Warum tust du so etwas? Warum lässt du dich von einem Menschen auspeitschen? Was ist in dich gefahren?“ Während er sprach, konnte er seine Augen nicht von Thomas' nacktem Körper nehmen. Er hatte noch nie einen so muskulösen Hintern und so wohlgeformte Schenkel gesehen. Thomas' Haut schimmerte einladend.

„Du würdest es nicht verstehen.“

„Versuch's doch!“, forderte Eddie ihn heraus.

Thomas zog zuerst ein Handgelenk aus den Fesseln über seinem Kopf, dann das andere. Als er sich voll umdrehte, fiel Eddies Blick sofort auf Thomas' Leistengegend. Wut durchfuhr ihn, als er Thomas' Erektion sah.

„Du wolltest dich von ihm ficken lassen, stimmt's?“

„Nein!"

„Lüg mich nicht an!"

Thomas funkelte ihn an. „Es ist die Wahrheit! Ich hatte nicht die Absicht, mit ihm zu schlafen!"

„Die Indizien weisen auf etwas anderes hin." Er deutete zu Thomas' Erektion.

Thomas trat so nahe an Eddie heran, dass er fast mit ihm zusammenstieß. Seine Atmung klang abgehakt. „DU bist der Grund. Erst als du hereingekommen bist, ist mein Schwanz hart geworden. In dem Moment, als ich dich roch. Der einzige Mann, mit dem ich Sex haben will, bist du."

Eddies Herz stand still, Thomas' Worte erfüllten ihn mit Wärme. Hatte er gerade einen eifersüchtigen Wutanfall gehabt? Deutete er diese Reaktion richtig? Er weigerte sich, seine Gedanken weiter in diese Richtung schweifen zu lassen. Er wollte nicht wissen, was es bedeutete.

„Ich will keinen anderen. Ich will nur dich", sagte Thomas, seine Stimme weicher, als sein Gesicht jetzt näherkam.

„Warum dann?"

Thomas seufzte. „Es gibt Momente in meinem Leben, in denen ich dominiert werden muss. Da brauche ich es, mich dem Willen eines anderen zu unterwerfen. Damit ich vergessen kann, wie viel Macht ich besitze."

Eddie hörte die Worte, verstand jedoch deren Bedeutung nicht. „Was bewirkt es in dir?"

Thomas strich mit seinen Fingern über Eddies Wange. „Es hilft mir, meine Begierden zu kontrollieren."

„Begierden?" Eddie schluckte, seine Stimme jetzt heiser, da sein eigenes Verlangen wuchs.

„Der Drang, dich zu nehmen und dich zu meinem zu machen, egal ob du es willst oder nicht."

Eine heiße Flamme schoss durch Eddies Inneres. Ob es die Nähe zu Thomas' nacktem Körper war, oder der Blutgeruch, oder die Situation, in der er sich befand, die ihn plötzlich so erregte, war Eddie sich nicht sicher. Er wusste nur, dass er etwas dagegen tun musste. Er legte seine Hand auf Thomas' Hintern und zog ihn näher. „Was, wenn *ich* dich dominieren und dich mir unterwerfen würde? Würde dir das helfen?"

Thomas' Augen blitzten rot auf, als seine Vampirseite hervorkam. Seine

Fänge verlängerten sich und ein abgehackter Atemzug rollte über seine Lippen. „Ja, das würde helfen."

Eddie zog sich zurück und bemerkte Thomas' enttäuschten Blick, als er ihre Verbindung durchtrennte. „Gut." Er deutete auf die Lederchaiselongue, die an einer Wand stand. „Leg dich auf den Bauch."

„Was hast du vor?"

„Keine Fragen!", befahl Eddie. „Leg dich hin!"

Kaum in der Lage, seine Erregung zu zügeln, beobachtete Eddie, wie Thomas zur Chaiselongue ging und sich in Bauchlage auf ihr niederließ. Eddie folgte ihm langsam und blickte dann auf ihn hinunter. Thomas lag wie ein Festschmaus vor ihm. Seine Oberschenkel waren leicht geöffnet und gewährten ihm nicht nur einen Blick auf seinen prallen Hintern, sondern auch auf seine Eier. Dann schweiften Eddies Augen über die Wunden auf seiner Haut.

Langsam beugte er sich über Thomas und näherte sich mit seinem Mund den Schnitten, doch Thomas bewegte sich unter ihm und versuchte, wegzurutschen.

„Was soll das?", fragte Thomas mit aufgebrachter Stimme.

„Ist das nicht offensichtlich? Ich werde deine Wunden heilen. Du blutest."

„Das wirst du nicht!"

Thomas' scharfe Stimme brachte Eddies Nackenhaare dazu, sich aufzustellen. „Also ist es in Ordnung, wenn du mein Blut trinkst, aber nicht, wenn ich dasselbe mache?" Auf keinen Fall würde er sich an diese einseitigen Regeln halten. Er packte Thomas' Schultern und drückte ihn mit Hilfe seines Körpergewichts zurück auf die Liege. Thomas wehrte sich dagegen, doch Eddie überwältigte ihn.

„Das nennst du Unterwerfung?", presste Eddie hervor und sprang auf ihn, als würde er ein Pferd besteigen.

„Lass mich los!", presste Thomas hervor.

„Kommt ja gar nicht in Frage." Eddie drückte Thomas' Schultern nach unten und bückte sich. Dann rutschte er zurück bis er auf Thomas' Schenkeln saß.

„Mein Blut ... es ist nicht gut", behauptete Thomas in einem weiteren Versuch, ihn aufzuhalten.

Aber Eddies Zunge leckte bereits über die erste Schnittwunde und nahm das Blut auf. Während sich der Schnitt versiegelte, schloss er die Augen und ließ die dunkle Flüssigkeit seine Kehle hinunterlaufen. Sein Gaumen explodierte und er holte scharf Luft.

„Nicht gut? Es ist köstlich!“ Und es gab ihm ein Gefühl der Stärke. Er hatte noch nie Vampirblut getrunken – jedenfalls nicht bewusst, doch während seiner Verwandlung musste Luther es ihm eingeflößt haben – und er hatte keine Ahnung gehabt, welche Art von Machtrausch es in ihm hervorrufen würde. Ohne Pause leckte er über die nächste Schnittwunde und die verlockenden Blutstropfen und schluckte sie.

Seine Finger gruben sich in Thomas' Schultern und hielten ihn davon ab, sich weiter zu wehren.

„Ich dachte, du wolltest dominiert werden“, scherzte er und leckte wieder. „Bedeutet das nicht, dass du tun musst, was ich will?“

„Hör auf, Eddie, du gehst zu weit!“

„Im Gegenteil, ich gehe nicht weit genug.“ Er rutschte weiter nach unten, tauchte seinen Kopf tiefer, bis sein Mund über der Schnittwunde auf Thomas' Pobacke schwebte. Er leckte erst vorsichtig darüber, dann fester. Die Wunde schloss sich fast sofort, doch Eddie konnte nicht aufhören. Er fuhr fort, Thomas zu liebkosen und Küsse auf seine Haut zu drücken.

Ein Stöhnen durchbrach die Stille im Raum, und es kam von Thomas, der unter Eddie aufgehört hatte zu kämpfen. Seine Muskeln entspannten sich. Eddie ließ Thomas' Schultern los und ließ seine Hände stattdessen über Thomas' muskulösen Rücken gleiten, bis er seine Hüften erreichte.

Eddie hob sein Gewicht von Thomas, damit dieser sich auf seine Hände und Knie erheben konnte. Automatisch, als hätte Eddie dies schon hundertmal getan, strich er mit seiner Hand zwischen Thomas' Pobacken entlang und vorbei an dessen verstecktem Eingang.

Er tauchte zwischen Thomas' Beine und berührte seine Hoden, wog sie wie kostbare Steine in seiner Handfläche.

Ein scharfes Zischen entkam Thomas' Mund. „Verdammt, Eddie! Du weißt, was ich brauche.“

Seltsamerweise wusste er wirklich haargenau, was Thomas wollte. Und wonach er selbst sich jetzt sehnte.

„Hast du Gleitcreme?“

Thomas deutete auf einen Schrank an der Wand.

Eddie ließ von Thomas ab, stand auf und ging zum Schrank. Er öffnete ihn und sah allerlei Sex-Spielzeug, das ordentlich auf den Regalen lag: Dildos in allen Formen und Größen, Schellen, Ringe, Handschellen und Riemen. Sein Puls raste. Es schien, als wäre Thomas an allen möglichen perversen Spielchen interessiert. Obwohl er geglaubt hatte, dass ihn so etwas anekeln würde, kam kein solches Gefühl in Eddie auf. Im Gegenteil, sein Schwanz schien nur noch härter zu werden.

Er fand das Gleitmittel, nahm es, wandte sich wieder Thomas zu und stieß mit dessen intensivem Blick zusammen. Niemand hatte ihn jemals mit solchem Hunger in den Augen angesehen.

Für einen Moment legte er die Tube auf dem Schrank ab, dann zog er sein T-Shirt über den Kopf und warf es zu Boden. Ohne den Blickkontakt mit Thomas zu unterbrechen, öffnete er den Knopf seiner Hose und dann den Reißverschluss. Langsam schob er die Lederhose nach unten. Als er seine Schuhe abstreifte und die Hose auszog, bemerkte er, wie Thomas sich mit der Zunge über die Lippen fuhr.

Ohne zu zögern, befreite er sich von seinen Boxershorts und legte damit seine Erektion frei.

Dann nahm er die Tube Gleitmittel und ging zurück zur Liege, während er sich in der Bewunderung, die aus Thomas' Augen glühte, sonnte. Vor ihm stehend drückte er einen Klecks in seine Handfläche.

„Ich hätte nie gedacht, du würdest es von einem ..." Eddie wusste nicht, wie er dies sagen sollte, ohne Thomas' Gefühle zu verletzen.

„ ...dass ich einen Mann in mich eindringen lasse?" Thomas sah zu ihm auf. „Nur sehr wenigen habe ich das erlaubt. Aber mit dir will ich alles spüren."

Eddie nahm seine Erektion in die Hand und schmierte die Gleitcreme darüber. Der Gedanke, bald Thomas' Muskeln um seinen Schwanz herum zu spüren, trieb ihn vor Lust fast zum Wahnsinn. Ungeduldig stellte er sich zwischen Thomas' gespreizte Schenkel, seine Beine je auf einer Seite der Chaiselongue hinter ihm stehend. Dann drückte er mehr Gleitcreme in seine Hand und führte sie zu Thomas' Spalt.

Als er seine Finger dort entlanggleiten ließ, bemerkte er einen sichtbaren Schauer durch Thomas rasen. Ein Stöhnen folgte. Er erreichte den engen Ring von Muskeln, die das dunkle Portal bewachten, rieb mit seinen befeuchteten Fingern darüber und umkreiste ihn wie ein Tiger seine Beute. Ein Gefühl der Macht stieg in ihm hoch und ließ seine Brust anschwellen. Er würde jetzt die Führung übernehmen. Er war nicht mehr derjenige, der sich Thomas' verführerischer Berührung unterwarf und schwach und wehrlos war. Heute Abend würde er Thomas ficken, bis dieser bebte und um Gnade bat.

Förmlich vor Vorfreude schaudernd, drückte Eddie seinen Finger gegen Thomas' Anus und spürte, wie die angespannten Muskeln nachgaben und ihm erlaubten, einen Knöchel tief in ihn einzudringen.

Ein tiefes Stöhnen hallte durch den Raum. Dadurch ermutigt, schob Eddie seinen Finger tiefer. Die Enge, mit der Thomas' innere Muskulatur seinen Finger packte war berauschend. Sein Schwanz würde dies niemals überleben.

„Fuck!", fluchte Thomas.

„Ja", murmelte Eddie, als sein Atem ihn verließ. Er zog seinen Finger langsam heraus, verteilte mehr Gleitcreme über dem Eingang und wiederholte die Handlung. Dieses Mal machte es ihm das Gleitmittel leichter, in Thomas einzudringen, ohne das berauschende Gefühl von Thomas' Enge zu verringern.

„Du magst es, gefickt zu werden, nicht wahr?", fragte er und bewegte seinen Finger in einem gleichmäßigen Rhythmus hinein und heraus.

Thomas keuchte und seine Hüften bewegten sich im Takt mit Eddies Stößen. „Fang schon endlich an!", stieß er zwischen zusammengebissenen Zähnen hervor.

Das musste er ihm nicht zweimal sagen. Eddie zog seinen Finger aus Thomas' Hintern und brachte seinen steinharten Schwanz in Position. Mit einer Hand hielt er Thomas' Hüfte fest, mit der anderen führte er seinen Schwanz an den engen Muskelring und drückte dagegen.

Seine Knie zitterten förmlich vor Erregung, als er nach innen presste und seine Schwanzspitze in Thomas eintauchte.

„Fuck!", zischte er schwer atmend, als Thomas' Muskeln seine empfindliche Spitze drückten. Nicht nur würde er dies nicht überleben, er würde wie ein Schuljunge vor Thomas dastehen, wenn er schon kam, bevor er überhaupt ganz ihn in eingedrungen war.

Er holte ein paarmal tief Luft. Aus Angst sofort zu kommen, bewegte er sich nicht. Er hatte noch nie so etwas Enges verspürt.

„Ist alles in Ordnung?", fragte Thomas und drehte seinen Kopf.

Eddie zog seine Unterlippe zwischen die Zähne und biss darauf, um seinen unmittelbar bevorstehenden Orgasmus abzuwehren. „Alles in Ordnung“, presste er hervor.

„Gut, dann hast du wohl nichts gegen das“, antwortete Thomas mit einem seltsamen Glanz in seinen Augen und stieß plötzlich seine Hüften nach hinten, sodass Eddies Schwanz sich ganz in seinen Hintern versenkte.

Alle Luft entwich Eddies Lunge. Sein Puls raste, und instinktiv packte er Thomas' Hüften mit beiden Händen, um sich abzustützen. Unbewusst bewegte sich sein Körper auf eigene Faust, und zog sich zurück, dann stieß er wieder nach vorne. Es war anders als jeder Sex, den er bisher gehabt hatte. Intensiver, drängender, leidenschaftlicher.

Das Gefühl der Wärme um seinen Schwanz und der intensive Druck, der ihn umgab, begleitet von dem Gefühl von Fleisch, das über Fleisch glitt, machte ihn verrückt. Er keuchte unkontrolliert. Stöhnen und Ächzen kam über seine Lippen und vermischte sich mit den Lustklängen, die Thomas ausstieß.

„Magst du das?“, fragte Eddie stöhnend.

„Machst du Spaß?“, presste sein Liebhaber schwer atmend heraus. „Ich hatte noch nie was Besseres.“

Stolz breitete sich in Eddies Brust aus. Dieser Vampir, der weit über hundert Jahre alt war, hatte noch nie einen besseren Liebhaber gehabt als ihn? Dieses Eingeständnis spornte ihn noch mehr an, und er stieß seinen Schwanz härter und tiefer in ihn. Mit jedem Stoß trieb er näher dem Unvermeidlichen entgegen. Doch er konnte sich nicht mehr beherrschen, konnte nur immer schneller und härter in Thomas hineinstoßen. Wie von einer unbekannten Macht getrieben fuhr er fort.

Eddies Finger waren längst zu Klauen geworden und gruben sich in Thomas' Fleisch ein, wo sie sich auf Teufel komm raus festkrallten. Seine Vision war rot verfärbt und Beweis dafür, dass seine Augen knallrot waren. Seine Fänge hatten sich gesenkt und schoben sich voll ausgefahren von seinen Lippen hervor. Seine Vampirseite steuerte ihn nun und alle Bedenken und Zweifel über seine Handlungen waren verschwunden. Er hatte Sex mit einem Mann, und er liebte jede einzelne Sekunde davon. Es gab keine Scham, keine Verlegenheit. Nur ein tiefes Gefühl der Zufriedenheit. Alles, was er jetzt spüren konnte, war Thomas und wie sein enger Kanal sich um ihn schmiegte.

„Du bist so verdammt eng!“, rief er aus und fickte ihn noch härter.

„Beschwerst du dich?“

Eddie stöhnte. „Verdammt noch mal, nein! Aber ich kann's nicht länger aushalten."

Schon jetzt spürte er ein Kribbeln in seinen Hoden, die sich nach oben gezogen hatten. Sein Rückgrat spannte sich an und sein Tempo hatte sich zu einer Geschwindigkeit erhöht, die einen Menschen beim Zusehen schwindlig machen würde.

Mit einem Knurren drückte Thomas seine Hüften zurück und verdoppelte somit die Auswirkung von Eddies nächstem Stoß.

„Oh fuck, ich komme!" Eddie schloss die Augen, warf den Kopf zurück und ergab sich den Empfindungen, die über ihn hinwegströmten. Sein Orgasmus traf ihn wie eine riesige Ozeanwelle und schleuderte ihn mit solcher Kraft gegen seinen Liebhaber, dass seine Knie einknickten und er über Thomas zusammenbrach, während sein Samen durch seinen Schwanz schoss und Thomas' Loch füllte.

Unter ihm zuckte Thomas. „Fuck, ja!", stöhnte dieser, als ihn ein sichtbares Schaudern ergriff und seinen Höhepunkt markierte.

Atemlos machte Eddie weiter und fühlte, dass seine Bewegungen jetzt geschmeidiger als zuvor waren. Thomas' sich verkrampfende Muskeln packten ihn fest, bis sowohl sein als auch Thomas' Orgasmus verebbte.

Unter ihm atmete Thomas schwer. „Fuck!" Er griff nach hinten. Er legte seine Hand auf Eddies Hintern und drückte ihn leicht. „Das kannst du jederzeit machen, wenn du willst."

Eddie spürte, wie sich ein Lächeln auf seinen Lippen bildete. „Sei vorsichtig mit dem was du mir anbietest. Es kann nämlich sein, dass ich es annehme."

„Gut", murmelte Thomas.

30

Samson betrat Zanes Haus, und ging an dem kahlen Vampir vorbei, der nun die Tür hinter ihm schloss. „Danke, dass wir die Sitzung in deinem Haus halten können. Ich wollte es nicht bei mir zuhause machen, wo Isabelle mithören kann. Sie bekommt schon viel zu viele Gespräche der Erwachsenen mit."

„Du kannst sie nicht ewig vor der Realität bewahren", antwortete Zane. „Willst du, dass ich ein Wörtchen mit ihr rede? Ich könnte ihr deutlich machen, dass es unhöflich ist, Leute zu belauschen und dann telepathisch ihrer Mutter alles weiter zu erzählen?"

Samson schmunzelte. „Auf dich hört sie vermutlich eher als auf mich." Immerhin war Zane ihr Pate, ihr Mentor für das ganze Leben, und wenn Samson sich nicht irrte, schwärmte seine neun Monate alte Tochter auch ein bisschen für Zane. „Schon alle hier?"

Zane winkte zum Wohnzimmer. „Sie warten schon."

„Und Portia ist weg?"

„So wie du es mir aufgetragen hast. Sie ist mit Maya einkaufen unterwegs, um noch ein paar Sachen für die Baby-Party zu besorgen."

Samson lächelte. „Jeder ist nach diesem Baby verrückt."

„Du kannst es ihnen nicht verübeln. Es ist selten, dass ein Hybrid geboren wird."

„Wie ist es mit dir und Portia? Irgendwelche Pläne?"

Zane schüttelte schnell den Kopf. „Noch zu früh. Ich bin nicht bereit, sie zu teilen." Dann zwinkerte er. „Aber das hält uns nicht davon ab, ständig zu üben."

Samson klopfte ihm auf die Schulter. „Pass nur auf. Das passiert schneller als du denkst." Er ging ins Wohnzimmer und warf einen Blick auf die versammelten Vampire, während Zane ihm folgte und die Tür hinter ihnen schloss.

Cain und Haven standen in ein Gespräch vertieft am Kamin. Amaury saß in einem Sessel, die Füße auf dem Couchtisch, die Augen geschlossen, als ob er schliefe. Quinn und Gabriel saßen auf der Couch und checkten ihre iPhones auf Nachrichten.

„Abend", begrüßte Samson sie und lenkte ihre Aufmerksamkeit auf sich.

Amaury öffnete seine Augen; Cain und Haven hörten auf zu reden, und Quinn und Gabriel steckten ihre iPhones weg.

„Danke fürs Kommen. Ich weiß, es ist ungewöhnlich, hier ein Treffen abzuhalten, aber es ging nicht anders."

„Ja, und warum?", fragte Amaury.

„Darauf werde ich in Kürze eingehen. Aber zuerst muss ich euch sagen, dass das, was ich jetzt hier sage, diesen Raum nicht verlassen darf. Ihr dürft niemandem davon erzählen."

Ernste Gesichter sahen ihn an und nickten.

„Gut, dann lasst uns loslegen."

„Sollten wir nicht auf Thomas warten?", fragte Gabriel.

Samson sah seinen Stellvertreter an. Thomas war ranggleich mit dem Rest der versammelten Vampire, und ihn nicht bei dieser Sitzung dabeizuhaben, sah wie ein Versehen aus. „Nein, Thomas müssen wir aus dieser Sache raushalten. Die Gründe werden gleich klar werden."

Samson wippte auf den Fersen zurück. „Die neuen Vampire, die in unsere Stadt gekommen sind, sind eine Gefahr für uns und unsere Lebensweise. Mehr, als wir uns jemals hätten vorstellen können." Er deutete auf Zane, der an der Armlehne der Couch lehnte. „Zane und Thomas verfolgten letzte Nacht eine Spur bis zu einem Gebäude in Chinatown, von dem aus sie scheinbar ihre Machenschaften steuern. Wir wissen noch nicht, wie viele Anhänger sie mitgebracht haben, aber ihr Führer, ein Vampir namens Xander, behauptet, dass jeden Tag mehr kommen."

Zane hob seine Hand, ein Stirnrunzeln auf seinem Gesicht. „Woher kennst du seinen Namen? Wir gingen nicht hinein."

„Thomas ging hinein."

„Was zum –", knurrte Zane.

Samson hob die Hand, um ihn zu stoppen. „Ich weiß. Es ist gegen das Protokoll. Aber er hatte seine Gründe. Er tat es, um dich zu beschützen."

Zane schoss hoch. „Ich brauche keinen verdammten Schutz!"

„Doch, den brauchst du." Er schaute seine Kollegen an. „Ich fürchte, den brauchen wir alle. Xander und seine Leute sind keine gewöhnlichen Vampire."

„Was zum Teufel soll das nun wieder heißen?", brummte Zane.

Samson funkelte ihn an. „Wenn du mal für einen Moment deine Klappe hältst, dann kann ich ausreden."

Zane verschränkte die Arme vor der Brust, blieb aber stumm.

„Ihr erinnert euch alle daran, wie vor ein paar Monaten ein Vampir namens Keegan hinter Rose her war, um die Liste, die sie ihm gestohlen hatte, wiederzuerlangen."

Er bemerkte, wie Quinns Rückgrat sich sofort versteifte und er sich aufmerksam und neugierig vorlehnte.

„Wie einige von euch miterlebt haben, haben Thomas und sein Erschaffer einander mit Gedankenkontrolle bekämpft. Leider stellt sich heraus, dass Keegan und Thomas nicht die einzigen sind, die diese Art von Fähigkeit haben. Offenbar hat Keegan viele andere Vampire erschaffen, die alle das gleiche Können haben. Sie alle können Gedankenkontrolle auf eine Weise nutzen, die sie stärker als andere Vampire macht."

„Scheiße!", fluchte Amaury.

Samson konnte der Meinung seines Freundes nur zustimmen. "Ja, denn obwohl wir alle Gedankenkontrolle für andere Zwecke verwenden, würde keiner von uns es jemals wagen, sie gegen einen anderen Vampir zu verwenden, es sei denn, wir würden direkt damit konfrontiert. Wir kennen unsere Grenzen und wissen, dass ein Kampf der Gedankenkontrolle zum sicheren Tod führt. Wessen hängt davon ab, welcher Vampir stärker ist. Allerdings ist diese Unsicherheit nun beseitigt worden, wenn es um Xanders Anhänger geht: Ihre Fähigkeiten der Gedankenkontrolle sind den unseren überlegen."

„Willst du damit sagen, dass, wer auch immer von Keegan erschaffen wurde, dieselbe Fähigkeit hat?“, fragte Gabriel.

„Ja, das glaube ich.“

Gabriel rutschte auf dem Sofa vor. „Das heißt, Thomas ist so stark wie diese Vampire. Er kann sie bekämpfen. Also, warum ist er nicht an dieser Besprechung beteiligt?“

„Thomas kam während der Konfrontation mit Keegan fast um. Ich habe daher beschlossen, dass er sich nicht diesem Kampf anschließen wird.“

Es war nicht unbedingt die reine Wahrheit, doch es war auch keine reine Lüge. Aber Samson konnte Thomas’ Vertrauen nicht missbrauchen und dessen Angst offenbaren, dass mehr Kontakt mit Keegans Schützlingen ihn über den Abgrund treiben und die dunkle Macht in ihm entfesseln würde. Thomas vertraute ihm, sein Geheimnis zu wahren.

Haven trat näher. „Im Gegenteil: Er ist der Einzige, der sie bekämpfen kann, wenn das, was du sagst, wahr ist.“

„Ich stimme zu“, fügte Amaury an.

„Nein! Meine Entscheidung steht. Wir müssen sie mit anderen Mitteln bekämpfen.“

„Und uns vernichten lassen?“, fragte Gabriel und sprang auf. „Ich widerspreche respektvoll.“

„Was wollen sie denn überhaupt von uns?“, unterbrach Quinn.

„Die Welt der Vampire dominieren. Sie haben damit begonnen, anständige Vampire aus der Stadt zu vertreiben, ihre Geschäfte für ein paar Groschen aufzukaufen und ihnen zu drohen. Sie töteten Sergio und seine Gefährtin, als er sich ihren Forderungen widersetzte. Was sonst sollen sie noch anstellen?“ Samson warf seinen Freunden einen herausfordernden Blick zu.

„Ist es bestätigt, dass Xanders Leute dahinterstecken?“, fragte Gabriel.

„Er hat es Thomas gegenüber zugegeben.“

„Erklär mir noch was“, fuhr Gabriel fort. „Wie kommt es, dass Thomas noch am Leben ist, wo er doch Xander konfrontiert hat?“

Samson warf seinen Schultern zurück. „Es spielt keine Rolle, wie er davongekommen ist, nur *dass* er davongekommen ist.“

„Doch, denn es unterstreicht meine Meinung: Thomas ist so stark wie diese Vampire, wenn nicht noch stärker“, behauptete Gabriel. „Warum sonst würde Xander ihn nicht getötet haben, wenn er die Möglichkeit gehabt hätte?

Warum einen Feind am Leben lassen, der uns Informationen über ihre Gruppe zubringen kann, die uns helfen könnten, gegen sie vorzugehen?“

Mehr als nur ein Paar Augen richteten sich auf ihn. Alle warteten auf eine Erklärung. Eine Erklärung, die er ihnen nicht geben konnte.

„Stellst du meine Autorität in Frage?“, donnerte Samson. Er hasste es, Gabriel in seine Schranken zu verweisen und ihm zu verdeutlichen, dass er der Chef war. Er hatte seine Freunde immer als Gleichgestellte nicht als Untergebene angesehen, aber heute hatte er keine andere Wahl, als seinen Freunden Befehle zu erteilen, ohne ihre Bedenken in Betracht zu ziehen.

Gabriel funkelte ihn an und seine Lippen zogen sich in einer dünnen Linie zusammen. „Na gut. Was schlägst du dann vor?“, fragte er nach einer kurzen Pause.

„Wir müssen uns vorbereiten. Wir brauchen eine Kopfzahl der Neuankömmlinge. Ihr Hauptquartier muss unter Vierundzwanzig-Stunden-Überwachung stehen. Zane wird euch die Adresse in Chinatown geben. Folgt jedem, der hineingeht und herauskommt. Findet heraus, wohin sie gehen, wen sie treffen. Findet heraus, ob sie irgendwelche andere Häuser außer dem in Chinatown haben. Weist jemanden an, den Kerl, der jetzt Als Laden führt, zu verfolgen. Ich will wissen, wohin er geht und mit wem er sich trifft. Ich möchte, dass ihr die defensiven Charakteristiken ihres Hauptsitzes bewertet. Wie können wir sie angreifen, ohne dass es Opfer unter der Zivilbevölkerung gibt? Das Haus liegt am Rande von Chinatown, wo es an North Beach angrenzt. Es ist eine dicht besiedelte Nachbarschaft mit vielen nächtlichen Aktivitäten. Die Gegend ist mit Restaurants und Bars gespickt, die bis spät in die Nacht gut besucht sind. Ihre Hochburg anzugreifen wird Aufmerksamkeit auf uns ziehen. Wir müssen einen Weg finden, sie in eine weniger dicht besiedelte Gegend zu locken, bevor wir zuschlagen können.“

„Wie?“

„Ich weiß es noch nicht. Steckt eure Köpfe zusammen und überlegt euch Möglichkeiten.“

„Gut“, stimmte Gabriel zu.

Samson hörte die Worte seines Stellvertreters, wusste aber, dass die Chancen, Xanders Vampire von ihrem Hauptsitz wegzulocken, gering waren. Wenn sie Xander und seine Leute in Chinatown bekämpfen mussten, würde es menschliche Opfer geben, und diese Aussicht gefiel ihm nicht. Außerdem würden sie auch riskieren, als Vampire entblößt zu werden und das stellte ein ganz anderes Problem dar.

Wenn er doch nur Thomas dazu bringen könnte, seine Meinung zu ändern und die Macht, die er hatte, im Kampf gegen ihre Feinde zu nutzen. Konnte er ihn nicht irgendwie davon überzeugen, dass er dabei nicht der dunklen Macht erliegen und böse werden würde? Er kannte Thomas schon seit über einem Jahrhundert, doch nie hatte er erahnt, dass dieser jeden Tag gegen die Dämonen in seinem Inneren kämpfte. Bewies das nicht, dass Thomas viel stärker war, als er glaubte?

„Auf geht's", kündigte Samson an, ließ einen letzten, langen Blick über seine Freunde schweifen und hoffte dabei, dass er keinen in dem bevorstehenden Kampf verlieren würde.

31

Als die Türklingel ihrer Arztpraxis im Untergeschoss ihres Hauses klingelte, holte Maya tief Luft und ging zur Eingangstür. Sie wusste schon, wer auf der anderen Seite stand, bevor sie die Tür öffnete.

„Hallo Yvette, danke fürs Kommen!"

Yvette lächelte und schritt mit ihrem Baby, das in ihren Armen in eine dicke Decke gewickelt war, über die Schwelle. „Hallo Maya. Sie ist gerade eingeschlafen. Ich hoffe, die Untersuchung wird sie nicht wieder aufwecken."

„Keine Sorge", sagte Maya und schloss die Tür hinter ihr. Es gäbe keine ärztliche Untersuchung. Maya hatte diese schon durchgeführt, bevor Cain das Baby zu Yvette gebracht hatte. Doch sie hatte einen Vorwand gebraucht, um Yvette hierher zu locken.

„Komm!" Sie deutete zur Treppe, die zur Wohnetage des Hauses führte, vorbei an der Tür, hinter der ihr Untersuchungsraum lag.

Yvette zögerte. „Aber willst du sie nicht hier unten untersuchen?"

„Die Heizung ist heute früh kaputt gegangen. Es ist eiskalt da drinnen," log sie. „Ich habe meine Instrumente hinauf ins Wohnzimmer gebracht. Wir wollen doch nicht, dass die Kleine sich unbehaglich fühlt."

Ohne einen weiteren Protest marschierte Yvette hinauf und wandte sich oben angekommen zur Tür zum Wohnzimmer.

„Geh gleich rein", ermutigte Maya sie und lächelte vor sich hin.

Yvette drehte den Türknauf, schob die Tür nach innen und betrat den Raum.

„Überraschung!“, riefen mehrere Stimmen aus.

Yvette erstarrte, während ein erstauntes Keuchen über ihre Lippen rollte. „Oh, Leute!“

Maya betrat das Wohnzimmer hinter ihr. Sie hatte es mit rosa und weißen Schleifen geschmückt und die Geschenke vor dem Kamin gestapelt. Jeder hatte mitgeholfen und war jetzt hier, um Yvette begeistert zu begrüßen. Sie scharten sich alle um sie, um einen ersten Blick auf das Baby zu erhaschen: Rose, Delilah mit ihrer Tochter, Ursula, Portia und Nina.

„Oh, sie ist so süß“, sagte Rose.

„Schau mal, sie macht ihre Augen auf“, meinte Nina.

Delilah hielt Isabelle so, dass sie einen Blick auf das Bündel in Yvettes Armen werfen konnte. „Siehst du das kleine Baby? So klein warst du auch mal.“

Isabelle streckte ihre winzige Hand aus, um über das Gesicht des Babys zu streicheln, aber Delilah zog sie schnell zurück. „Vorsichtig, mein Schatz, sie ist immer noch klein und zerbrechlich.“

Maya beobachtete, wie Yvette sich ungläubig umschaute und die Dekorationen und Geschenkpäckchen bestaunte. „Ich kann gar nicht glauben, dass ihr all das für mich gemacht habt!“ Dann wandte sie ihren Kopf zu Maya. „Ich bin dir so dankbar.“

Maya lächelte zurück. Sie wusste, dass Yvette sich nicht für die Baby-Party bedankte, sondern vielmehr für die Tatsache, dass Maya ihr das Waisenkind anvertraut hatte, anstatt es als ihre eigene Tochter aufzuziehen. Sie hätte dies leicht fordern können, denn Gabriel stand rangmäßig über Yvette und Samson hätte keine Skrupel gehabt, dem zuzustimmen.

Trotz der Tatsache, dass sie und Gabriel schon seit Monaten erfolglos versuchten, ein Kind zu bekommen, hatte Maya die Hoffnung noch nicht aufgegeben. Sie war halb Satyr, und das bedeutete, dass sie fruchtbar war, während reine Vampirfrauen steril waren. Das nächste Mal, wenn sie ihre fruchtbaren Tage hatte, würde sie mit Sicherheit schwanger werden. Sie hatte nur keine Ahnung, wann das passieren würde. Seit sie und Gabriel sich blutgebunden hatten, hatte sie noch keinen Eisprung gehabt und sie ging davon aus, dass dieses Ereignis doch nicht so oft geschah, wie sie anfangs angenommen hatte. Nicht, dass es sie und Gabriel davon abhielt, es fast täglich zu versuchen.

„Warum gibst du mir nicht das Baby, damit du die Geschenke auspacken kannst?“, fragte Rose und streckte ihre Arme aus.

Eher widerwillig übergab Yvette ihr das Baby.

Rose kicherte. „Mach dir keine Sorgen, ich gebe sie schon wieder zurück!“

Yvette lachte nervös. „Das weiß ich doch.“

Nina zerrte Yvette auf die Couch und brachte sie dazu, sich hinzusetzen. „Ich gebe dir ein Geschenk nach dem anderen.“

Als alle um Yvette herum saßen, während diese die Geschenke auspackte, die *Ohs* und *Ahs* der Anwesenden den Raum erfüllten und das Lachen und Kichern von den Wänden hallte, konnte Maya nicht umhin zu spüren, wie sich ihr Herz erwärmte. Dies war ihre Familie, die Leute, um die sie sich sorgte, und die sich um sie sorgten.

„Hast du schon entschieden, wie du sie nennst?“, fragte Ursula plötzlich.

Yvette hielt bei einer Schleife inne und sah zu dem Baby, das jetzt zu Rose aufblickte. „Haven und ich dachten entweder Lydia oder Emily. Lydia war der Name seiner Großmutter, und Emily hieß meine Großmutter. Wir können uns nicht entscheiden.“

„Das sind beide schöne Namen“, versicherte Delilah ihr. „Du musst nur herausfinden, was ihr besser gefällt.“ Dann drehte sie sich plötzlich zu Isabelle in ihren Armen. „Was sagst du, Schatz?“ Mutter und Tochter sahen einander intensiv an, bevor Delilah zurück zu Yvette schaute. „Isabelle sagt, dass dem Baby Lydia lieber ist.“

Yvette hob eine Augenbraue. „Aber –“

„Lasst es uns einfach ausprobieren und sehen, auf welchen Namen sie reagiert.“

Maya beobachtete die Sache mit Interesse. Lag Isabelle richtig?

Yvette zuckte mit den Schultern. „Ich bezweifle, dass das funktioniert.“ Dann blickte sie zu dem Baby, das immer noch Rose anstarrte.

„Emily“, rief Yvette ihr zu, aber das Baby reagierte nicht. „Emily“, wiederholte sie. Dann seufzte sie. „Lydia.“ Sofort drehte das Baby den Kopf zu ihr und sah sie lächelnd an.

„Ich glaube, du hast deine Antwort“, sagte Delilah.

Yvette schmunzelte. „Wenn sie so früh schon anfängt, ihre eigenen Entscheidungen zu treffen, werden wir alle Hände voll zu tun haben.“

Die anderen lachten. Plötzlich fing das Baby an zu weinen und Yvette zog es in ihre Arme.

„Was ist denn los, Lydia?", fragte sie und wog sie in ihren Armen.

„Vielleicht hat sie Hunger", meinte Delilah. „Hast du ein Fläschchen dabei?"

Yvette nickte und deutete auf die Tasche, die sie zuvor auf den Boden gestellt hatte. Sie machte Anstalten aufzustehen, aber Rose hielt sie davon ab. „Ich mach schon." Sie stand auf und kramte in der Tasche herum, bis sie die Babyflasche schließlich herauszog.

Yvette warf Delilah einen fragenden Blick zu. „Muss ich etwas Blut in die Milch mischen?"

Delilah schüttelte den Kopf. „Noch zu früh. Du musst abwarten, bis sie jemanden beißt. Danach wird sie regelmäßig Blut brauchen, um ihre menschliche Ernährung zu ergänzen."

Yvette seufzte. „Wie soll ich das nur alles lernen?"

Delilah lächelte. „Mach dir keine Sorgen! Den Dreh hast du bald raus. Allerdings wird sich dein Leben zweifellos dramatisch ändern."

„Für eine Weile wirst du nicht mehr als Bodyguard eingesetzt werden", fügte Maya an. „Hast du schon mit Gabriel wegen einer Beurlaubung gesprochen?"

Yvettes Blick kollidierte mit ihrem. Ein Hauch von Panik kroch in Yvettes Augen. „So weit habe ich noch nicht einmal gedacht. Oh mein Gott, was, wenn ich als Mutter vollkommen versage? Ich weiß doch überhaupt nichts über Babys."

Die anderen Frauen kicherten.

„Keine Angst, du machst das schon", versicherte Maya ihr und lächelte. „Du wirst eine wunderbare Mutter sein."

Yvettes Augen wurden feucht, dann kullerte eine rosa Träne ihre Wange hinunter.

32

Nur mit seinem Morgenrock bekleidet, beobachtete Thomas, wie Eddie zur Tür ging, die nach unten in die Garage führte. Zwei Tage und eine Nacht waren vergangen, seit Eddie ihn in seinem Kerker überrascht hatte. Obwohl sie beide während der Nacht hatten arbeiten müssen, hatten sie die zwei Tage damit verbracht, sich zu lieben.

„Bist du sicher, dass du schon gehen musst? Deine Schicht fängt erst um neun an."

Eddie warf einen Blick über seine Schulter und öffnete die Tür. „Nina will, dass ich noch kurz bei ihr vorbeischaue. Ich habe sie schon eine Weile nicht gesehen." Er stieg die Treppe hinab und verschwand aus Thomas' Sichtfeld.

Immer noch nicht sexuell gesättigt folgte Thomas ihm in die Garage.

„Ach, scheiß drauf", fluchte er vor sich hin, unfähig, seine Lust im Zaum zu halten. Es schien, dass, je mehr Zeit er mit seinem neuen Liebhaber verbrachte, er sich desto weniger diesem entziehen konnte. Gleichzeitig war ihm etwas anderes aufgefallen. Die dunkle Macht in seinem Inneren war völlig inaktiv geblieben, während er und Eddie sich in den Armen gelegen hatten. Doch jetzt, da Eddie das Haus verlassen wollte, konnte er spüren, wie sie aus ihrem Dornröschenschlaf erwachte. Und er war nicht dazu bereit, sich mit ihr abzugeben. Er wollte noch ein paar Minuten Ruhe und Frieden.

Thomas erreichte die letzte Stufe, als Eddie gerade seine Lederjacke vom Haken nahm und sie anziehen wollte. Thomas packte sie, entzog sie ihm und warf sie auf das Motorrad. Wortlos zog er Eddie in seine Arme und senkte seinen Mund auf Eddies.

Ein erstauntes Stöhnen kam aus Eddies Kehle, aber er leistete ihm keinen Widerstand. Stattdessen schlang Eddie seine Arme um Thomas' Taille, bevor er sie auf seinen Hintern gleiten ließ und seine Pobacken fest packte, um ihn gegen seinen Unterleib zu drücken.

Thomas schnappte nach Luft und stöhnte sein Vergnügen darüber hervor, wie Eddie auf ihn reagierte. Er konnte sich in seinem Leben nichts Besseres vorstellen, als den Körper seines Geliebten an sich gepresst, seine Hände ihn erforschen und seine Zunge mit ihm duellieren zu spüren.

„Nur zehn Minuten", gestand Eddie ein, zerrte an dem Gürtel von Thomas' Morgenrock und lockerte den Knoten.

Thomas war danach, ein triumphales Knurren von sich zu geben, doch er hielt sich davon ab, und beschäftigte sich stattdessen damit, Eddies Hose zu öffnen und diese seine Oberschenkel hinunter zu schieben.

„Ich liebe es, dass du innerhalb von Sekunden hart wirst", flüsterte Thomas, während er heiße Küsse auf Eddies verlockenden Hals setzte und seine Hand um Eddies Schwanz legte.

„Du gibst mir ja kaum eine Gelegenheit, weich zu werden."

„Ist das eine Beschwerde?" Thomas bewegte seine Hand auf Eddies Erektion auf und ab.

„Keine Beschwerde." Eddies Hand glitt über Thomas Schwanz und drückte fest zu.

Thomas spürte, wie sein Herzschlag sich beschleunigte und sein Atem aus seiner Lunge rauschte. Er liebte es, wie Eddie ihn berührte, nicht zaghaft, sondern mit Entschlossenheit, mit einer Direktheit, die ihm bestätigte, dass es keine Zweifel gab, was als nächstes passieren würde.

Als Thomas auf die Knie sank und seinen Kopf zu Eddies Schwanz brachte, zog ihn Eddie an den Schultern zurück. „Ich habe nur zehn Minuten."

„Glaub mir, ich brauche nur zwei, um dich zum Höhepunkt zu bringen."

Eddie schüttelte den Kopf und ihre Blicke verflochten sich. Lust und Begehren leuchtete aus Eddies Augen, und etwas anderes flackerte in ihnen, das Thomas nicht deuten konnte. Dann sagte Eddie etwas Unerwartetes. „Ich will dich auch lutschen."

Während der gesamten Zeit, die sie miteinander im Bett verbracht hatten, hatte Eddie nie Thomas' Schwanz gelutscht, auch wenn er seine Hände dazu benutzt hatte, ihn zum Höhepunkt zu bringen. Und jetzt, wo sie in der Garage waren und nur zehn Minuten Zeit hatten, wollte Eddie ihm plötzlich einen blasen?

„Verdammt, Eddie!", stieß Thomas atemlos hervor. „Dafür hättest du dir keinen besseren Zeitpunkt aussuchen können?" Denn Eddies Mund auf sich zu spüren, war nicht etwas, das er hetzen wollte. Er wollte auf weichen Laken liegen und in dem Gefühl schwelgen, Eddies Lippen um sich herum zu spüren, seine Zunge seinen Schwanz hinuntergleiten und seine Zähne seiner Haut entlang schaben fühlen.

„Ich will es jetzt." Eddie starrte ihn mit funkelnden Augen an. Dann sank er auf seine Knie. Eddie drückte mit den Händen gegen Thomas' Schultern, und innerhalb einer Sekunde fand Thomas sich auf seinem Rücken wieder, sein Morgenmantel vorne offen.

Sein Geliebter schob seine Hose bis zu den Knöcheln hinunter, doch seine Stiefel hinderten ihn daran, sich ganz von dem Kleidungsstück zu befreien. Dann drehte er sich in die Gegenrichtung mit seinem Schwanz direkt über Thomas' Mund. Eddie beugte sich über ihn und drückte mit sanftem Druck Thomas' Schenkel auseinander. Langsam senkte er seinen Kopf über Thomas' Leistengegend und leckte über dessen empfindliche Schwanzspitze.

Thomas explodierte beinahe. Eddies Hüften bewegten sich und plötzlich stieß dessen Schwanz in Thomas' Mund. Thomas nahm ihn tief auf, saugte gierig an ihm und Eddie fing an, es ihm gleichzutun.

Thomas hatte keine Gelegenheit, Eddie mitzuteilen, was ihm dies bedeutete. Endlich fühlte er sich akzeptiert. Eddie bestätigte ihn in seiner Männlichkeit, indem er den intimsten sexuellen Akt ohne Verlegenheit oder Scham an ihm ausführte. Im Gegenteil, das sanfte Stöhnen und Seufzen, das aus Eddies Brust kam und gegen seinen Schwanz blies, war Bestätigung dafür, dass Eddie endlich für ihn bereit war.

Voller Zärtlichkeit und Verehrung leckte Thomas Eddies Schwanz, saugte ihn fest und in einem Rhythmus, den Eddies Körper ihm diktierte, während er dessen Eier in einer Hand hielt und den kostbaren Sack streichelte. Aber es fiel ihm schwer, sich darauf zu konzentrieren, Eddie Vergnügen zu bereiten, während sein Geliebter das Gleiche mit ihm tat. Eddies Hände zwangen ihn, seine Knie anzuwinkeln, was diesem vollen Zugriff auf seine Hoden und seinen Hintern gab.

Als Eddie seine Finger, feucht von seinem Speichel, über Thomas' Hoden gleiten ließ und dann tiefer in die Spalte zwischen seinen Pobacken schob, stöhnte Thomas auf und bäumte seinen Rücken über dem Betonboden auf. Aber Eddie gab ihm keine Atempause in dieser sinnlichen Folter und sein mit Tau bedeckter Finger umkreiste jetzt seinen Anus und drückte dagegen. Das Saugen an seinem Schwanz wurde intensiver, als Eddies Finger sein Portal durchbrach und in ihn hineinstieß.

Eddies Schwanz in Thomas' Mund zuckte und erinnerte ihn an das Verlangen seines Geliebten. Thomas brachte eine Hand zu Hilfe und saugte ihn härter, ließ ihn aus seinem Mund gleiten und sog ihn dann wieder hinein, während er Eddies prallen Sack im Gleichklang mit seinen Bewegungen drückte.

Er hätte nie gedacht, dass Eddie ihn mit solcher Begeisterung mit seinen Fingern ficken würde und Thomas hoffte, dass es nicht das letzte Mal sein würde. Mit jedem Stoß tauchte Eddies Kopf tiefer und nahm seinen Schwanz fester saugend in seinen Mund, und mit jeder Bewegung hob Eddie seinen Hintern höher in die Luft und spreizte seine Oberschenkel weiter.

Die Versuchung war zu groß und Thomas leckte den Mittelfinger seiner Hand, die Eddies Hoden streichelte, um ihn mit Speichel zu befeuchten. Dann ließ er seinen Finger zwischen Eddies Pobacken gleiten. Eddie erbebte leicht, doch dann entspannte er sich wieder und Thomas streichelte sanft über den Muskelring, der dort versteckt war. Er umkreiste ihn, erst langsam, dann schneller, und spürte, wie Eddie plötzlich härter und schneller seinen Finger in sein Loch stieß und sein Mund die Bewegung imitierte. Seine Hüften stießen nach oben und unten und sein Hintern drückte gegen Thomas' Finger, als wollte er, ihn auffordern, hineinzustoßen.

Unfähig, der erotischen Anziehungskraft von Eddies Bewegungen zu widerstehen, schob Thomas seinen Finger durch den engen Muskel.

Über ihm erzitterte Eddie und nur Sekunden später strömte heißer Samen in Thomas' Mund. Eddies Orgasmus löste seinen eigenen aus, was ihn in Eddies Mund explodieren ließ, ohne ihm Zeit zu geben, diesen vorzuwarnen. Ein Glücksgefühl durchströmte ihn, als er fühlte, dass Eddie nicht zurückwich und ihn stattdessen in seinem Mund behielt, während Thomas' Samen durch seinen Schwanz schoss. Sein ganzer Körper fühlte sich schwerelos an und für ein paar Augenblicke wurde ihm schwarz vor den Augen.

Als Thomas endlich von Eddies Schwanz abließ, nachdem er ihn sauber geleckt hatte und Eddie das Gleiche getan hatte, konnte er nichts sagen. Es war schwer genug, Sauerstoff durch seinen Körper zu pumpen. Sein Liebhaber atmete genauso schwer, als er seine Wange auf Thomas' Oberschenkel ruhen ließ, sein Unterleib immer noch über ihm.

„Ich muss gehen", murmelte Eddie und erhob sich.

Er drehte sich um und ihre Blicke vereinten sich für einen langen Moment. Thomas sah ein lautloses Versprechen in Eddies Augen. Alles würde sich zwischen ihnen zum Guten entwickeln.

33

„Wir müssen uns trennen oder wir werden einen von ihnen verlieren“, sagte Cain zu Oliver, seinem Patrouillen-Partner für die Nacht.

„Das dürfen wir nicht!“, flüsterte sein Kollege ihm leise zu. „Gabriels Anweisungen waren klar. Wir müssen als ein Team zusammenbleiben.“

„Die Lage hat sich geändert“, meinte Cain schulterzuckend. „Manchmal muss man einfach improvisieren. Also los! Du nimmst den fetten Kerl. Ich folge dem anderen Idioten. Und komm ihm nicht zu nahe. Diese Typen sind gefährlich.“

Ohne auf eine Bestätigung von Oliver zu warten, bog Cain in die nächste Straße, und achtete darauf, den Vampir, den er schon durch halb San Francisco verfolgt hatte, nicht aus den Augen zu verlieren. Die zwei Vampire hatten das Haus, in dem Xander sich verschanzt hatte, verlassen und in der ganzen Stadt verschiedene Stopps gemacht. Jedes Mal hatten Cain und Oliver sie beobachtet, um sicherzustellen, dass sie kein Verbrechen begingen, doch scheinbar waren die beiden einfach nur auf Erkundungsmission. Allerdings hatten sie ab dem Bereich der Stadtverwaltung getrennte Wege eingeschlagen.

Da Cain und Oliver nicht wussten, welcher der beiden sie möglicherweise zu einem weiteren Versteck oder anderen Mitgliedern ihrer Spezies führen würde, hatte Cain eine schnelle Entscheidung getroffen. Wenn Gabriel ihn dafür später züchtigen wollte, dann sollte er das ruhig tun. Aber er hatte nicht vor, sich diese Chance entgehen zu lassen.

Nicht viele Leute waren zu Fuß unterwegs, als er dem Vampir die Market Street entlang in Richtung Westen folgte. Es gab weniger Bars und Restaurants hier. Cain musste weiter zurückfallen, um keine Aufmerksamkeit auf sich zu ziehen.

Mehrere Blocks weit passierte nichts Ungewöhnliches. An der Wende der Straßenbahn, die entlang der Market Street fuhr, wandte sich der Vampir Richtung Castro und Cain folgte ihm in sicherem Abstand. Der Parfümgeruch, den der Kerl hinter sich ließ, erinnerte ihn an ein billiges Bordell. Er überschattete praktisch den Eigengeruch des Vampirs.

In der Gegend, in die sie nun gelangten, war wieder mehr Leben und Cain verkürzte deshalb den Abstand zwischen sich und dem anderen Vampir.

Der Mann war von durchschnittlicher Größe, lässig gekleidet und hatte keine besonderen Merkmale. Er sah durchschnittlich aus, dennoch gab es gleichzeitig etwas in seiner Aura – die ihn als einen Vampir identifizierte – das anders war, als in Vampiren, denen Cain bisher begegnet war. Es war nichts, das er wirklich sehen konnte, aber je näher er dem Kerl kam, desto mehr konnte er etwas von ihm ausgehen sehen, das er nicht beschreiben konnte. Er wusste nur, dass es ihm nicht gefiel. War dies die überlegene Fähigkeit der Gedankenkontrolle, von der Samson gesprochen hatte? Seltsamerweise hatte er nie etwas Ähnliches an Thomas bemerkt, obwohl dieser dieselbe Fähigkeit hatte.

Als er dem Vampir weiter den Hügel hinauf folgte, hörte Cain plötzlich eine Stimme, die er kannte. Er wandte sich um und seine Augen suchten nach der Person. Er sah sie eine Sekunde später: Roxanne war von drei offensichtlich betrunkenen Männern umringt.

„Geht mir aus dem Weg, oder ich zerquetsche euch die Eier!“, behauptete Roxanne, doch die sterblichen Idioten nahmen sie nicht ernst.

Und warum auch? Sie hatten keine Ahnung, dass die kurvige Frau, die ihr schwarzes Kleid wie eine zweite Haut trug, ihnen ihre Eier in weniger als fünfzehn Sekunden herausreißen könnte, sofern sie das wollte. Für einen Moment fragte er sich, ob er ihr helfen sollte, aber er war nicht ganz sicher, ob sie seine Hilfe zu schätzen wissen würde. Sie war mehr als fähig, mit diesen drei Trunkenbolden selbst fertig zu werden und würde wahrscheinlich verärgert sein, wenn er sich einmischte.

Doch zumindest wollte er ihr seine Hilfe anbieten. „Roxanne, soll ich mich um die Drei kümmern?“, rief er ihr von der anderen Straßenseite aus zu.

Ihr Blick wanderte zu ihm und sie schüttelte den Kopf. „Verdirb mir doch nicht meinen Spaß“, antwortete sie.

Er drehte sich zurück in die Richtung, in der sein Verdächtiger unterwegs gewesen war und erstarrte. Es gab keine Spur von ihm, obwohl die Begegnung und der Austausch mit Roxanne weniger als fünfzehn Sekunden gedauert hatte.

Cain atmete tief ein und zum Glück konnte er noch das billige Rasierwasser des Vampirs riechen. Er folgte der Spur und beschleunigte seine Schritte, als die Straße steiler wurde. Nach einer Kurve hielt Cain für einen Moment an und roch wieder. Der Duft wurde immer schwächer.

Scheiße! Er musste sich beeilen.

Cain lief weiter den Hügel hinauf, Ausschau haltend nach einem Zeichen des Vampirs, seine Nase ständig die Luft um sich herum prüfend, bis er schließlich zugeben musste, dass er ihn verloren hatte.

Verärgert über sich sah Cain sich um und erkannte, dass er Twin Peaks erreicht hatte, die Gegend, in der Thomas wohnte. Was hatte der Vampir hier gewollt? Oder war er nur hierher gekommen, um ihn an der Nase herumzuführen? Wenn er bedachte, wie nahe an Thomas’ Haus er ihn verloren hatte, fand er es für angebracht, Thomas zu alarmieren.

Cain orientierte sich, bog nach rechts in die nächste Straße und ging dann weiter bergauf. An der Biegung vor Thomas’ Haus hörte er ein Geräusch und stoppte hinter der Hecke entlang des angrenzenden Grundstücks. Er spähte aus seinem Versteck hervor und sah, wie sich das Garagentor von Thomas’ Haus hob. Schon im Begriff, aus seinem Versteck hervorzukommen und Thomas zuzuwinken, nahmen seine Augen die Szene wahr, die sich in der Garage abspielte. Überrascht hielt er in seiner Bewegung inne und hielt den Atem an.

Eddie saß auf seinem Motorrad, dessen Motor lief. Thomas stand daneben, seine Arme um Eddie geschlungen, seine Lippen mit denen des jüngeren Vampirs verschmolzen. Eddie lehnte sich an ihn, eine Hand auf Thomas’ Nacken, den Kopf für einen leidenschaftlichen Kuss zur Seite gelegt, einen Kuss, der ewig zu dauern schien.

Thomas trug nur einen Bademantel. Eddie war voll in seine Motorradlederkluft gekleidet. Sie sahen aus wie ein Pärchen, das nach einer

Liebesnacht voneinander Abschied nahm. Es war ihnen so deutlich ins Gesicht geschrieben, dass sie es auch von den Dächern schreien hätten können.

Cain trat zurück hinter die Hecke, denn er wollte ihre intime Umarmung nicht weiter beobachten. Sie hatten ein Recht auf ihre Privatsphäre und würden es sicherlich nicht zu schätzen wissen, dass sie beobachtet wurden. Immerhin wusste niemand bei Scanguards, dass sie ein Liebespaar waren, was nur bedeuten konnte, dass sie sich große Mühe gaben, ihre Beziehung zu verheimlichen. Und er war nicht einer, der seine Nase in die Angelegenheiten anderer Leute steckte. Wenn Thomas und Eddie nicht wollten, dass jemand herausfand, was zwischen ihnen vor sich ging, würde Cain dieses Geheimnis nicht ausplaudern.

Er war nur verwundert, dass er nie die Anziehungskraft zwischen den beiden bemerkt hatte. Sie war jetzt so deutlich sichtbar. Wie war ihm dies all die Monate, die er schon bei Scanguards arbeitete, entgangen? Er hatte sich immer als jemand mit guter Menschenkenntnis gesehen, und gedacht, er würde Dinge sehen, die andere versuchten zu verstecken. Offensichtlich hatten die beiden selbst ihn zum Narren gehalten.

Cain wandte sich ab und ging leise einen Weg zwischen zwei Häusern den Hügel hinunter, denn er wollte nicht von Eddie gesehen werden, wenn dieser mit dem Motorrad vorbeifuhr. Er würde Thomas anrufen und ihm von dem Vampir berichten und ihn nicht ahnen lassen, dass Cain Zeuge seines und Eddies Kusses geworden war.

34

Eddie parkte sein Motorrad vor Quinns Villa in Pacific Heights und eilte die Stufen zum Eingang hinauf. Die Nachricht, die er erhalten hatte, hatte ihm befohlen, sich zu beeilen. Er klingelte und wartete. Aus dem Haus waren bereits mehrere Stimmen zu hören. Da war etwas im Busch. Bevor er sich fragen konnte, was denn passiert war, wurde die Tür von Quinn geöffnet.

„Ich bin so schnell gekommen, wie ich konnte", sagte Eddie ohne richtige Begrüßung.

Quinn winkte ihn hinein. „Komm rein. Du bist einer der Letzten. Ist Thomas dabei?"

Sofort spannte sich Eddie unwillkürlich an und schüttelte den Kopf. Wusste Quinn über ihn und Thomas Bescheid? Hatte irgendjemand etwas von ihrem Verhalten im Büro mitbekommen? „Nein, sollte er das?"

„Ich dachte nur, er würde mit dir kommen. Auf meine SMS hat er nicht geantwortet."

Eddie zuckte mit den Schultern, versuchte, unberührt zu erscheinen und ging an Quinn vorbei in Richtung der Stimmen. Die Tür zum Wohnzimmer war nur angelehnt. Eddie stupste dagegen und sah sich beim Eintreten um. Er war überrascht, die Hälfte der Belegschaft von Scanguards versammelt zu sehen, sogar ihre Frauen waren dabei.

Er drehte seinen Kopf zu Quinn. „Was ist denn los?"

„Du wirst es zusammen mit den Anderen herausfinden. Also, misch dich unters Volk."

Er ließ seinen Blick über die Menge schweifen und fing Samsons Blick auf. Dieser winkte ihn zu sich und Eddie durchquerte den Raum und blieb vor ihm stehen.

„Hey, Samson, weißt du, um was es hier geht?"

„Du wirst es bald herausfinden. Wie war dein Treffen mit Luther?" Samsons Augen schienen ihn durchdringen zu wollen.

Eddie wich seinem Blick aus und täuschte Interesse an einem Schmutzfleck auf seiner Lederjacke vor. „Ganz gut."

„Hast du erfahren, was du wissen wolltest?", fragte Samson weiter.

Nein, er hatte nicht die Antwort bekommen, die er hören wollte, aber das konnte er seinem Chef gegenüber nicht eingestehen, ohne alles zu enthüllen. Er war immer noch nicht sicher, ob er die Richtung, in die sich sein Leben entwickelte, akzeptieren konnte. Mit Blick an Samson vorbei bemerkte er seine Schwester im Gespräch mit Portia. Wie enttäuscht wäre Nina, wenn sie herausfände, dass ihr kleiner Bruder mit Thomas schlief? Oder vermutete sie es sowieso schon? Und der Rest von Scanguards, würden sie ihn schief ansehen? Ihn womöglich anders behandeln? Würden auch sie sich über ihn lustig machen wie die Jungs in seiner High School?

„Ich will nicht neugierig sein", driftete Samsons Stimme zurück zu ihm.

„Nein, nein, das ist okay. Alles ist in Ordnung. Luther scheint es gut zu gehen."

„Na, gut."

Es gab eine peinliche Pause, doch Eddie wurde von Nina gerettet, die ihn plötzlich bemerkte und ihm zuwinkte. Sie sagte etwas zu Portia, dann kam sie auf ihn zu.

„Entschuldige mich, da ist Nina", sagte er zu Samson, froh über die Ausrede, und kam seiner Schwester auf halbem Weg entgegen.

„Hey, Eddie", begrüßte sie ihn mit einem Lächeln und einer Umarmung. „Ich glaube nicht, dass ich dich, außer als wir noch zusammen wohnten, je so oft gesehen habe wie in letzter Zeit."

Sie hatte recht. Seit sie sich für ihn auf Wohnungssuche gemacht hatte, sahen sie einander fast täglich oder sprachen zumindest am Telefon. Nina betrieb eine Menge Aufwand damit und er fühlte sich wie ein Schweinehund, sie an der Nase herumzuführen. Aber hier war weder der Ort noch die Zeit für die Bitte an sie, die Suche einzustellen. Es waren zu viele Leute im Raum, die mithören konnten.

„Hast du mich schon satt?“, fragte er grinsend, um sein schlechtes Gewissen zu verbergen.

Sie schlug ihm leicht mit der Faust in die Seite. „Natürlich nicht. Wo ist denn Thomas? Ich habe ihn noch nicht gesehen.“ Ihr Blick wanderte durch den Raum.

Er ging sofort auf Abwehrhaltung. „Woher soll ich das wissen?“ Warum fragte ihn jeder nach Thomas, als wären sie Siamesische Zwillinge?

Nina neigte den Kopf zur Seite und warf ihm einen neugierigen Blick zu. „Bist du schlecht drauf?“

„Nein, bin ich nicht!“ Aber wenn sie so weitermachte, würde er das in Kürze sein.

„Hey, Leute,“ ertönte Blakes Stimme hinter ihm und eine Hand landete auf Eddies Schulter zu einem übermäßig freundlichen Klaps. „Nina.“

Eddie drehte sich zu dem Sterblichen um. Er war nicht mehr böse auf ihn und Oliver, dass die beiden das Geheimnis über Thomas’ Gefühle ausgeplaudert hatten. Blake war einfach ein Tollpatsch. Er meinte es gut, aber als neuestes Mitglied der erweiterten Scanguards-Familie musste er noch viel lernen. Er war Roses und Quinns Urenkel vierten Grades und praktisch über Nacht ein Teil ihrer Gruppe geworden. Unter den gegebenen Umständen hatte er sich überraschend gut angepasst.

„Blake. Weißt du, worum es geht? Samson schien es zu wissen, wollte aber nichts sagen“, meinte Eddie.

„Deine Vermutung ist so gut wie meine. Kann nicht mehr lange dauern. Es sind fast alle da. Selbst Wesley.“ Er deutete zum Fenster, wo Wesley in ein Gespräch mit seinem Bruder Haven vertieft war und wild mit seinen Händen gestikulierte. Blake beugte sich zu ihnen und senkte seine dröhnende Stimme. „Er hat wieder mal an seiner Hexerei gearbeitet, und ich glaube nicht, dass Haven mit dem Ergebnis seiner Experimente zufrieden ist.“

Nina neigte ihren Kopf ebenfalls näher. „Was ist denn passiert? Ich dachte, Haven war einverstanden, dass Wesley sich bemüht, seine Hexenkräfte wieder zu erlangen.“

Eddie war der gleichen Meinung und in der Tat dankbar für Wesleys Hexenkräfte. Damit hatte er Thomas’ Leben gerettet, als dieser gegen seinen Erschaffer Keegan gekämpft hatte. Hätte Wesley nicht während des

Kampfes Keegans Konzentration mit einem Zauber gebrochen, wäre Thomas umgekommen. Selbst jetzt schauderte Eddie noch bei dem Gedanken.

„Er hat bereits einen Teil seiner Fähigkeiten wieder zurück. Ich habe es gesehen," meinte Eddie.

Blake grinste. „Ja, aber offenbar hat er Mühe, diese richtig zu kontrollieren. Letzte Nacht, als er zu Besuch bei Haven war, um sich das Baby anzusehen, versuchte er einen Zauberspruch mit Havens zwei Welpen und verwandelte sie in Ferkel. Haven war, gelinde gesagt, ziemlich sauer."

„Oh nein!" Nina lachte laut auf.

Eddie konnte sein Lachen ebenfalls nicht unterdrücken. „Das ist ja zu komisch."

„Na ja, Yvette würde sich eurer Meinung aber bestimmt nicht anschließen. Sie hat Angst davor, dass Wesley ihrem Baby zu nahe kommt. Wer weiß, was er mit ihr anstellt."

Nina hörte auf zu lachen. „Das kann man ihr nicht verübeln."

„Hat er die Welpen wieder zurückverwandelt?", fragte Eddie.

Blake deutete auf Haven, den ehemaligen Hexer, der jetzt ein Vampir war, sowie seinen Hexenbruder. „Sieht nicht so aus. Von dem, was ich mithören konnte, ist eines der Kräuter, das Wesley für die Rückverwandlung braucht, im Moment nicht lieferbar."

„Du meinst, diese beiden Welpen laufen immer noch als Ferkelchen herum?" Eddie konnte sich die Sache bildlich vorstellen.

Blake schmunzelte. „Ja, Speck und Wurst richten in Havens Haus Unheil an und treiben alle zum Wahnsinn."

„Speck und Wurst?", wiederholte Nina.

„Ja. Gefallen euch die Namen? Ich werde vorschlagen, dass sie die Welpen so umbenennen. Und vielleicht bleiben ihnen die Namen auch, nachdem Wesley es geschafft hat, sie wieder in Hunde zu verwandeln." Schalk blitzte aus Blakes Augen.

Eddie stieß ihn in die Rippen. „Wenn du das tust, wird dir Haven das Fell über die Ohren ziehen."

Plötzlich verspürte Eddie einen Schauer über seinen Rücken laufen und er versuchte, den plötzlichen Stoß der Begierde abzuwehren, der durch seinen Körper schoss. Er musste sich nicht umdrehen, um zu wissen, wer sich näherte.

„Was ist das mit Speck und Wurst?“, erklang Thomas’ Stimme nur ein paar Meter hinter Eddie.

Eddie drehte nur kurz den Kopf, um Thomas’ Ankunft zu würdigen und antwortete: „Blake bringt sich mal wieder selbst in Schwierigkeiten, indem er Havens Hunde beleidigt.“

„Ja, aber sie sind doch gerade keine Hunde. Eher Schinken und Schwarten“, schoss Blake zurück.

Thomas warf ihm einen fragenden Blick zu. „Will ich wissen, wovon ihr sprecht?“

Nina schüttelte den Kopf. „Nein, willst du nicht. Blake ist nur wieder mal albern.“

„Du nennst mich albern?“, fragte Blake. „Das ist ja unerhört!“

Als Nina und Blake weiter darüber stritten, was albern bedeutete, trat Thomas näher zu Eddie. Eddie fühlte, als ob kleine Stromschläge von Thomas auf ihn übersprangen.

„Hey.“ Der raue Ton, mit dem Thomas das einzelne Wort aussprach, machte Eddies Kehle sofort trocken.

Er wagte nicht zu antworten, wohl wissend, dass er nicht in der Lage sein würde, einen zusammenhängenden Satz herauszubringen. Seit er Thomas in der Garage einen Blow Job verpasst hatte, wusste er, dass sich zwischen ihnen etwas verändern würde. Als er Thomas’ Finger nur ganz kurz in sich gespürt hatte und unkontrolliert gekommen war, hatte er erkannt, dass er einen Schritt in eine Richtung gemacht hatte, aus der es kein Zurück gab. Und das machte ihm Angst. Weiter auf diesem Weg zu verbleiben würde bedeuten, dass sein ganzes Leben eine Lüge gewesen war.

Eddie wollte gerade Thomas’ Gruß erwidern, als jemand laut zu klatschen begann, um die Aufmerksamkeit der Anwesenden auf sich zu ziehen. Er wandte sich wie alle anderen zur Tür, wo Oliver und Ursula standen und die Versammelten ansahen.

„Danke, dass ihr gekommen seid“, fing Oliver an. „Ich weiß, es war ein bisschen kurzfristig, aber ich dachte, wenn ich versuche, alles im Voraus zu koordinieren, würden unsere Terminpläne noch chaotischer werden. Wie auch immer, ich wollte nicht mehr länger warten.“ Er lächelte Ursula an, dessen Hand er hielt. „Ich habe Ursula gebeten, mich zu heiraten, und sie hat ja gesagt.“

Die Menge brach in Jubel aus. Ein paar Pfiffe verlauteten im Raum, einige der Anwesenden begannen zu klatschen, und die, die in der Nähe des glücklichen Paares standen umarmten sie und gratulierten.

„So wie es aussieht, schuldet Cain mir hundert Dollar“, stellte Thomas lächelnd fest.

Eddie nickte. „Du hattest recht.“

„Du wusstest davon, Thomas?“, fragte Nina.

Er drehte sich zu ihr. „Alles deutete darauf hin.“

Eddie verdrehte die Augen. „Thomas sah, wie Oliver den Ring kaufte.“

Thomas schmunzelte. „Danke dafür, dass du meine Überlegenheit unterminierst.“ Er zerzauste Eddie die Haare.

Erschrocken wich Eddie zurück. Verdammt! Wie konnte Thomas ihn nur so in aller Öffentlichkeit berühren? Sein Blick schoss zu Nina, um festzustellen, ob sie es bemerkt hatte, aber sie schien in Ursulas Richtung zu starren, um einen Blick auf den massiven Diamantring, der an ihrem Finger steckte, zu erhaschen.

„Tja, wieder ein Junggeselle vom Markt“, kommentiert Nina und sah Eddie an. „Sie ist so ein nettes Mädchen. Also, Brüderchen, wie steht's mit dir? Gehst du mit jemand Besonderem?“

Panik stieg in ihm hoch. Nina bot ihm gerade die perfekte Gelegenheit, ins Reine zu kommen, alles zu bekennen und ihr und der Welt zu gestehen, dass er in der Tat mit jemand Besonderem zusammen war. Und dass dieser Jemand direkt neben ihm stand.

„Falls ja, hoffe ich, dass sie mindestens so nett wie Ursula ist, sonst bin ich schwer enttäuscht“, fügte Nina an. „Ich hätte nichts dagegen, eines Tages Tante zu werden. Habe ich dir von der Baby-Party erzählt? Yvettes Baby ist das süßeste, das ich je gesehen habe.“

Eddie konnte den Kloß, der sich in seinem Hals gebildet hatte, nicht hinunterschlucken. Nina hatte keine Ahnung von seinen Neigungen. Wie konnte er ihr mitteilen, dass er einen Mann mochte? Dass es keine Chance gab, dass er jemals Vater würde, weil er sich nicht vorstellen konnte, jemals wieder mit einer Frau zusammen zu sein?

„Im Moment gibt's niemanden“, würgte er hervor und fühlte sich wie ein Scheißkerl, da er nicht den Mut hatte zu bekennen, was er wirklich fühlte.

Aus dem Augenwinkel sah er, wie Thomas' Schultern sich anspannten und sein Gesicht ausdruckslos wurde.

„Hast du was dagegen, wenn ich dir deinen Bruder für einen Moment entführe, Nina? Wir müssen ein paar Sachen wegen seiner Ausbildung besprechen."

„Kein Problem", sagte Nina schnell.

Thomas legte seine Hand auf Eddies Ellenbogen und zog ihn wortlos durch die Menge und in die Küche im hinteren Teil des Hauses.

Der Raum war leer. Thomas schloss die Tür hinter ihnen und ließ ihn los. „Was zum Teufel war das?"

Abwehrend hob Eddie sein Kinn. „Was war was?"

„Tu nicht so, als wüsstest du nicht, was gerade da draußen passiert ist. Zuerst schreckst du vor mir zurück, wenn ich dein Haar berühre, und dann lügst du deine Schwester an. Also gibt es in deinem Leben niemand Besonderen, stimmt das? Weil ich niemand Besonderer bin."

Eddie spürte, wie sein Herzschlag schneller wurde. „Das habe ich nicht gesagt!"

„Genau das hast du gesagt! Also, was ist das zwischen uns? Willst du nur deine homosexuellen Fantasien mit mir ausleben? Aber zu mir bekennen willst du dich nicht, weil du dich dafür schämst. Genau wie du dich meinetwegen schämst."

„Das tu ich nicht! Aber ich kann das nicht. Ich kann es Nina nicht sagen. Nicht jetzt. Noch nicht."

„Wann dann? Wann wird jemals die richtige Zeit dafür sein, deiner Schwester und deinen Freunden zu sagen, dass wir ein Liebespaar sind?"

Eddie wich zurück und stieß mit dem Rücken gegen die Küchentheke hinter sich.

„Ja, wir sind ein Liebespaar. Von dem Moment an, wo du mich auf der Baustelle geküsst hast, von dem Moment an, wo du mir erlaubt hast, dich zu berühren, waren wir schon ein Liebespaar. Aber das kannst du nicht zugeben, oder?"

Eddie versuchte Thomas' intensivem Blick auszuweichen, aber er konnte den Kopf nicht wegdrehen. „Du verlangst zu viel von mir."

„Zu viel? Eddie, das Einzige, was ich von dir verlange, ist, die Wahrheit über dich zu gestehen."

„Ich kann Nina nicht enttäuschen."

„Enttäuschen? Das glaubst du? Dass zuzugeben, dass du mit mir zusammen bist, deine Schwester enttäuschen wird?" Thomas' Nasenflügel bebten und seine Augen glühten plötzlich rot. „Also willst du dich nicht dazu bekennen und deinen Mann stehen. Aber du willst mich weiterhin benutzen, stimmt's? Denn genau das tust du. Du kriechst in mein Bett und lässt mich dich lutschen, dich küssen und dich berühren. Und ich erlaube dir, mich zu ficken, weil ich dir jeden Wunsch erfüllen will. Wie fühlt es sich denn an, einen Schwulen zu ficken?" Thomas funkelte ihn verletzt an. „Du benutzt mich für Sex, weil du weißt, dass ich dir nichts ausschlagen kann. Du weißt, dass ich unwiderruflich in dich verliebt bin, und deshalb glaubst du, du kannst mich ewig hinhalten, bis du eines Tages vielleicht bereit bist, dich wie ein Mann der Wahrheit zu stellen. Bis du eines Tages bereit bist, zuzugeben, dass du schwul bist. So funktioniert das nicht!"

Unwiderruflich verliebt? Eddies Herz raste. Thomas hatte noch nie zuvor von Liebe gesprochen. Lust und Begehren, ja, aber nicht Liebe. Nein, er hatte diese Worte nie zuvor geäußert.

„Hast du nicht gehört, was Nina gesagt hat? Sie will, dass ich ein nettes Mädchen finde und Kinder habe. Sie hat keine Ahnung." Wie könnte er ihr das antun? Er hatte ihr versprochen, sie nie wieder zu enttäuschen. Sie nie wieder zu verletzen. Aber scheinbar musste er einen von beiden verletzen: entweder Nina oder Thomas.

„Gott bewahre, deine Schwester fände heraus, dass du meinen Schwanz gelutscht und es dir auch noch gefallen hat!", zischte Thomas. „Ich hätte dich nie für so einen Feigling gehalten, Eddie."

„Ich bin kein Feigling!", stieß er hervor. Wut stieg aus seinem Bauch hoch und seine Reißzähne juckten.

„Dann triff eine verdammte Entscheidung. Jetzt! Wenn das, was zwischen uns passiert ist, dir mehr als nur Ficken und Experimentieren bedeutet, dann versteck dich nicht weiter und gib zu, was du bist."

Eddie zögerte. Zugeben, dass er schwul war? Er schauderte bei dem Gedanken und erinnerte sich an die Worte seiner Pflegemutter, als sie ihn mit dem anderen Jungen erwischt hatte, sowie an die Sticheleien in der Schule und das Gesicht seiner Schwester. Würde sie ihn verstehen? Würde sie ihn trotzdem noch lieben? Sie war alles, was er hatte. Seine Familie.

„Ich glaube, ich habe meine Antwort", sagte Thomas, seine Stimme flach und emotionslos. „Es hat dir nichts bedeutet." Er wandte sich zum Seiteneingang des Hauses und drehte den Knauf.

„Bitte gib mir Zeit. Bitte, Thomas. Ich muss darüber nachdenken."

Ohne ein Wort verließ Thomas die Küche und zog die Tür hinter sich zu.

Eddie schlug mit der Faust auf den Küchentresen. „Scheiße!“

Darauf war er nicht vorbereitet gewesen. Er hatte Thomas mit seiner Unfähigkeit, sich zu ihrer Beziehung zu bekennen, verletzt. Denn das war genau das, was sie hatten: eine Beziehung. Thomas war sein Freund, sein Geliebter. Und wie es aussah, hatten sie sich gerade getrennt.

35

Thomas stürmte, verfolgt von Eddies Worten, aus dem Haus. Was gab es da nachzudenken? Eddie wollte alles haben: einen Schwulen lieben und als Hetero leben. Sichtlich genoss er den Sex zwischen ihnen, aber er wollte weiterhin in der Öffentlichkeit als Hetero angesehen werden, um weder seine Schwester noch seine Freunde zu enttäuschen. Tief im Innern schämte Eddie sich seiner Begierden, obwohl er sich ihm, wenn sie alleine waren, in jeder Hinsicht hingegeben hatte. Außer einer. Thomas hatte gehofft, dass sie heute Nacht die letzte Hürde überwinden würden. Er war sich beinahe sicher, dass Eddie sich ihm heute ergeben und ihm erlaubt hätte, seinen jungfräulichen Arsch zu nehmen. Aber ihr Streit hatte alles zerstört.

Thomas hätte seinen Mund halten und Eddie gegenüber seine Gefühle nicht erwähnen müssen. Doch als dieser seiner Schwester geantwortet hatte, dass es niemand Besonderen in seinem Leben gab, hatte Thomas rot gesehen. Seinen Geliebten diese Worte sagen zu hören, während er still daneben stand, hatte ihn zutiefst verletzt. Auf dem Weg zur Küche hatte er bereits die dunkle Macht in seiner Brust emporsteigen gefühlt, sodass es ihm unmöglich war, sie zurück in den Käfig zu sperren. Er hatte diese Konfrontation mit Eddie heraufbeschworen, weil er wollte, dass Eddie sich zu ihm bekannte und ihm gestand, dass sich zwischen ihnen etwas Besonderes entwickelt hatte. Etwas, das nicht nur Sex war, sondern Zuneigung und Liebe. Aber stattdessen hatte dieser ihn zurückgestoßen.

„Fuck!“, fluchte Thomas und schwang sich auf sein Motorrad, steckte den Schlüssel in die Zündung und drehte ihn, presste die Starttaste und ließ den Motor aufheulen. Er bog in die ruhige Straße ein und raste den Hügel hinunter, bis er an einem Stoppschild anhalten musste. Es gab keinen Verkehr. Er war im Begriff, die Kreuzung zu überqueren, als eine dunkle Gestalt aus dem Schatten einer Hecke in das Licht einer Straßenlaterne trat.

Der Schock ließ ihn fast sein Gleichgewicht verlieren. Was er sah, war unmöglich. Er kniff die Augen zusammen, öffnete sie wieder und blinzelte ein paarmal.

„Jesus, Maria und Josef!“, zischte er.

Der Mann ging auf ihn zu, sein Gang lässig und entspannt. „Das ist zwar nicht mein Name, aber es hat mich noch nie viel gekümmert, wie du mich genannt hast, mein Lieber, solange du mit mir gesprochen hast.“

Kasper, sein Schöpfer, der Mann, der vor ein paar Monaten vor Thomas' Augen gestorben war, blieb vor dem Motorrad stehen. Die dunkle Macht, die von ihm ausging, löschte jeglichen Zweifel darüber aus, dass dies tatsächlich sein Erschaffer war.

Thomas fand seine Stimme wieder. „Du bist tot.“

Ein wehmütiges Lächeln huschte über Kaspers Gesicht. „Ach ja, der Vorfall war bedauerlich. Aber lass uns jetzt nicht darüber reden. Wir haben andere Dinge zu besprechen.“

Kasper stellte den Motor ab und nahm den Schlüssel aus der Zündung. Plötzlich umgab sie nur Stille. Widerwillig stieg Thomas ab und rollte das Motorrad auf den Bürgersteig, wo er es parkte. Sein ganzer Körper war angespannt und wachsam. Seine dunkle Macht brodelte unter der Oberfläche, und er wusste, dass er Kasper jederzeit bekämpfen könnte, sollte er eine Gefahr von ihm ausgehen spüren.

„Das Einzige, was wir zu besprechen haben ist, warum du noch lebst“, antwortete Thomas. Es musste eine Erklärung dafür geben. Kein Vampir war jemals von den Toten zurückgekommen, nachdem er zu Staub zerfallen war. „Du hast dich vor mir in Staub verwandelt. Ich *sah* dich sterben.“

„Bist du sicher, dass ich das war?“ Kasper lächelte.

Thomas runzelte die Stirn. Er hatte nie daran gezweifelt.

„Später werde ich deine Neugier befriedigen, aber zuerst gibt es etwas, was wir klären müssen." Kasper schaute die Straße hinauf und hinunter, aber sie war menschenleer. „Dein Liebhaber, Eddie. Ich fürchte, er ist nicht ehrlich zu dir."

„Wie –?"

Kasper hob die Hand. „Meine Leute haben dich und ihn beobachtet." Er schüttelte den Kopf. „Er ist ja ganz niedlich, das gebe ich zu, aber jetzt mal im Ernst: Merkst du nicht, dass er dich nur benutzt?"

Trotzig straffte Thomas seine Haltung. „Das tut er nicht. Halt dich da raus. Sag mir lieber, was du willst."

„Ist das nicht offensichtlich? Ich will dich zurück haben, mein süßer Thomas. Du hattest deinen Spaß. Du hast dir die Hörner abgestoßen. Jetzt ist es Zeit, zurückzukehren und das zu beanspruchen, was dir gehört und an meiner Seite die Welt der Vampire zu beherrschen."

„Du bist verrückt, wenn du glaubst, dass ich je wieder zu dir zurückkehren würde!"

„Du hast doch nichts anderes. Ich habe den Streit mit deinem Geliebten mitgehört. Aber das ist noch nicht alles. Ich weiß, was er wirklich denkt. Ich weiß, was er hinter deinem Rücken macht." Kasper zog sein Smartphone aus der Tasche und tippte darauf. „Wusstest du, dass er schon die ganze Zeit geplant hat, dich zu verlassen?"

Als er Kaspers verräterische Worte hörte, spürte Thomas die dunkle Macht in sich sich aufbäumen, um an die Oberfläche zu dringen. Er spürte, wie sie stärker wurde und von Kaspers Macht angezogen wurde. „Du lügst!"

„Wirklich?" Er tippte etwas auf seinem Handy ein, dann hielt er es hoch.

Thomas erkannte sofort Ninas Stimme, als sie aus dem Lautsprecher tönte. *„Was hat dir denn an der Wohnung, die ich dir gezeigt habe, nicht gefallen?"*

„Sie lag nicht in der richtigen Gegend. Ich sagte dir doch, ich will nicht in Noe Valley wohnen", antworte Eddie.

Überraschung und Grauen erfüllte Thomas. Eddie redete mit Nina über Wohnungen. Warum?

„Die war nicht in Noe Valley. Sie war praktisch im Missionsbezirk. Und ich dachte, du hast gesagt, dass du im Missionsbezirk wohnen willst", fuhr Nina fort.

„Na gut. Aber sie war auch zu teuer. So viel will ich nicht an Miete zahlen. Ich möchte nur etwas Kleines, nur etwas für mich alleine."

Thomas fühlte sein Herz zum Stillstand kommen. Es gab keinen Zweifel daran, was Eddie sagte. Er wollte ausziehen. Thomas suchte nach einer Erklärung. Vielleicht war dies eine alte Aufnahme, etwas, das Eddie mit seiner Schwester diskutiert hatte, bevor er und Eddie ein Liebespaar geworden waren.

„Das beweist gar nichts!", sagte er zu Kasper. „Du kannst nicht beweisen, dass diese Aufnahme kürzlich gemacht wurde."

„Kann ich nicht?" Kasper grinste. „Hör nur weiter zu."

Thomas holte tief Luft, um zu protestieren, als Ninas Stimme wieder aus dem Lautsprecher des iPhones erklang. *„Dann wirst du wohl die in der Marina, die ich mir angesehen habe, auch nicht mögen."*

„Die Marina sitzt auf aufgeschottertem Land, Schwesterchen. Nach dem Erdbeben vor drei Tagen will ich auf jeden Fall auf Grundstein sitzen. Selbst Thomas' Haus hat arg gerüttelt. Ich will gar nicht wissen –"

Kasper schaltete die Aufzeichnung aus. Aber Thomas brauchte nicht mehr zu hören. Vor drei Tagen hatte es ein Erdbeben gegeben, das einzige große seit Eddie bei ihm wohnte. Es gab keinen Zweifel, dass das Gespräch zwischen Nina und Eddie irgendwann heute stattgefunden hatte. Eddie hatte ja sogar zugegeben, dass er sich mit Nina treffen wollte, als er am Abend das Haus verlassen hatte.

Thomas spürte einen stechenden Schmerz wie von einem Speer in seiner Brust. Sofort nachdem sie sich am Boden seiner Garage geliebt hatten, war Eddie auf Wohnungssuche gegangen, damit er ausziehen konnte. Eddie hatte die ganze Zeit geplant, ihn zu verlassen. Er hatte nie die Absicht gehabt, ihre Beziehung fortzusetzen. Alles, was er wollte, waren ein paar sexuelle Experimente.

Das Gefühl des Verrats, das sich nun in ihm festsetzte, war schlimmer, als er je erlebt hatte. Er spürte, wie seine Hände zitterten und seine Knie weich wurden, als alle Hoffnung seinen Körper verließ. Trotz der Intimitäten, die sie geteilt hatten, liebte Eddie ihn nicht. Es war alles Illusion. Eine Lüge.

Wut durchfuhr ihn, loderte in seinen Zellen und ratterte an der Tür des Käfigs, in dem er seine dunkle Macht gefangen hielt.

„Er hat dich benutzt", sagte Kasper und seine Stimme durchdrang den Nebel in Thomas' Geist.

Benutzt. Ja, er fühlte sich benutzt. Wie ein altes Spielzeug, mit dem ein

Kind sich einmal vergnügte und dann wegwarf, weil seine Freunde es nicht akzeptabel fanden.

„Du musst ihm zeigen, dass du ihn nicht brauchst!“, fuhr Kasper fort und die Worte gruben sich tiefer in Thomas’ Geist ein.

„Ich brauche ihn nicht“, wiederholte Thomas. Nein, er brauchte keinen verlogenen, betrügerischen Liebhaber in seinem Leben.

Die dunkle Macht in ihm stimmte ihm zu, drückte gegen die Tür des Käfigs und stieß sie auf. Ein Toben durchfuhr seinen Körper.

„Ja, du fühlst es jetzt, nicht wahr?“, redete Kasper ihm zu. „Es war zu lange angekettet, stimmt’s?“

Thomas spürte, wie seine Macht sich zu Kasper und dessen ihn umkreisende Macht hingezogen fühlte. Helle Funken beleuchteten die Nacht um sie herum. Thomas schloss seine Augen und ließ seiner Kraft freien Lauf und zum ersten Mal in seinem Leben zügelte er das Biest in seinem Inneren nicht.

„Willkommen zurück!“ Kasper legte seine Hand auf seine Schulter, aber Thomas schüttelte diese ab.

Er starrte ihn knurrend an. „Du schuldest mir eine Erklärung! Sprich jetzt! Und mach schnell. Ich weiß vielleicht nicht, meine Kräfte auf die Art und Weise zu steuern wie du, aber ich habe nichts mehr zu verlieren. Hörst du mich? Nichts! Und das macht mich zu einem gefährlichen Gegner.“

Kaspers Gesicht blieb trotz Thomas’ Drohung teilnahmslos. „Was ich dir jetzt sage, muss unser Geheimnis bleiben. Keiner meiner Anhänger weiß es. Sie dürfen es nie herausfinden.“

Thomas antwortete nicht. Er würde Kasper keinerlei Versprechungen machen. Nie wieder. Er hob eine geballte Faust und seine Fänge fuhren sich aus. Ein roter Schleier tönte seine Sicht. Elektrische Funken sprangen von seinen Händen. „Sprich!“

Kasper nickte kurz. „Der Mann, den deine Leute getötet haben, war mein eineiiger Zwilling, Keegan.“

Thomas’ Herz schlug schneller. Zwillinge? Es gab zwei von ihnen? Wie hatte er nie von Kaspers Zwilling erfahren?

„Ja, es gab immer zwei von uns, aber wir lebten als einer. Alle um uns herum kannten uns als Kasper. Wir tauschten die Plätze, um unsere Stärke zu betonen und unsere Anhänger zu kontrollieren. Wir konnten an zwei Orten zur gleichen Zeit sein, um den Eindruck zu erwecken, dass wir stärker als alle anderen Vampire waren.“ Er machte eine Pause.

Thomas konnte seinen Ohren kaum trauen. Er hatte oft gedacht, dass Kasper eine gespaltene Persönlichkeit hatte, eine Minute freundlich und liebevoll war und die nächste gewalttätig und gefühllos. War das die Erklärung dafür? Weil zwei verschiedene Personen als eine paradierten?

„Versteh mich nicht falsch. Wir waren stärker als die anderen, weil unser Blut uns stärker machte. Und die dunkle Macht war in uns beiden gleich stark. Niemand konnte uns auseinander halten. Nicht einmal du, mein süßer Thomas. Nicht einmal du.“

Brennende Wut flammte in Thomas hoch. „Du hast mich die ganze Zeit angelogen.“

Kasper schüttelte lächelnd den Kopf. „Im Gegenteil. Das habe ich nie getan. Keegan war derjenige, der dir wehgetan hat. Er war derjenige, der alles fickte, was einen Rock trug. Er mochte keine Männer. Er liebte Frauen. Ich kann dir versichern, dass du nur mit mir Sex hattest, und dass ich dir treu war.“

Thomas spottete. „Ganz bestimmt! Du hast genauso herumgefickt wie er.“ Er hatte die Frau nicht vergessen, die Kasper in der Nacht von Thomas' Verwandlung einen geblasen hatte. „Du mochtest Frauen. Das hast du mir selbst gesagt.“

„Ich gebe zu, dass ich bisexuell bin, aber nachdem ich dir begegnet bin, habe ich nur noch mit dir geschlafen. Es gab keine anderen Männer und Frauen mehr. Keegan war derjenige, der seine sexuellen Heldentaten für alle zur Schau stellen musste, und es gab nichts, was ich dagegen tun konnte. Wie sollte ich dir zu verstehen geben, dass es keinen Grund zur Eifersucht gab? Er und ich hatten eine Vereinbarung, nie unser Geheimnis zu verraten. Der Preis wäre zu hoch gewesen. Als einer waren wir stark, als zwei Individuen wären wir gescheitert.“

Kasper seufzte.

Thomas starrte ihn fassungslos an, überrascht von seiner Enthüllung. Aber machte es wirklich nach so langer Zeit noch einen Unterschied? Es änderte nichts an der Tatsache, dass Kasper grausam und gewalttätig war. Und aus diesem Grund hatte er Kasper verlassen, und nicht, weil er untreu war.

„Du hast deine Macht benutzt, um Anderen auf die schlimmste Art und Weise, die ich je gesehen habe, wehzutun.“

„Nein, das habe ich nicht getan. Keegan war derjenige, der seine Macht nicht beherrschen konnte. Seine Ausbrüche waren gewalttätig. Er hatte kein Mitleid. Das unterschied uns. Ich hatte Mitgefühl für Andere, er besaß diese Fähigkeit nie. Das hat ihm letztendlich auch den Tod gebracht. Ich hatte ihn gewarnt. Aber er wollte nicht auf mich hören und verfolgte einen Weg, von dem ich ihn nicht abbringen konnte. Ich versuchte es. Ich folgte ihm und fand dadurch dich wieder. Ich konnte mich nicht in den Kampf zwischen euch einmischen, ohne mich selbst zu entlarven, sonst wäre ich genau wie mein Bruder umgekommen. Aber glaube mir, wenn ich dir sage, dass ich während des Kampfes für dich mitgefiebert habe, denn ich wollte, dass du gewinnst."

Thomas spürte einen Schauer über seinen Rücken hinunter rasen. Durfte er seinen Ohren trauen? War es wirklich Keegan gewesen, der all diese Gräueltaten begangen hatte? War Kasper schuldlos? Er schüttelte den Kopf.

„Bitte sag mir nicht, du wärst ein Chorknabe. Du warst damals schon kein Heiliger, und jetzt bist du auch keiner! Der Mord an Sergio und seiner Gefährtin trug deine Handschrift. Leugne es nicht!"

„Ach ja, das war ein sehr unglücklicher Vorfall. Und derjenige, der dafür verantwortlich ist, wurde bestraft. Ich fürchte, dass einige meiner Anhänger noch dieselben Verfahren anwenden, die ihnen mein Bruder eingeflößt hat. Ich hatte versucht, sie nach seinem Tod umzuschulen, aber viele dieser Dinge sind so tief verwurzelt, dass sie schwer zu beseitigen sind. Ich bevorzuge sauberere Methoden, um an mein Ziel zu gelangen."

„Ach ja? Und was ist dein Ziel, Kasper?", fragte Thomas seinen Schöpfer und ehemaligen Geliebten immer noch misstrauisch.

„Du kennst mein Ziel. Ich habe dir davon in jener Nacht, als ich dich traf, erzählt. Ich will, dass unsere Spezies akzeptiert wird. Damit wir frei sind, so zu leben, wie wir wollen, ohne Verfolgung, ohne Zwang. Ich dachte, das wolltest du auch. Deshalb hast du dich mir damals angeschlossen. Hat sich das geändert?"

Thomas antwortete nicht sofort. Sein innigster Wunsch war immer noch der gleiche: für das, was er war, nicht verurteilt zu werden und so geliebt zu werden, wie er war. „Ich habe den Respekt meiner Kollegen."

„Bist du dir da so sicher?"

Thomas kniff die Augen zusammen. „Was willst du damit andeuten?"

„Wusstest du, dass Samson vor ein paar Nächten ein geheimes Treffen in Zanes Haus abhielt?"

Thomas war sich dessen nicht bewusst, aber das musste nichts bedeuten. „Das ist irrelevant."

„Das sagst du, weil du nicht weißt, was auf der Sitzung diskutiert wurde. Wusstest du, dass Samson dein Geheimnis ausgeplaudert hat?"

„Er würde sein Versprechen nie brechen", protestierte Thomas, ohne zu zögern.

„Sei doch nicht so naiv! Das war schon immer dein Problem. Du siehst immer nur das Beste in den Anderen, wenn du doch das Schlimmste annehmen solltest. Samson verriet dich genauso wie Eddie."

„Nein! Das kannst du nicht beweisen." Thomas versuchte verzweifelt, sich an seine Überzeugung zu klammern, dass sein ältester Freund und Kollege sein Versprechen gehalten hatte.

„So wie ich nicht beweisen konnte, dass Eddie dich hintergangen hat?" Kasper stieß ein bitteres Lachen aus und hob sein iPhone wieder hoch. „Möchtest du gerne hören, was Samson gesagt hat?"

Tu es nicht!, plädierte eine Stimme in seinem Inneren. *Du willst es nicht hören. Es wird alles nur noch schlimmer machen. Eddie hat dich verraten. Sie haben dich alle verraten. Du bedeutest ihnen nichts. Nichts. Es war alles eine Lüge.*

Er atmete tief ein.

Spür deine Macht! Sie gehört dir!

Thomas fühlte einen Bolzen elektrischen Stromes durch ihn schießen und konnte jetzt die dunkle Macht körperlich spüren. Sie wickelte sich um ihn herum, ummantelte ihn, beschützte ihn und wog ihn in Sicherheit. Sie war das einzige, dem er jetzt vertrauen konnte, denn sein Vertrauen in Scanguards und seine alten Freunde war zerschmettert worden.

Er legte seine Hand auf Kaspers iPhone. „Nein, das ist nicht nötig."

~

KASPER STIESS INNERLICH einen Seufzer der Erleichterung aus und ließ die Spannung aus seinem Körper weichen. Es bedurfte immer einer Menge Energie, um einen anderen Vampir mit Gedankenkontrolle zu beeinflussen, ohne dass dessen Selbstverteidigungsinstinkte wachgerufen wurden.

Glücklicherweise hatte er Thomas lange genug provoziert, um dessen dunkle Macht hervor zu locken und Kasper so einen Eingang zu verschaffen. Kasper hatte seiner eigenen Macht erlaubt, sich mit der von Thomas zu verbinden, damit sein ehemaliger Geliebter Kaspers Gedanken als seine eigenen akzeptierte. Er hatte ihn nur ein bisschen anstupsen müssen, um ihn über den Rand zu treiben.

Als Thomas weiterhin Kaspers Motive in Frage gestellt hatte, hatte er schnell denken müssen, um die Situation in die richtige Richtung zu leiten. Denn trotz der Tatsache, dass Eddie Thomas hintergangen hatte, hatte Thomas sich noch an seine Verbindung mit Scanguards geklammert.

Jetzt nicht mehr.

Bis Thomas herausfand, dass Samson sein Versprechen nicht gebrochen hatte, wäre er schon so tief im Sog der dunklen Macht, dass er dem nicht mehr entkommen konnte, selbst wenn er es versuchte. Kasper war sich dessen sicher. Thomas würde Tag und Nacht von ihm und seinen Anhängern umgeben sein und ihre kollektive dunkle Macht würde wie eine Droge auf Thomas wirken und seine eigene Macht verstärken. So würde er nicht mehr dagegen ankämpfen können.

Nichts würde stark genug sein, ihn dieser Macht zu entziehen. Er hatte es bei seinen anderen Schützlingen miterlebt, die ebenfalls versucht hatten, dagegen anzukämpfen, nur um dem Kampf zu erliegen. Nun waren sie treu und fügsam, so wie auch Thomas es bald sein würde. Vielleicht nicht fügsam, denn für Thomas hatte er andere Pläne. Denn Thomas war stärker als sie alle zusammen. Das wusste er nur noch nicht.

Thomas wieder in sein Bett zu locken, würde etwas länger dauern, aber Kasper war geduldig. Er hatte mehr als hundert Jahre darauf gewartet. Jetzt konnte er noch ein paar Wochen länger warten. Und sobald sie blutgebunden waren, würde Thomas' Macht ihm gehören und zusammen würden sie unbesiegbar sein.

„Komm jetzt nach Hause, Thomas, wo du hingehörst."

36

Eddie hatte den ganzen Tag kein Auge zugetan. Thomas war nicht nach Hause gekommen, nachdem er aus Quinns Haus gestürmt war. Eddie hatte den ganzen Tag auf ihn gewartet, war im Wohnzimmer auf und ab gegangen und hatte gelauscht, um den vertrauten Klang von Thomas' Motorrad zu hören, wenn es sich dem Haus näherte. Aber Thomas war nicht zurückgekehrt. Mit jeder Stunde war Eddies Stimmung finsterer geworden. War Thomas ins Castro gegangen, um dort mit einem bereitwilligen Sterblichen Sex zu haben?

Eifersucht versengte seine Brust, obwohl er wusste, dass er kein Recht hatte, solche Emotionen zu verspüren. Immerhin war er derjenige gewesen, der Thomas weggestoßen und wahrscheinlich in die Arme eines anderen Mannes getrieben hatte. Er war nicht auf Thomas' Forderung, sich zu ihm zu bekennen, vorbereitet gewesen. Es war nicht der richtige Zeitpunkt oder der richtige Ort gewesen. Er hatte nicht erwartet, dass Thomas so reagieren und einfach verschwinden und den ganzen Tag ausbleiben würde. Offensichtlich hatte er ihn stärker verletzt, als er vermutet hatte.

Und ihm war noch etwas anderes klar geworden: Eddie wollte seine Beziehung zu seinem Geliebten nicht beenden. Und mit Sicherheit wollte er nicht, dass Thomas einen anderen Liebhaber fand. Allein bei diesem Gedanken juckten seine Fänge und sehnten sich nach einem bösartigen Biss.

Wenn er Thomas mit einem anderen Liebhaber fand, würde er dem Fremden die Kehle herausreißen. Er hoffte, sowohl um dessen als auch um Thomas' Willen, dass Thomas den Tag in seinem Büro bei Scanguards verbracht hatte, um sich zu beruhigen, anstatt mit einem anderen Mann Sex zu haben.

In dem Moment, als die Sonne unterging, sprang Eddie auf sein Motorrad und raste den Berg hinunter. Auf dem Weg zu Scanguards' Hauptquartier ignorierte er alle Verkehrsregeln. Nachdem er das Motorrad abgestellt und dem Wächter am Eingang seinen Ausweis gezeigt hatte, eilte er die Treppe zum obersten Geschoss hinauf. Er war zu ungeduldig, um auf den Aufzug zu warten.

Auf der Chefetage lief er durch den langen Flur in Richtung Thomas' Büro. Die Tür war geschlossen. Ohne anzuklopfen, öffnete er sie und trat ein.

Das Büro war leer. Er schnupperte, aber kein frischer Duft zeigte an, dass Thomas in den letzten vierundzwanzig Stunden hier gewesen wäre.

„Verdammt!", fluchte er.

Er zwang sich zu ein paar beruhigenden Atemzügen und griff nach seinem Handy, dann hielt er inne. Würde Thomas überhaupt antworten, wenn er sah, dass Eddie ihn anrief? Und was würde er ihm am Telefon überhaupt sagen? Dies war ein Gespräch, bei dem sie sich in die Augen schauen mussten. Frustriert schob er das Telefon wieder in die Tasche, verließ das Büro und schloss die Tür hinter sich.

Im Flur eilte er an Cain vorbei.

„Hey, Eddie, was ist los?"

Eddie blickte sich nicht einmal um und ging weiter. „Nichts. Muss ein paar Sachen erledigen." Dann drückte er die Tür zum Treppenhaus auf, rannte die Treppe hinunter und verließ das Gebäude durch den Seitenausgang, damit er nicht noch jemandem begegnete und aufgehalten wurde. Er musste Thomas finden, bevor die Situation eskalierte.

Es dauerte nur wenige Minuten, bis er im Castro ankam, wo sich Thomas' Lieblingskneipen befanden. Hierher kam er normalerweise, um sich Männer aufzureißen. Die Gegend wimmelte nur so von schwulen Männern aller Altersgruppen. Und so gut aussehend wie Thomas war, hatte er nie Probleme, innerhalb von Sekunden einen willigen Sexpartner zu finden. Die Männer umschwärmten ihn förmlich. Eddie hatte es auf ihren gemeinsamen Patrouillen oft genug mitbekommen. Er war darüber immer verärgert gewesen und fragte sich jetzt, ob er schon damals eifersüchtig gewesen war. Er konnte es sich gegenüber jetzt zugeben: Der Gedanke, dass Thomas in den Armen eines anderen Mannes lag, fraß ihn von innen heraus auf.

Eddie suchte eine Bar nach der anderen in der Castro ab und hielt Ausschau nach Thomas' Motorrad. Dort, wo Thomas bekannt war, fragte er sogar die Barkeeper, ob sie ihn gesehen hätten, aber die Antwort war immer die gleiche.

„Schon eine Weile nicht mehr."

Enttäuscht verließ Eddie die letzte Bar in der Castro und schlich zurück zu seinem Motorrad. Er lehnte sich an das Gefährt und schloss für einen Moment die Augen. Wohin war Thomas verschwunden? Wenn er nicht in der Castro war, um sich einen Typen aufzureißen, wo war er dann?

Ein schrecklicher Gedanke schlich sich in seinen Kopf. Was, wenn Thomas sich etwas angetan hatte? Was, wenn Eddies Ablehnung zu viel für ihn gewesen war? Die Vorstellung schockte ihn und er zog eilig das Handy aus seiner Jackentasche. Mit zitternden Händen wählte er Thomas' Nummer.

„Bitte heb ab", flüsterte er vor sich hin.

Aber das Telefon klingelte nur, bis Thomas' Voicemail sich einschaltete.

Gabriel tippte ein zweites Mal sein Passwort ein, aber der Hinweis auf seinem Bildschirm war der gleiche wie zuvor: Passwort abgelaufen.

„Mist!", fluchte er. Die Sicherheitsverfahren in Sachen IT waren bei Scanguards so streng, dass alle Mitarbeiter jeden Monat ihr Passwort ändern mussten, und wenn sie die zweitägige Frist verpassten, mussten sie die IT Abteilung darum bitten, ihr Passwort wieder zu aktivieren.

Gabriel wählte die Nummer für den IT-Helpdesk und trommelte mit den Fingern auf den Schreibtisch.

„IT-Helpdesk", ertönte eine gelangweilte männliche Stimme.

„Ja, hier ist Gabriel Giles. Mein Passwort muss wieder aktiviert werden."

„Einen Augenblick", sagte er.

„Legen Sie mich nicht in die Warteschleife!", antwortete Gabriel, aber es war zu spät. Er hörte ein Klicken in der Leitung und fade Aufzugsmusik erklang in seinen Ohren.

Gabriel knurrte. Wusste dieser Idiot nicht, mit wem er es zu tun hatte?

Sekunden verstrichen, dann plötzlich hörte er ein weiteres Klicken in der Leitung.

„Es tut mir leid, Mr. Giles, aber ich habe keinen Zugang auf die Profile der Führungskräfte. Diese werden ausschließlich von Thomas gehandhabt. Ich kann Sie durchschalten."

„Nicht notwendig!"

Gabriel knallte den Hörer auf die Gabel und schoss von seinem Schreibtisch hoch. Als Direktor sollte er nicht solchen idiotischen Regeln unterliegen, nur um auf die Dateien der Firma zuzugreifen. Er brummte vor sich hin, verließ sein Büro und wandte sich zu dem neben seinem. *Thomas Brown, Director, IT,* hieß es auf dem Schild.

Gabriel klopfte ungeduldig und öffnete die Tür, ohne eine Antwort abzuwarten.

„Thomas, du musst –" Er blieb wie angewurzelt stehen. Das Büro war leer.

Genervt wandte er sich wieder um, zog sein Handy aus der Tasche und wählte Thomas' Nummer. Es klingelte mehrmals.

„Sie haben Thomas erreicht. Hinterlassen Sie mir eine Nachricht", hallte dessen Stimme in sein Ohr.

„Wo bist du?", brüllte Gabriel ins Telefon. „Mein verdammtes Passwort muss aktiviert werden."

Er legte auf und sah den Gang hinunter, wo Cain gerade um die Ecke kam.

„Hast du Thomas gesehen?", rief er Cain zu.

„Nein, habe ich nicht. Hast du Eddie gefragt? Er kam vor einer Weile aus Thomas' Büro."

Gabriel nickte dankend und wählte Eddies Handy.

Es klingelte mehrmals, bis Eddie das Gespräch schließlich annahm.

„Gabriel? Was kann ich für dich tun?"

„Wo ist Thomas? Mein verdammtes Passwort ist abgelaufen und er ist der Einzige, der es wieder aktivieren kann."

Es gab eine Pause, und Gabriel dachte schon, dass die Verbindung unterbrochen worden wäre.

„Eddie?"

„Äh, Gabriel. Thomas ist gestern nicht nach Hause gekommen. Ich habe ihn seit der Party bei Quinn nicht mehr gesehen."

„Was?“ Ungläubigkeit breitete sich in ihm aus.

„Ich weiß nicht, wo Thomas ist, und er geht nicht an sein Telefon.“

Aus dem Augenwinkel bemerkte Gabriel, wie Cain sich näherte und ihn neugierig ansah.

„Und das berichtest du erst jetzt?“

„Hey, er hat ein Recht auf sein Privatleben.“

Wut schoss durch Gabriel. „Das hat mit seinem verdammten Privatleben nichts zu tun! Wenn jemand von Scanguards verschwindet, gibt es ein Protokoll, an das wir uns halten. Das solltest du wissen!“

Angepisst legte er auf und begegnete Cains neugierigem Blick.

„Was ist los?“

Gabriel deutete auf das Telefon. „Thomas ist nicht nach Hause gekommen. Er verschwand nach der Party.“

„Du meinst, nicht einmal Eddie weiß, wo er ist?“ Die Überraschung war aus Cains Stimme zu hören. „Aber ...“

„Wir müssen ihn finden.“

„Denkst du, es ist ihm was passiert?“, fragte Cain.

Gabriel ignorierte die Frage, denn er wollte nicht an die vielen Möglichkeiten denken, was alles passiert sein könnte. Er hoffte, dass Thomas einfach unterwegs war, um einen Tag voller Sex und Blut zu genießen, und noch im Bett irgendeines Kerls lag. Allerdings war Thomas zu gewissenhaft, um nicht Bescheid zu geben, wo er im Notfall erreichbar war.

„Finde heraus, ob er irgendwelche Nachrichten am Empfang hinterlassen hat“, wies Gabriel Cain an.

„Bin schon dabei.“

37

Samson saß in seinem Büro bei Scanguards, nachdem er Stunden zuvor über Thomas' Verschwinden benachrichtig worden war, als die Tür aufgerissen wurde.

„Jetzt sag mir, was hier wirklich vor sich geht!", donnerte Gabriel, stürmte herein und schlug mit der Faust auf Samsons Schreibtisch. „Und tisch mir keine Scheiße mehr auf!"

Samson sprang auf und funkelte ihn an. „Was zum Teufel soll das?"

„Das werde ich dir sagen: Cain hat sich gerade von seiner Patrouille gemeldet. Er sah Thomas in Xanders Hauptquartier in Chinatown. Und es sah so aus, als wäre er aus freiem Willen dort."

„Ach Scheiße!", fluchte Samson. „Ich habe befürchtet, dass das passieren würde." Er fuhr sich mit der Hand durch sein dichtes, dunkles Haar.

„Was zum Teufel soll das bedeuten?"

Samson deutete auf einen Stuhl. „Setz dich, Gabriel."

Gabriel verschränkte die Arme vor der Brust. „Ich stehe lieber."

„Wie du willst." Samson machte eine kurze Pause. „Thomas kam vor ein paar Nächten zu mir. Nachdem er bei Xander war. Alles, was ich dir und den anderen in Zanes Haus erzählt habe, stimmt. Aber ich habe etwas ausgelassen. Leider trägt Thomas eine dunkle Macht in sich, dieselbe dunkle Macht, die auch sein Schöpfer besaß. Die Gleiche, die Xander und seine Leute beherrscht. Thomas hat sein ganzes Leben lang versucht, diese Macht zu unterdrücken. Aber jetzt, wo diese Vampire hier sind, spürt das seine Macht und fühlt sich von ihnen angezogen. Er erzählte mir, dass es immer schwieriger für ihn wird, nicht darauf einzugehen und der Anziehungskraft zu erliegen."

„Verdammt!", zischte Gabriel. „Warum hast du uns nicht gewarnt? Wir hätten Thomas rund um die Uhr beobachten lassen können. Das hätte verhindert werden können!"

„Ich konnte es dir nicht sagen. Ich gab ihm mein Wort!"

„Scheiß drauf! Jetzt siehst du, zu was das geführt hat! Thomas hat sich ihnen angeschlossen!"

„Das können wir nicht mit Bestimmtheit sagen", protestierte Samson, aber er wusste, er sprach mehr aus Hoffnung als aus Überzeugung.

„Wir müssen etwas unternehmen", forderte Gabriel.

Samson nickte und fühlte die Last der Verantwortung auf seinen Schultern liegen. „Wir müssen ihn davon überzeugen, zu uns zurück zu kommen."

SAMSON TRAT aus dem Schatten des Gebäudes, als er sah, dass die Tür sich endlich öffnete. Er hatte mehrere Nachrichten auf Thomas' Handy hinterlassen und ihm auch noch Emails geschickt, als ihm klar geworden war, dass Thomas sein Handy ausgeschaltet hatte. Es schien, als reagierte Thomas endlich darauf, indem er das Haus in Chinatown verließ.

Hinter Samson blieben seine Freunde Amaury, Gabriel und Zane im Hintergrund, obwohl er wusste, dass Thomas in der Lage wäre, sie zu spüren, genauso wie Samson spürte, dass Thomas nicht alleine war. Im Schatten des überdachten Eingangs stand ein anderer Vampir so weit hinten, dass Samson sein Gesicht nicht sehen konnte.

Samson überquerte halb die Straße und sah sich in seiner Umgebung um. Es gab kaum Verkehr so spät in der Nacht, und da die Geschäfte auf dieser kleinen Seitenstraße geschlossen waren, schien niemand sonst sich hier aufzuhalten.

„Was willst du?", fragte Thomas, seine Worte abgehakt und die

Freundlichkeit, die normalerweise in seiner Stimme mitschwang, war verschwunden, als wären sie Fremde. Nein, schlimmer: als wären sie Feinde.

„Wir müssen reden, alleine." Samson deutete mit dem Kopf in Richtung des Fremden im Schatten.

„Wenn das der Fall wäre, wärst du auch alleine gekommen", erwiderte Thomas, als sein Blick an Samsons Schultern vorbei schweifte.

„Wir sind alle Freunde –"

„Freunde halten ihre Versprechen", unterbrach Thomas ihn. Ein Knurren riss sich aus dessen Kehle. „Freunde verraten ihre Freunde nicht."

„Ich habe dich nicht verraten! Das ist die dunkle Macht in dir, die das behauptet. Du musst sie bekämpfen, Thomas!"

„Nein, im Gegenteil. Ich muss sie nicht mehr bekämpfen. Weil ich nichts mehr zu verlieren habe." Sein Unterkiefer wurde starr, als drängte er ein Gefühl zurück, das so stark war, dass es ihn zu überwältigen drohte.

„Das ist nicht wahr, Thomas. Du hast ein wunderbares Leben mit uns. Jeder bei Scanguards liebt und respektiert dich. Wir brauchen dich!"

Thomas stieß ein bitteres Lachen aus. „Ein wunderbares Leben? Du redest dich leicht, Samson. Ihr alle redet euch leicht", fügte er hinzu und blickte in Richtung der Schatten, wo seine drei Kollegen stumm standen. „Ihr habt alle Jemanden, der euch liebt. Eine Gefährtin. Ich habe nichts! Versteht ihr das? Nichts! Die einzige Person, die ich liebte, hat mich betrogen. Wisst ihr, wie sich das anfühlt?"

Einen Moment lang verstand Samson nicht, auf wen Thomas sich bezog. Dann wagte er eine Vermutung. „Eddie?"

Der Schmerz in Thomas' Augen bestätigte, dass er richtig geraten hatte.

„Aber du wusstest doch schon immer, dass du Eddie niemals haben könntest. Er ist hetero." Und Thomas hatte das immer akzeptiert. Samson wusste das mit Bestimmtheit. Warum war dies also plötzlich ein Thema?

„Lass mich in Ruhe, Samson. Ich kann nicht mehr so weitermachen. Ich kann nicht so leben, wie ihr es von mir erwartet."

„Tu es nicht, Thomas! So bist du nicht!" Er deutete auf die Person hinter Thomas. „Du bist nicht wie sie. Du bist nicht grausam. Du bist nicht böse."

„Woher willst du das wissen? Ich habe dir nie gezeigt, was ich mein ganzes Leben lang verborgen hielt. Du hast nur gesehen, was ich dir erlaubte zu sehen. Das gilt für euch alle! Keiner von euch kennt mich!" Thomas drehte sich um.

Samson gab seinen Freunden ein Signal und sie stürmten in Thomas' Richtung. Wenn Thomas nicht freiwillig zu ihnen zurückkommen würde, würden sie ihn zwingen müssen. „Komm zu uns zurück!"

Thomas machte auf den Fersen kehrt, seine Augen rot, als er sie auf Samson richtete.

„Scheiße!", fluchte Samson, als ihm klar wurde, was passieren würde. Er wappnete sich für den Angriff, aber es gab keine Verteidigung dagegen.

Der erste Schmerzenspfeil bohrte sich in seinen Kopf, blendete ihn fast und der zweite katapultierte ihn mehrere Meter zurück. Er landete auf seinem Hintern und spürte, wie eine Rippe brach, als er gegen den Bordstein knallte.

Amaury, Zane und Gabriel stürmten nach vorne, aber ein Blitz von Thomas' ausgestreckten Händen hielt sie zurück.

„Nicht weiter, oder ihr werdet alle sterben!"

Ungläubigkeit breitete sich in Samson aus, als er sich hochzog. Dies war nicht Thomas. Dies war nicht der sanfte Biker, den er sein ganzes Leben lang gekannt hatte. Jemand zog die Fäden hinter den Kulissen, und solange sie Thomas nicht von seinem Puppenspieler trennen konnten, konnten sie ihn nicht von dem Weg abbringen, den er gewählt hatte.

„Wir gehen. Für jetzt", gab Samson nach.

Aber sie würden wieder kommen und beim nächsten Mal eine Armee mitbringen. Was auch immer sie tun mussten, sie würden Thomas zurückbekommen.

~

„Ich bin stolz auf dich", sagte Kasper und klopfte ihm auf die Schulter.

Thomas schüttelte seine Hand ab und ging zum Kamin im Wohnzimmer, wo ein niedriges Feuer brannte. Trotz dessen Wärme fühlte er die Kälte in seine Knochen kriechen. Seitdem er sich Kasper angeschlossen hatte, spürte er diese Kälte nun schon. Als ob alle Wärme ihn verlassen hätte und nun Eis in seinen Adern floss.

„Es war nicht notwendig, mit mir nach draußen zu gehen. Oder hast du mir nicht vertraut, dass ich die Sache im Griff habe?"

„Ich traue denen nicht", lenkte Kasper ein. „Und ich hatte recht. Sie versuchten, dich auf ihre Seite zurückzubringen. Wie sich herausstellt mit Gewalt. Benehmen sich so wirkliche Freunde?"

In seinem Inneren wühlte sich die dunkle Macht auf und drückte Wut seine Brust hoch. „Nein!"

„Ich beschütze die, die ich liebe." Kasper Stimme verwandelte sich in ein raues Murmeln und Thomas spürte ihn näher kommen. Er hatte bisher Kaspers Versuche zu körperlicher Intimität abgewiesen, und auch jetzt war er nicht dazu in der Stimmung.

„Ich will allein sein."

Kasper seufzte und kam nicht näher. „Na gut. Ruhe dich eine Weile aus. Es gibt viel zu tun. Und ich will, dass du gut erholt bist."

Thomas nickte und wartete, bis Kasper den Raum verlassen hatte, bevor er seine Stirn gegen den Kaminsims lehnte und seine Hände zu beiden Seiten an die Wand stemmte. Sein Kopf schmerzte vom Kampf mit Samson. Und sein Herz schlug wie wild. Es gefiel ihm nicht, wie die dunkle Macht ihn gleichgültig gegenüber der Gefühle und Sorgen für Andere gemacht hatte. Er fühlte nichts, nur Leere. Würde das so in seinem Leben bleiben? So konnte er nicht leben. Die winzigen Spuren der Skrupel, die aus seinem Herzen herauskrochen, wurden größer und machten sich zunehmend bemerkbar.

Plötzlich wurde er nach hinten gerissen und fühlte, wie die dunkle Macht gegen die Skrupel, die in seinen Geist eindrangen, kämpfte. Er war viele Jahre in der Lage gewesen, das Böse in sich zu besiegen, aber es schien, dass er nun diese Fähigkeit verloren hatte. Er fühlte sich unter dessen Bann, gefangen und gefesselt. Gab es denn keinen Weg zurück für ihn? Keine Möglichkeit, seine Menschlichkeit wieder zu erlangen?

Er warf einen Blick auf das Holz, das neben dem Kamin gestapelt war, und bückte sich, um ein Stück davon ins Feuer zu werfen, als er etwas in seiner Tasche spürte. Er griff hinein und spürte den Pflock, den er immer bei sich trug. Er zog ihn aus seiner Jackentasche und starrte ihn an.

Vielleicht gab es doch einen Weg, die Macht zu besiegen und den Bann zu zerstören, unter dem er stand.

Er umklammerte den Pflock fest in seiner rechten Hand und hielt die Spitze an seine Brust. Schwer schluckend legte er seine andere Hand darüber und holte tief Luft. Seine Gedanken schweiften zu Eddie und die Art, wie er ihn in jener Nacht angesehen hatte, bevor er weggefahren war: mit einem Versprechen in seinen Augen. Doch das war alles eine Lüge gewesen.

Er fühlte, wie sich ein Schluchzen von seiner Brust riss und schloss die Augen. Mit aller Kraft stieß er den Pflock gegen sein Herz, aber er traf auf Widerstand. Seine Hände arbeiteten gegen einen unsichtbaren Feind, kämpften darum, den Pflock zu halten und ihn nicht zurückzuziehen. Die Spannung in seinen Schultern erhöhte sich und mit einem heftigen Ruck wurden seine Hände zur Seite gerissen und ließen von dem Pflock ab. Er fiel ins Feuer, während Thomas zurückgeschleudert wurde. Ungläubigkeit raste durch ihn. Seine Macht war so stark, dass sie jetzt seinen Körper steuerte. Sie würde ihm nicht erlauben, sein eigenes Leben zu nehmen, da dies auch die Macht zerstören würde. Und die Macht wollte überleben.

„Thomas“, drang Xanders Stimme zu ihm.

Thomas wirbelte herum, wütend darüber, gestört zu werden, und funkelte den Vampir an. Mörderische Gedanken kamen in ihm hoch und er streckte die Arme knurrend nach ihm aus.

„Ich sagte, ich wollte alleine sein!“

Vor seinen Augen legten Xanders Hände sich um seinen eigenen Hals und er begann, sich selbst zu erwürgen. Fassungslos über seine eigenen Handlungen starrte Xander ihn an. Aber Thomas übte weiterhin Gedankenkontrolle auf ihn aus, damit er noch fester zudrückte. Xanders Versuch, ihn mit Gedankenkontrolle abzuwehren, war vergeblich. In der Tat spürte Thomas dessen Macht kaum, obwohl Xander ihn an dem Abend, als er zum ersten Mal dieses Haus betreten hatte, mit Leichtigkeit besiegt hatte. Nichts von jener Macht war jetzt zu spüren.

War es möglich, dass Xander in jener Nacht Hilfe gehabt hatte? Hatte Kasper seine eigene Macht in Xander gesandt, um seinem Anhänger bei Thomas’ Niederlage zu helfen? Um ihn glauben zu lassen, dass all seine Anhänger stärker und mächtiger waren, als es tatsächlich der Fall war?

Thomas ließ von Xanders Geist ab und dieser senkte sofort seine Arme und keuchte.

„Geh mir aus den Augen! Oder ich werde dich zerquetschen!“, warnte er ihn.

Mit panischem Blick stolperte Xander aus dem Zimmer.

In Thomas’ Innerem begann die dunkle Macht, sich zu beruhigen. Sie war für einen Augenblick befriedigt worden. Sie hatte ihre Überlegenheit bewiesen und war jetzt beschwichtigt. Aber für wie lange?

38

Eddie hörte das Klingeln seines Handys über seinen mit Bluetooth ausgestatteten Helm, als er sein Motorrad durch den leichten Verkehr navigierte. Auf der Suche nach Thomas hatte er die Stadt durchkämmt. Ohne Erfolg. Mit jeder Stunde, die verging, fühlte er sich schlechter, weil er wusste, dass all das seine Schuld war. Thomas war seinetwegen verschwunden, also war es seine Aufgabe, ihn zu finden.

Er beantwortete den Anruf. „Ja?"

„Ich dachte, ich sollte es dir sagen. Wir wissen, wo Thomas ist", sagte Cain.

Eddies Herz hüpfte und die Last, die auf seinen Schultern gelegen hatte, fiel ab. Jetzt würde alles gut werden. Er würde zu Thomas gehen und mit ihm reden. Ihm gestehen, was er wirklich in seinem Herzen verspürte und sich entschuldigen. „Wo?"

„Äh, er ist bei Xander und seinen Leuten."

Der Schock brachte Eddies Herz zum Stillstand. „Sie haben ihn gefangen genommen? Scheiße!" Seine Hände formten sich zu Krallen und seine Reißzähne verlängerten sich. Er würde diesen Mistkerlen bei lebendigem Leib das Fell über die Ohren ziehen, wenn sie Thomas etwas antaten.

„Nein, Eddie. Das haben sie nicht."

„Aber du hast doch gerade gesagt –"

„Er hat sich ihnen angeschlossen“, unterbrach Cain ihn.

„Sich ihnen angeschlossen? Das würde er nie tun!“ Eddie versucht, die Informationen zu verarbeiten und verlangsamte sein Motorrad.

„Tut mir leid. Ich dachte, du solltest es erfahren, da du und er ...“ Am anderen Ende der Leitung entstand eine Pause. „Hör zu, es geht mich ja nichts an, aber wenn du ihn liebst, dann wäre jetzt der richtige Zeitpunkt, ihm zu helfen. Wenn jemand es kann, dann bist du das.“

Fassungslos schnappte Eddie nach Luft. Wie konnte Cain wissen, dass er Thomas liebte, wo er es doch gerade selbst erst kapiert hatte? „Wie hast du es herausgefunden?“

„Ich sah dich und ihn in seiner Garage küssen. Ich wollte euch nicht nachspionieren, aber ich kam gerade zufällig vorbei.“

„Verdammt!“, zischte Eddie.

„Hey“, beschwichtigte Cain ihn schnell. „Ich verurteile ja niemanden. Was auch immer dich anmacht. Ich sage ja nur, wenn es etwas gibt, dass du und er bereinigen müsst, um euch wieder zu vertragen ...“

„Uns wieder zu vertragen?“

„Ja, ist ja ziemlich offensichtlich. Als ihr beide bei Olivers Party wart, lag eine Spannung zwischen euch. Und dann ist Thomas vorzeitig gegangen. Hör zu, es ist mir egal, worum es geht. Nicht meine Angelegenheit. Aber wenn es etwas gibt, was du tun kannst ... Samson hat es schon versucht, aber er ist nicht zu ihm durchgekommen. Amaury sagte, dass Thomas behauptet hat, er hätte nichts mehr zu verlieren.“

„Ach Scheiße“, fluchte Eddie. Thomas war wegen ihm ausgerastet. „Du musst nicht mehr sagen. Wer bewacht das Haus in Chinatown?“

„Jay, warum?“

„Ruf ihn an und sag ihm, ich werde ihn in fünfzehn Minuten ablösen.“

„Was hast du vor?“

Was er schon die ganze Zeit plante. „Ich werde mit Thomas reden.“ Und wenn reden nicht genug wäre, würde er auf seine Knie fallen. Hatte Thomas nicht einmal gesagt, dass er es nicht altmodisch fände, auf die Knie zu fallen? Plötzlich fand Eddie es auch nicht mehr altmodisch.

Eddie wendete und fuhr Richtung Chinatown, wo er in Rekordzeit ankam. Er parkte das Motorrad und eilte zu dem dunklen Eingangsbereich, wo Jay wartete.

„Hat sich was bewegt?“, fragte Eddie statt einer Begrüßung.

Jay schüttelte den Kopf. „Niemand ist in den zwei Stunden, die ich schon hier bin, hinein- oder hinausgegangen. Ich übergebe dann an dich."

Eddie hob die Hand zum Abschied und blickte zu dem Haus auf der anderen Straßenseite. Die Lichter brannten in mehreren Räumen, aber er konnte nicht erkennen, ob sich im Inneren des Hauses etwas bewegte. Er schob sich mit einer Hand das Haar aus seinem Gesicht und erkannte, dass dies eine Geste war, die er von Thomas übernommen hatte.

Während der vielen Monate, in denen sie schon zusammenlebten, hatte er sich so an Thomas gewöhnt. Was mit Thomas als sein Mentor begonnen hatte, hatte sich zu einer Freundschaft entwickelt und jetzt, wo er ihn weggestoßen hatte, wurde ihm schließlich klar, wie viel ihm dessen Freundschaft bedeutete. Aber Freundschaft allein war nicht mehr genug. In der letzten Woche hatten sich seine Gefühle für Thomas vertieft und Freundschaft hatte sich in einem Wimpernschlag in Liebe verwandelt. Es war an der Zeit, sich der Sache zu stellen, wie Thomas es gefordert hatte. Eddie war jetzt dazu bereit.

Mit entschlossenen Schritten überquerte er die Straße und stieg die paar Stufen zur Eingangstür des Hauses hoch. Er klingelte, einmal, zweimal, dann ein drittes Mal. Er lauschte, aber keine Geräusche kamen aus dem Inneren.

„Thomas", rief er aus. „Ich bin's, Eddie!"

Thomas würde ihn hören, davon war er überzeugt. Dennoch kam niemand zur Tür. Frustriert stieß er den Atem aus. Aber er würde jetzt nicht aufgeben. Er war so weit gekommen und würde sich nicht von einer dünnen Tür aufhalten lassen.

Er sah zu seiner Rechten. Oder einem Fenster. Sich am Handlauf abstützend hob er sein Bein hinauf und stieß seinen gestiefelten Fuß durch die Scheibe, die beim Aufprall zerschmetterte. Er griff mit der Hand hinein, schloss die Fensterverriegelung auf und schob das Fenster hoch. Dann zog er sich hoch und kroch durch die schmale Öffnung.

Als er drinnen war, sprang er sofort auf, bereit, sich zu verteidigen, sollte jemand von Xanders Leuten schon auf ihn warten, doch zu seiner Überraschung war er allein in der Diele. Selbst ein Mensch hätte sein lautstarkes Eindringen gehört. In einem Haus voller Vampire hätten sie schon auf ihm kleben sollen wie ein Bär auf dem Honig. Irgendetwas stimmte hier nicht.

Seine Eingeweide verkrampften sich voller Unbehagen, als er weiter ins

Haus vordrang. Ein großes Wohnzimmer, dessen Tür weit offen stand, lag auf dieser Etage. Es war warm, aber leer. Eddie sah zum Kamin: Ein niedriges Feuer knisterte noch dort und wies darauf hin, dass, wer auch immer hier gewesen war, das Haus vor nicht allzu langer Zeit verlassen haben konnte.

Eddie drehte sich um und setzte seine Suche fort, seine Sinne auf einen möglichen Hinterhalt vorbereitet, als er die Treppe hochstieg. Die meisten Räume auf der nächsten Etage waren Schlafzimmer und Badezimmer. Die Fenster waren mit schweren Vorhängen verhangen und die Unordentlichkeit in den Zimmern zeigte an, dass die Einwohner sie übereilt verlassen hatten. Aber wie?

Das Haus war, seitdem sie herausgefunden hatten, dass es Xanders Hauptquartier war, beobachtet worden. Und Jay hatte bestätigt, dass niemand gekommen oder gegangen war.

Seine Suche auf der obersten Etage brachte keine anderen Ergebnisse. Sie war genauso leer wie die anderen Stockwerke. Frustriert kehrte er zurück in den ersten Stock und sah sich noch einmal um. Er wandte sich zum Wohnzimmer und ließ seine Augen über die Möbel und die holzvertäfelten Wände schweifen. Dann marschierte er zurück in den Flur. Die Tür zum WC stand offen. Neben einer Toilette und einem Waschbecken zierte ein großer, vom Boden bis zur Decke reichender Spiegel eine Wand. Eddie sah keine Reflexion von sich darin und wandte sich von dem nutzlosen Möbelstück ab.

Plötzlich stutzte er. Ein sonderbarer Gedanke durchdrang seinen Verstand. Wenn er sich noch immer rasieren müsste, würde er wahrscheinlich ohne die Hilfe eines Spiegels Schwierigkeiten haben. Vampire wurden durch keinen Spiegel reflektiert, deshalb war es selten, dass ein Vampir einen im Haus hatte.

Eddie wirbelte zurück zum WC. Er ging hinein und musterte die Stelle über dem Waschbecken. Der Spiegel darüber fehlte, ebenso wie in vielen Häusern, die Vampiren gehörten. Sein Blick fiel zurück auf den großen Wandspiegel. Er gehörte nicht hierher. Wenn jemand sich die Mühe gemacht hatte, den Spiegel über dem Waschbecken zu entfernen, warum hatte er den großen Spiegel hängen lassen? Das machte keinen Sinn. Außer der Spiegel diente einem anderen Zweck.

Sein Herz schlug schneller als gewöhnlich, als er mit seinen Händen den Rahmen des Spiegels abtastete und nach einer Vertiefung oder einem Haken suchte. Seine Finger verspürten eine Einkerbung auf einer Seite. Er drückte dagegen und hörte ein Klicken. Er ergriff den Rahmen, zog ihn zu sich und blickte dahinter. Ein dunkler Tunnel lag vor ihm. Eddie schnupperte und erkannte den Duft von Vampiren, die den Tunnel vor kurzem benutzt hatten.

Seine Vampirsehkraft war ausreichend, um sofort zu erkennen, dass er leer war. Ohne zu zögern, trat er hinein und folgte ihm um eine Biegung herum. Nach seiner Einschätzung war der Tunnel mindestens hundert Meter lang, wahrscheinlich länger, und als er plötzlich nochmals eine Biegung machte, fand Eddie sich vor einer Tür wieder. Er hörte Geräusche von vorbeifahrenden Autos.

Verdutzt drehte er den Knauf und zog an der Tür, um sie einen Spalt zu öffnen und hinauszuspähen. Er befand sich auf Höhe einer Straße. Eddie öffnete die Tür weiter und trat auf den Bürgersteig, auf der Suche nach einem Straßenschild. Er fand es sofort und erkannte, dass der versteckte Tunnel ihn zu einer Straße parallel zu der, auf der sich Xanders Hauptquartier befand, geführt hatte. Die Vampire hatten sich auf diese Weise weggeschlichen, während Scanguards den Vordereingang des Hauses beobachtet und nichts von dem geheimen Fluchtweg gewusst hatte.

„Scheiße!", fluchte er und zog sein Handy aus der Tasche.

Zurück zu seinem Motorrad eilend drückte er die Kurzwahltaste für Gabriels Nummer.

„Ja?", kam Gabriels angespannte Stimme durch die Leitung.

„Das Haus in Chinatown ist leer. Thomas ist weg. Sie sind alle weg." Die Worte drangen plötzlich zu seinem Verstand durch und sein Herz verkrampfte sich, als würde es jemand mit eiserner Faust drücken. Er musste Thomas finden.

„Wie zum Teufel –?"

„Ich fand einen geheimen Weg, der zu einer Straße dahinter führt", unterbrach Eddie ihn.

„Scheiße!"

Er erreichte sein Motorrad, schwang sich darauf, schob den Schlüssel in das Zündschloss, drehte ihn und drückte die Starttaste. Der Motor heulte auf und er kickte den Ständer weg.

„Ich werde in fünfzehn Minuten in der Zentrale sein."

Ohne Gabriels Antwort abzuwarten, beendete er das Gespräch.

Jetzt konnte er nur hoffen, dass Thomas den GPS-Chip in seinem Handy nicht deaktiviert hatte. Er musste sich beeilen, um ins IT-Labor von

Scanguards zu gelangen, um eine Spur seines Handys und damit Thomas aufzuspüren. Schnell wählte Eddie die Nummer des IT-Labors, damit sie schon beginnen konnten, das Signal des Handys zu verfolgen. Er wollte gar nicht daran denken, was er tun würde, sollte das fehlschlagen. Die Aussicht, Thomas zu verlieren, schmerzte ihn mehr, als er sich jemals hätte vorstellen können. Thomas war sein bester Freund und der einzige Geliebte, den er je haben wollte. Er brauchte Thomas, so wie er seinen nächsten Atemzug benötigte. Den Rest der Ewigkeit ohne ihn zu verbringen war unvorstellbar.

39

Die Aufzugstüren öffneten sich und Eddie stürmte auf die Chefetage von Scanguards' Hauptquartier. Er war bereits im IT-Labor gewesen und hatte Thomas' Handysignal nachverfolgt – mit enttäuschendem Resultat: Thomas hatte sein Handy ausgeschaltet, sodass es unmöglich war, ihn zu orten.

Auf der Etage ging es zu wie in einem Bienenstock. Er prallte fast mit Nina zusammen, als sie um die Ecke kam.

„Eddie!"

„Verdammt, Nina, was machst du hier? Du darfst doch gar nicht auf diesem Stockwerk sein."

Nina verdrehte die Augen. „Zu deiner Information, die Keine-Menschen-Regel auf der Chefetage gilt nicht für blutgebundene Gefährtinnen. Und außerdem, hast du vergessen, dass wir verabredet waren?"

Eddie fuhr sich mit zittriger Hand durch sein Haar und seinen Nacken hinunter und fühlte den Schweiß, der sich dort gebildet hatte. „Weswegen denn?" Er erinnerte sich an keine Verabredung.

„Um dir die Wohnung in der Nähe des Embarcaderos zu zeigen. Ich hab dir davon erzählt. Sag bloß nicht, das hast du schon wieder vergessen. Kannst du denn diese Termine nicht in deinen Kalender eintragen?"

Eddie seufzte. Vielleicht war dies ein guter Zeitpunkt, endlich ins Reine zu kommen. „Nina, ich will nicht ausziehen."

Sie starrte ihn an, ihre Augen vor Überraschung geweitet. „Was?"

Eddie legte seine Hand um ihren Arm und zog sie in den Kopierraum. „Wir müssen reden."

Nina sah zu ihm auf, während sich ein Stirnrunzeln auf ihrem Gesicht bildete. „Ich hasse es, wenn jemand ein Gespräch so anfängt. So eins endet nie gut."

„Damit hast du vielleicht recht", gab er zu und zögerte einen Moment. Er wippte auf den Fersen vor und zurück und schob seine Hände in die Hosentaschen. „Es gibt etwas, was du wissen musst." Er holte tief Luft. „Nina, ich bin schwul. Und Thomas ist mein Geliebter."

Er stieß den Atem aus und sah Nina nicht an; er könnte es nicht ertragen, die Enttäuschung in ihren Augen zu sehen. Nicht ein Wort kam von seiner Schwester. Nur betroffenes Schweigen drang zu ihm durch. Er schluckte den Kloß in seinem Hals hinunter.

„Es tut mir leid", murmelte er. „Ich habe mir das nicht ausgesucht. Es ist einfach passiert. Und ich kann es nicht rückgängig machen. Ich bin, was ich bin. Ich wollte dich nicht wieder enttäuschen."

Als eine weiche Hand seinen Unterarm berührte, riss er den Kopf hoch.

Nina sah ihn mit ihren braunen Augen an. „Mich enttäuschen? Ach, Eddie, du enttäuschst mich doch nicht. Du bist mein Bruder, meine Familie. Ich liebe dich, egal was passiert." Sie seufzte. „Sieht aus, als wäre mein Schwulenradar derzeit im Eimer. Das habe ich wirklich nicht kommen sehen."

Zaghaft erwiderte er ihr Lächeln. Hieß das, sie akzeptierte ihn so, wie er war?

„Wie lange verbirgst du das denn schon vor mir?"

Er zuckte mit den Schultern. „Ich bin mir nicht sicher, Schwesterchen. Ich glaube, ich hab's immer gewusst, aber ich hab es so sehr unterdrückt, dass ich mir nie wirklich darüber bewusst war. Aber nach meiner Verwandlung hat sich alles verändert. Meine ... äh ... Begierden sind stärker geworden, weißt du. Und als ich dann hörte, wie jemand sagte, dass Thomas für mich schwärmt, glaube ich, hat das etwas in mir ausgelöst."

„Du hast das von jemandem gehört?"

„Lange Geschichte. Spielt jetzt keine Rolle mehr. Es ist passiert und ich bin froh darüber. Aber ich hab's vermasselt, Nina. Ich habe einen Riesenfehler gemacht." Er seufzte schwer, verbarg sein Gesicht in den Händen und drückte den Schluchzer zurück, der seiner Brust entfliehen wollte.

Nina griff nach ihm und streichelte seine Wange. „Wie vermasselt?"

Er begegnete ihren Augen und sah die Besorgnis darin. Und noch etwas: Akzeptanz. Wie hatte er je daran zweifeln können, dass sie ihn immer noch lieben würde?

„Thomas wollte, dass ich mich dazu bekenne, schwul zu sein. Ich konnte es nicht. Ich wies ihn zurück, Nina. Ich habe ihm weh getan. Darum hat er uns verlassen. Er hat sich diesen Vampiren, die überall in der Stadt schreckliche Verbrechen begehen, angeschlossen. Weil ich zu feige war, meinen Mann zu stehen und allen zu sagen, dass ich ihn liebe. Verdammt, ich konnte noch nicht einmal Thomas selbst sagen, dass ich ihn liebe."

„Aber du liebst ihn?"

Eddie nickte. „Mit meinem ganzen Herzen. Ich darf ihn nicht verlieren, Nina. Das ertrag ich nicht."

Nina schlang ihre Arme um ihn. „Dann musst du alles in deiner Macht Stehende tun, um ihn zurück zu gewinnen."

Er umarmte sie eng.

„Was immer du brauchst, ich bin für dich da", flüsterte sie.

„Danke." Widerwillig ließ er sie los. Dann öffnete er die Tür zum Flur. „Du solltest jetzt nach Hause gehen. Wir müssen uns heute Nacht um eine Menge Dinge kümmern."

Sie nickte und folgte ihm in den Flur. „Ruf mich an, sobald du etwas hörst."

„Das mache ich. Und es tut mir leid, dass ich dich auf Wohnungssuche geschickt habe."

Sie lächelte als Antwort, und er sah ihr nach, wie sie in Richtung Aufzug ging.

Hinter ihm öffnete sich eine Tür. „Eddie! Da bist du ja."

Eddie wandte sich um, und sah, wie Gabriel ihn in sein Büro winkte, sein Gesicht düster. „Bin gerade zurück gekommen."

„Gut. Bevor du irgendetwas tust, musst du mein Passwort aktivieren. Die Idioten in der IT Abteilung behaupten, sie haben keinen Zugang, und ich kann ohne Zugang zum Computer nichts unternehmen."

Eddie marschierte vorbei an Gabriel und ließ sich in den Stuhl hinter seinem Schreibtisch fallen. Er öffnete ein neues Fenster auf dem Monitor. „Ich dürfte das schon hinbekommen. Thomas gab mir Zugriff auf die Management-Profile."

„Das ist die beste Nachricht, die ich heute Nacht gehört habe", erwiderte Gabriel und blickte über Eddies Schulter.

Eddie loggte sich in das Kontrollsystem ein und navigierte zum richtigen Bereich, dann fand er in der Namensliste Gabriels Namen. „Hier bist du", murmelte er vor sich hin und wählte Gabriels Profil. Ein neues Fenster öffnete sich und Eddie begann zu tippen. Er drückte die Eingabetaste, doch der Computer nahm das neue Passwort nicht an. Stattdessen erklang ein Signalton.

„Was zum Teufel?", fluchte er und tippte das Passwort erneut ein. Ein weiterer Hinweiston erklang.

„Was ist los?", fragte Gabriel.

„Ich weiß es nicht." Eddie fühlte Schweiß seinen Nacken hinunterlaufen und unter dem Kragen seines Shirts verschwinden. Argwohn schlich sich wie schnell wachsender Efeu seine Wirbelsäule hoch und legte sich um seinen Hals wie eine Boa Constrictor. Er minimierte das Fenster, öffnete ein anderes und loggte sich nochmals ein. Er klickte auf das erste auftauchende Symbol, versuchte, es so zu öffnen. Die darauffolgende Nachricht brachte das Blut in seinen Adern zum Gefrieren: „Zugriff verweigert"!

„Scheiße! Scheiße! Scheiße!"

Er klickte auf das nächste Symbol und versuchte, dieses zu öffnen, mit dem gleichen Resultat.

„Eddie, was ist los?", fragte Gabriel, seine Stimme nun noch beunruhigter als zuvor.

„Mein Zugang zu den Datenbanken wurde widerrufen."

„Übersetzung bitte!", bellte Gabriel.

„Ich kann nichts mehr in unserem EDV-System tun."

„Aber du hast dich doch gerade angemeldet!", protestierte Gabriel.

Eddie biss die Zähne zusammen. „Und jetzt hat mich jemand rausgeschmissen."

„Wer?"

Eddie blickte über die Schulter zu Gabriel. „Thomas." Mehrere Signaltöne brachten ihn dazu, zurück auf den Bildschirm zu schauen. Ein Fenster um das andere tauchte auf: „Zugriff verweigert", „Zugriff verweigert", „Zugriff verweigert."

„Er widerruft jedermanns Zugang. Gabriel, er legt uns still."

„Verdammte Scheiße!", fluchte Gabriel. „Was hat er vor?"

Bevor Eddie antworten konnte, ertönte ein ohrenbetäubender Alarm. Er wurde von Blitzleuchten auf dem Flur begleitet. Er wusste sofort, was das bedeutete.

„Er sperrt uns ein."

„Halte ihn davon ab!", schrie Gabriel.

Eddie sprang auf. „Ich muss zu den Servern im Keller gelangen." Er riss die Tür zum Flur auf und stieß draußen fast mit all den anderen zusammen, die ebenfalls voller Panik aus ihren Büros gelaufen kamen.

Samson stürmte auf ihn zu. „Wer ist dafür verantwortlich?"

„Thomas. Er legt uns still!", antwortete Eddie im Vorbeilaufen auf dem Weg zum Treppenhaus.

Er wusste, dass der Aufzug schon stillgelegt wäre. Sein Herz blieb für einen Moment stehen. Hatte Nina es rechtzeitig geschafft, das Gebäude zu verlassen? Die Sorge um seine Schwester drängte ihn dazu, schneller zu laufen. Der Serverraum war der einzige Ort, an dem er durch eine Hintertür ins EDV-System gelangen und Thomas den Hahn zudrehen konnte.

Eddie erreichte den Keller, packte den Griff der Tür, die zum Flur führte und wurde sofort gegen die Wand geschleudert. Ein elektrischer Schlag hatte ihn zurück katapultiert. Die Tür war unter Strom gesetzt worden!

„Fuck!"

Er versuchte, seinen Atem wiederzuerlangen und erhob sich auf wackeligen Beinen. Für einen Moment musste er sich mit den Händen auf seinen Oberschenkeln abstützen. Die Situation war schlimmer, als er erwartet hatte. Thomas kämpfte mit allen ihm zur Verfügung stehenden Mitteln.

Eddie eilte die Treppe wieder hinauf und erreichte die Chefetage ein paar Augenblicke später. Gabriel, Samson, Zane und mehrere andere waren im Flur versammelt. Als er hereineilte, drehten sie ihre Köpfe zu ihm, ihre Augen voller Fragen.

„Thomas ist im Gebäude!"

„Hast du ihn gesehen?", fragte Samson.

Eddie schüttelte den Kopf. „Er hat sich im Keller verschanzt. Die Zugangstür ist elektrifiziert. Er muss im Serverraum sein."

Flüche hallten durch den Flur.

„Er hat uns am Kragen“, sagte Samson, seine Lippen zu einer grimmigen Linie zusammengepresst.

Plötzlich ertönte lautes Klopfen aus Richtung des Aufzugs, gekoppelt mit einer schwachen Stimme. „Hilfe! Helft mir!“

Panikerfüllt schoss Eddie zum Aufzug, gerade als Amaury von der anderen Richtung darauf zulief.

„Nina!“, rief Eddie aus, aber seine Stimme wurde von Amaurys übertönt.

„Nina! Chérie! Wir holen dich da raus!“

40

Thomas sah über seine Schulter und beobachtete, wie Kasper seine Männer anwies, alle Räume im Keller zu durchsuchen und die unter Strom stehende Tür zur Treppe zu bewachen. Xander stand in seiner Nähe und wartete.

Jetzt, da alle Anhänger Kaspers auf engstem Raum versammelt waren, spürte Thomas ihre Macht intensiver. In der Tat konnte er fast die Machtstränge der verschiedenen Vampire isolieren als wären sie bunte Bänder, die um einen Maibaum herum hingen. Kaspers Kraft war bei weitem die stärkste und Thomas' eigene Macht wurde zu ihr wie zu einem Magneten hingezogen.

Thomas hatte seine Schlüsselkarte benutzt, um über die Tiefgarage Zugang zu dem Gebäude zu bekommen, und zuvor dafür gesorgt, dass seine Befugnisse nicht eingeschränkt worden waren, indem er sich aus der Ferne in Scanguards' Intranet eingewählt hatte. Nicht, dass er sich hätte Sorgen machen müssen: In der gesamten Firma gab es niemanden, der in der Lage gewesen wäre, ihn auszusperren. Niemand hatte höhere IT-Berechtigungen als er. Außerdem hatte er sie durch einen Angriff dort, wo sie sich in Sicherheit wähnten, überrascht. Sie waren nicht auf ihn gefasst gewesen.

Kasper hatte ihn davon überzeugt, dass eine saubere Übernahme am besten für alle Beteiligten wäre.

„Zeit, unsere Forderungen zu stellen", sagte Kasper jetzt und wandte sich zu ihm. „Alles bereit?"

Thomas nickte langsam und schaute zurück auf die Überwachungsmonitore vor sich. Er überprüfte alle Eingänge und bestätigte, dass sie abgesperrt waren. Niemand könnte das Gebäude ohne seine Erlaubnis betreten oder verlassen.

„Alles ist bereit. Niemand bewegt sich, ohne dass ich davon Wind bekomme."

„Dann lasst uns diese Show mal starten."

Thomas tippte einen Befehl in die Tastatur vor sich, dann zog er das Mikrofon zu seinem Mund.

„Wird Samson dich hören, egal wo er ist?", fragte Kasper.

„Die Sprechanlage ertönt in allen Räumen im Gebäude. Jeder wird hören, was ich zu sagen habe."

„Los!"

Thomas drückte auf den Knopf am Stand des Mikrofons. Er atmete bedächtig. „Inzwischen wisst ihr wahrscheinlich alle schon, dass ich dieses Gebäude übernommen habe." Er tauschte einen Blick mit Kasper aus, bevor er fortfuhr: „Samson, ich habe endlich meinen Weg zurück zu meinem Ursprung gefunden. Ich bin, was ich bin. Und Kasper hat mir den Weg gezeigt. Ich kann die Macht in mir nicht länger leugnen. Und jetzt, mit Kasper an meiner Seite, habe ich mir diese Kraft zu eigen gemacht. Ich werde mich nicht länger vor ihr verstecken."

Thomas schloss die Augen für einen Moment und spürte ein sonderbares Gefühl in seinem Bauch, das versuchte, sich zu seiner Brust hochzuarbeiten. Mit Hilfe seiner dunklen Macht zwang er es nach unten.

„Ich habe dir geholfen, diese Firma aufzubauen, und mir ist klar geworden, dass keiner von euch würdig ist, sie zu leiten. Das habt ihr heute bewiesen. Ihr seid jetzt meine Gefangenen. Hättest du dir die Mühe gemacht, meine Autorität zu bremsen und Regulierungen eingeführt, die mich davon abhalten würden, meine Befugnisse zu überschreiten, wäre dies nie geschehen. Aber du hast mich ausfallsichere Sicherheitsbeschränkungen einbauen lassen, die ich jetzt gegen dich verwende. Du hättest mir nicht vertrauen dürfen."

Denn Vertrauen war eine gefährliche Sache. Er hatte Eddie sein Herz anvertraut und Eddie hatte es mit den Füßen getreten. Eddie hatte ihn auf denkbar mieseste Weise verraten. Der Schmerz, der immer noch frisch und allgegenwärtig war, schickte einen weiteren Dolchstoß durch sein Herz. Er hatte gehofft, dass durch die Akzeptanz und Ausübung seiner dunklen Macht der Schmerz verschwinden würde, genauso wie alle anderen Gefühle für seine alten Freunde verschwunden waren. Wo er früher ein fürsorglicher Mann gewesen war, herrschte jetzt einfach Leere. Er fühlte nichts. Nichts, außer dem Schmerz über Eddies Verrat. Und nichts könnte diesen jemals ausradieren.

„Ich will euch nicht weiter langweilen. Du wirst jetzt folgendes tun, Samson. Du übergibst Scanguards mir. Amaury und Gabriel werden mit ihren Geschäftsanteilen dasselbe tun. Ihr habt zehn Minuten. Ich öffne die Gegensprechanlage in deinem Büro, damit du antworten kannst."

Er war im Begriff, den Knopf der Sprechanlage zu drücken, um das Mikrofon auszuschalten, als Kasper ihn davon abhielt und sich über ihn beugte. „Ich fürchte, mein lieber Thomas ist viel zu nett. Dies ist Kasper, sein Schöpfer. Und ich bin ein bisschen weniger geduldig als er. Übergebt das Unternehmen an uns oder die Sterbliche, die derzeit im Aufzug steckt, stirbt." Ein Grinsen breitete sich auf seinem Mund aus, dann drückte er den Knopf, um das Mikrofon auszuschalten.

Thomas' Blick schoss zu den Monitoren vor sich und er suchte das Video, das das Innere des Aufzugs zeigte. Ninas blonde Locken zeichneten sich leicht gegen die dunkle Verkleidung der Aufzugskabine aus.

Fassungslos starrte er seinen Schöpfer an. Kasper hatte ihm zuvor versprochen, dass heute Nacht niemand sterben würde.

EDDIE TAUSCHTE einen verzweifelten Blick mit Amaury aus.

„Scheiße!", fluchte Eddie. „Wir müssen sie da rauskriegen!"

Die Fingernägel seines Schwagers hatten sich bereits zu Klauen verwandelt, die er zwischen die beiden Aufzugtüren zu quetschen versuchte, um diese auseinander zu schieben. Seine Halsmuskeln spannten sich an und er atmete schwer.

„Wo ist dieser verdammte manuelle Hebel, um die Tür aufzukriegen?", schrie Eddie und eilte an Amaurys Seite. Er fiel auf die Knie und versuchte das gleiche wie Amaury, nur etwa einen halben Meter tiefer. Doch die Türen bewegten sich keinen Zentimeter.

„Es gibt irgendwo eine Schalttafel", ertönte Cains Stimme hinter ihnen.

„Finde sie!", befahl Amaury.

Eddie hörte Ninas panische Stimme aus dem Inneren des Aufzugs. "Hol mich hier raus, Amaury, bitte! Bevor er seine Drohung wahr macht!"

Eddie hatte fast vergessen, dass die Gegensprechanlage auch im Aufzug verlautete. Nina hatte jedes einzelne Wort von Kaspers Worten gehört.

Amaurys Gesichtsausdruck war düster. „Es wird alles gut, Chérie. Wir haben's fast", log er. Dann senkte er seine Stimme und flüsterte Eddie voller Angst, die ihm ins Gesicht geschrieben war, zu: „Ich darf sie nicht verlieren."

Sein letztes Wort wurde von Samsons Stimme aus der Sprechanlage übertönt. „Thomas, stoppe diesen Wahnsinn. Wir wissen, dass du nicht dahintersteckst. Du wirst manipuliert. Wer immer dieser Mann auch ist, der behauptet, Kasper zu sein, du weißt doch selbst, dass er es nicht sein kann. Kasper ist tot. Er hat keine Macht mehr über dich. Wir können das alles bereinigen. Wir sind Freunde. Du würdest deinen Freunden doch nie wehtun."

Thomas' Stimme unterbrach ihn. Eddie spürte, wie sein Herz blutete, als er hörte, wie kalt und emotionslos diese war. „Du irrst dich, Samson. Kasper ist am Leben. Er und ich gehören zusammen. Er kann mir die Liebe geben, die ich brauche. Die Liebe, die ich verdiene."

Eddie wusste sofort, dass die letzten Worte für ihn bestimmt waren, nicht für Samson. Thomas sehnte sich nach seiner Liebe und es war Eddies Schuld, dass er sich jetzt einem Ungeheuer wie Kasper zugewandt hatte. Wie Kasper noch am Leben sein konnte, wenn Eddie ihn doch mit seinen eigenen Augen hatte sterben sehen, wusste er nicht. Aber er wusste, dass Kasper böse war. Thomas hatte es ihm nach ihrem Kampf der Gedankenkontrolle vor ein paar Monaten gestanden. Thomas hasste seinen Schöpfer.

„Geh zum Drucker in deinem Büro, Samson", fuhr Thomas über die Sprechanlage fort. „Dort wirst du den Vertrag finden. Unterzeichne ihn. Du, Gabriel und Amaury. Wenn ihr fertig seid, sagt mir Bescheid."

Sie hörten noch ein Klicken und dann war es totenstill auf der Etage. Alles was Eddie hören konnte, war Amaurys schweres Atmen, als er weiterhin versuchte, die Türen auseinanderzuschieben.

„Die Aufzugtüren werden sich nicht öffnen", erklang plötzlich Kaspers Stimme über den Lautsprecher. „Es ist zwecklos, es zu versuchen. Und die manuelle Freigabe, nach der ihr sucht, wurde deaktiviert."

Dann drang ein lautes Geräusch aus dem Aufzug, gekoppelt mit einem

Schrei von Nina. Das Geräusch verstummte nach einer Sekunde, aber Ninas Weinen war weiterhin durch die Türen zu hören.

„Unterzeichnet die verdammten Papiere, oder das nächste Mal fällt sie nicht nur eine halbe Etage. Das nächste Mal landet der Aufzug im Keller“, kündigte Kasper an.

„Ich werde diesen verdammten Bastard umbringen!“, schrie Amaury.

„Ich werde die Papiere unterschreiben“, erklang Samsons Stimme über den Lautsprecher.

Eddie rannte zur offenen Tür von Samsons Büro und sah, wie sein Chef mehrere Blätter Papier vom Drucker nahm. „Tu es nicht!“

Samson wirbelte herum. „Du hast ihn gehört. Er wird deine Schwester töten, wenn ich seiner Forderung nicht nachgehe.“

„Und er wird sie auch töten, wenn du es tust. Wenn dieser Mann wirklich Kasper ist – und ich habe keine Ahnung, wie so etwas überhaupt möglich wäre – aber wenn dieser Mann im Keller Thomas' Erschaffer ist, dann ist er durch und durch verdorben. Er wird uns alle töten, nur weil er es kann. Er spielt mit uns, siehst du das nicht? Er genießt die Macht, die Thomas ihm über uns gegeben hat. Wir sind die Mäuse und er ist die Katze. Die einzige Person, die ihn stoppen kann, ist Thomas.“

Samson schlug mit der Faust auf den Tisch. „Thomas steht unter seinem Bann. Ich konnte es fühlen, als ich beim Haus mit ihm aufeinander traf. Er ist nicht er selbst. Er sagte, er hätte nichts mehr zu verlieren. Thomas wird uns nicht helfen. Wir haben ihn verloren. Alles, was wir tun können, ist zu versuchen, Nina selbst zu retten.“

Eddie schüttelte langsam den Kopf. „Es gibt noch eine andere Möglichkeit.“ Er ging um Samsons Schreibtisch herum und griff nach dem Mikrofon der Gegensprechanlage. „Ich hole ihn zu uns zurück. Denn ich bin der Grund, warum er uns verlassen hat.“

Samson trat beiseite, ein neugieriger Blick auf dem Gesicht. Als Eddie an ihm vorbei schaute, bemerkte er seine Kollegen an der Tür stehen.

„Was ist los?“, fragte Zane.

Eddie setzte sich in Samsons Stuhl und beugte sich über das Mikrofon, dann drückte er auf den Knopf. „Thomas, ich bin's, Eddie. Ich weiß, ich bin vermutlich der Letzte, den du jetzt hören willst, aber es gibt etwas, das ich dir und allen hier bei Scanguards sagen muss.“ Er hielt inne und sammelte all seinen Mut. „Ich bin schwul und ich schäme mich dessen nicht mehr. Du hast mich auf den Weg gebracht, zu erkennen, wer ich wirklich bin.“

Er bemerkte die überraschten Blicke seiner Kollegen, aber konzentrierte sich weiterhin auf seine Rede. „Thomas, es tut mir leid, was auf Olivers Party geschehen ist. Ich hätte dich nie zurückstoßen sollen. Ich hatte Angst. Aber jetzt habe ich keine Angst mehr. Thomas, ich liebe dich. Nicht nur als einen Kumpel. Ich liebe dich als meinen Partner, meinen Geliebten, für alle Ewigkeit. Ich wollte dich nicht verletzen. Ich bitte dich, mir zu verzeihen. Du hast einmal gesagt, dass du für die richtige Person auf die Knie fallen würdest. Thomas, wenn du wieder zu mir zurück kommst, werde ich auf meine Knie fallen. Weil du die einzige Person bist, die ich je wollte und brauchte. Ich liebe dich.“

Eddie drückte auf den Knopf, um die Sprechanlage verstummen zu lassen und schaute auf. Er spürte Feuchtigkeit in seinen Augen, doch kam keine Verlegenheit in ihm auf, als er seine Kollegen ansah. Mit Verständnis in ihren Augen erwiderten sie seinen Blick.

41

„… Ich liebe dich."

Eddies Worte hallten in Thomas' Kopf wider wie eine Kugel, die zu einem Querschläger wurde. Halluzinierte er oder hatte er wirklich gerade gehört, dass Eddie ihm vor allen Scanguards-Mitarbeitern seine Liebe gestanden hatte? Eddie wusste, dass die Gegensprechanlage seine Worte in jeden Raum des Gebäudes tragen würde. Dennoch hatte er sie geäußert. Er hatte sich öffentlich geoutet.

„Du glaubst doch nicht wirklich, dass er die Wahrheit sagt!", meinte Kasper kurz angebunden. „Ganz klar ist das ein Trick, damit du die Kontrolle über Scanguards zurückgibst." Er zeigte mit seinem Finger nach oben, wo der Lautsprecher lag, aus dem die Worte gekommen waren. „Er lügt dich an. Sobald du aufgibst, wird er alles widerrufen. Seine Kollegen haben ihn wahrscheinlich dazu angestiftet, weil sie wissen, was du für ihn empfindest. Es ist alles eine Lüge. Er liebt dich nicht. Nicht so wie ich dich liebe!"

Thomas erkannte Verzweiflung, wenn er sie roch. Und Kasper setzte verzweifelt alles daran, die Situation zu retten. Es bedeutete, dass auch Kasper die Aufrichtigkeit in Eddies Worten gehört hatte. Sie waren wahr. Thomas fühlte es in seinem Herzen. Dieses erwärmte sich und drückte gegen die dunkle Macht, die es umgab, als er plötzlich eine Invasion spürte. Sie war subtil, doch er erkannte, was es war: Kasper war in seinen Geist eingedrungen und versteckte sich inmitten Thomas' dunkler Macht. Er erkannte es jetzt ganz klar, fast als hätte Eddies Liebe ihm die Augen geöffnet und den Schleier weggerissen, der während der letzten paar Tage über ihm gehangen hatte. Genau wie Eddies Liebe ihm jetzt die Kraft gab, die dunkle Macht zurückzudrängen.

Es gab nur eine Sache, die er jetzt tun konnte.

„Du hast recht, Kasper. Es ist ein Trick. Und ich werde ihm sagen, was ich davon halte."

Kasper grinste. „Guter Mann."

Thomas drückte den Knopf für die Gegensprechanlage und wählte seine Worte mit Bedacht. „Das war eine schöne Rede, Eddie. Herzlichen Glückwunsch. Wenn sie doch nur wahr wäre. Doch selbst dann wäre es zu spät. Denn, weißt du, du Computergenie, der Schlüssel war immer: Ich liebe Eddie. Das kannst du jetzt haben, denn ich brauche es nicht mehr. Darüber kannst du jetzt nachgrübeln so lange du willst, du Möchtegern-Informatiker. Denn das ist das Letzte, was du von mir hören wirst, bis die Sache hier vorbei ist." Er schaltete das Mikrofon aus.

„Was zum Teufel war das für ein Müll?", knurrte Kasper und funkelte ihn an.

„Wie ich schon sagte, habe ich ihm sagen müssen, was ich von dem Mist halte, denn er mir aufgetischt hat. Ich habe ihm den gleichen Unsinn unterbreitet. Er wird's schon verstehen."

Thomas hoffte es von ganzem Herzen, denn was in seiner Rede verstümmelt versteckt war, war sein Passwort, um in die Computersysteme der Firma zu gelangen. Da alle Logins außer Thomas' deaktiviert waren, hatte nur sein eigenes Login Kontrolle über Scanguards. Wenn Eddie herausfand, dass Thomas ihm soeben sein eigenes Passwort gegeben hatte, wäre er in der Lage, die Kontrolle zu übernehmen. In der Zwischenzeit musste Thomas sich Zeit verschaffen.

Thomas behielt ein Auge auf dem Computerbildschirm, stand auf und legte seine Hand auf Kaspers Arm. Dann deutete er zu Xander, der nur ein paar Meter entfernt stand.

„Warum bittest du Xander nicht, den Anderen bei der Bewachung der Türen zu helfen?" Er streichelte suggestiv über Kaspers Arm.

Ein Funke entfachte in Kaspers Augen. Ohne seinen Blick von Thomas abzuwenden, erteilte er seinen Befehl: „Xander, gesell dich zu den Anderen."

Thomas wartete, bis Xander den Raum verlassen hatte. Die Tür stand noch offen, aber es spielte keine Rolle. Es verschaffte die Illusion von Privatsphäre und das war alles, was Thomas jetzt brauchte.

„Ich möchte nicht, dass es zwischen uns noch Lügen gibt“, fing Thomas an und nahm seine Hand von Kaspers Arm.

Ein enttäuschter Blick war Kaspers Antwort. „Es gibt keine Lügen zwischen uns.“

„Es gibt Dinge, die du mir noch nicht erklärt hast. Und wenn das zwischen uns funktionieren soll, dann muss ich alles wissen.“

„Aber du weißt doch alles“, protestierte Kasper.

Thomas drehte sich weg und warf heimlich einen Blick auf den Bildschirm, um zu sehen, ob sich dort etwas tat. Aber der Cursor blinkte immer noch gleichmäßig.

„Du hast mir erzählt, dass Keegan derjenige war, der all diese Gräueltaten beging. Und du hast behauptet, dass deine Anhänger immer noch das Gleiche tun und dass du die Folter von Sergio und seiner Gefährtin nicht angeordnet hast.“

Er hörte einen schnellen Atemzug hinter sich.

„Versteh mich nicht falsch, ich habe nichts gegen ein wenig Folter, wenn sie gerechtfertigt ist“, log Thomas. „Aber ich erwarte, dass du mir gegenüber ehrlich bist. Wie können wir Partner sein, wenn du Sachen vor mir verbirgst?“ Er hielt einen Moment inne. „Und wenn du einen Blutbund mit mir willst, dann musst du ehrlich zu mir sein.“

Er wandte sich wieder Kasper zu und bemerkte dessen verblüfften Gesichtsausdruck. Ja, er hatte richtig geraten: Kasper wollte ihn nicht nur zurück haben, er wollte eine Bindung, eine, die stärker als alles andere war, eine, die sie beide stärker machen würde, indem sie ihre dunklen Mächte vereinte.

„Du willst einen Blutbund, nicht wahr?“ Er legte seine Hand wieder auf Kaspers Arm.

„Ja!“ Kasper kam näher, als wollte er ihn küssen, doch Thomas drehte den Kopf zur Seite.

„Dann sag mir die Wahrheit. Erzähl mir alles. Als dein zukünftiger Gefährte schuldest du mir das.“ Thomas erstickte fast an den Worten. Er konnte sich nichts Schrecklicheres vorstellen, als sich an Kasper zu binden. Er wollte nie wieder mit so viel Bösem in Kontakt sein.

Während er auf Kaspers Antwort wartete, bemerkte Thomas eine Bewegung auf dem Bildschirm. Linien von Code scrollten darüber. Er unterdrückte einen Seufzer der Erleichterung, der aus seiner Brust platzen wollte. Bald würde alles vorbei sein.

„Nun, wenn du es so sagst“, meinte Kasper, „hast du natürlich recht. Keegan und ich waren uns viel ähnlicher, als ich zugeben will. Abgesehen von unserem sexuellen Appetit natürlich. Der war sehr unterschiedlich. Aber die dunkle Macht in uns sehnte sich nach den gleichen Tributen. Du fühlst es auch in dir, nicht wahr?“

Thomas nickte automatisch, doch vermied Kaspers Blick. „Ich fühle den Drang, jemanden zu verletzen.“ Und das war nicht einmal eine Lüge.

„Ja, es fühlt sich gut an, nicht wahr? So wie es sich gut anfühlte, als ich Sergio zwang, seiner Gefährtin wehzutun.“

„Du warst das selbst?“ Thomas unterdrückte den Impuls, Kaspers Kehle herauszureißen, jetzt wo er wusste, dass Kasper die Tat selbst ausgeführt hatte.

„Ich verpasse nie eine Gelegenheit wie diese. Als mir klar wurde, dass Sergio sich mir nicht fügen wollte, rief ich ein paar meiner Anhänger, sodass sie mich beobachten und etwas lernen konnten.“ Kasper beugte sich näher und seine Stimme wurde leiser. „Von Zeit zu Zeit musst du ähnliche Dinge tun, um ihnen zu zeigen, wer die Zügel in der Hand hält. Wenn sie dich nicht fürchten, werden sie anfangen zu glauben, dass sie stärker als du sind. Das darfst du nicht zulassen.“

Die Galle stieg von Thomas’ Magen hoch. Er zwang ein paar Worte über seine Lippen, um Eddie und seinen Kollegen mehr Zeit zu erkaufen. „Genau wie du deinen Anwalt, Wu, getötet hast.“

„Er hat es verdient. Gieriger Bastard. Was für ein wehleidiges Wiesel. Er fand heraus, dass ich einen Zwillingsbruder hatte und wollte es Xander und den Anderen verraten. Es hätte meine Autorität untergraben.“

„Ich verstehe. Und Keegan: Als er nach San Francisco kam, folgtest du ihm.“

In Kaspers Stimme schwang das Lächeln mit, das er auf den Lippen trug, als er antwortete: „Wie ich schon sagte, so habe ich dich gefunden. Anfangs wollte ich meinem Bruder helfen, aber als mir klar wurde, wen er bekämpfte, musste ich eine Entscheidung treffen. Ich entschied mich, nicht einzugreifen. Ich konnte dich doch nicht sterben lassen. Außerdem hatte ich es satt, mir den Thron mit meinem Bruder zu teilen. Seine Eskapaden gingen mir auf die

Nerven. Bruder oder nicht, er musste verschwinden. Du und Scanguards, ihr habt mir einen Gefallen getan, indem ihr ihn umbrachtet. Und als zusätzlichen Bonus tötetet ihr auch die Männer, die mit ihm gekommen waren. Es gab keine weiteren Zeugen, und als ich zu meinen Anhängern zurückkehrte, waren diese nicht schlauer als zuvor. Niemand wusste von Keegans Tod, denn niemand wusste, dass es jemals einen Keegan gegeben hatte."

„Also funktionierte alles perfekt", folgerte Thomas.

„Ich hätte es selbst nicht besser planen können. Jetzt sind wir wieder vereint." Kasper legte seine Hand unter Thomas' Kinn und zog sein Gesicht zu sich. Er senkte seine Lippen und Thomas spürte einen eiskalten Schauer seinen Rücken hinunter laufen.

Ein Poltern aus dem Flur ließ Kasper zurückweichen. „Was zum Teufel geht da vor sich?", rief er hinaus.

„Der Aufzug!", schrie Xander. „Er bewegt sich!"

„Scheiße!", fluchte Kasper, dann blickte er zu Thomas. „Sorge dafür, dass er anhält!", befahl er.

Thomas benutzte beide Hände, um Kasper von sich weg zu katapultieren und schleuderte ihn gegen einen Schreibtisch. „Nein!"

Kaspers Augen weiteten sich und Erkenntnis leuchtete plötzlich in ihnen auf. „Du hast mich betrogen!"

„Und jetzt werde ich dich vernichten!", versprach Thomas und konzentrierte all seine geistige Kraft auf seinen Schöpfer, während der Signalton des Aufzugs ankündigte, dass dieser den Keller erreicht hatte. „Fahr zur Hölle, wo du hingehörst, Kasper!"

42

Eddie nickte Samson zu und gab ihm das Signal, die Tür zu öffnen. Als diese aufschwang, stürmten Eddie und Amaury in den Flur des Kellers, richteten ihre semiautomatischen Pistolen geradeaus und entfesselten damit eine Flut von Silberkugeln auf die ahnungslosen Vampire, die in den leeren Aufzug hineinschossen, als sich dessen Türen öffneten.

Mehrere ihrer Gegner fielen sofort und verwandelten sich langsam zu Asche, als die silbernen Kugeln sie von innen heraus verbrannten. Die Anderen suchten Zuflucht in den Büros, die den Flur säumten.

„Hast du mir welche übrig gelassen?", rief Zane aus, als er in den Flur eilte.

Eddie deutete auf eine der offenen Türen, durch die einer der Vampire verschwunden war. „Bediene dich!"

Als Zane sich von Samson gedeckt dem Büro näherte, sah Eddie zu Amaury und wies auf einen anderen Raum. Amaury nickte.

Eddie drückte sich entlang der Wand neben der Tür, dann nahm er einen tiefen Atemzug und wappnete sich für den Angriff. In Vampirgeschwindigkeit wirbelte er herum und trat in den Türrahmen. Er erblickte den Feind sofort. Seine Waffe war bereits auf sein Ziel gerichtet, doch bevor er abdrücken konnte, durchdrang ein Energieblitz Eddies Kopf, als hätte jemand ein Messer hineingesteckt. Instinktiv wusste er, dass der Vampir ihn mit Gedankenkontrolle angriff, obwohl er dies noch nie zuvor am eigenen Leibe erfahren hatte.

Der Schmerz war heftiger als alles, was er bisher verspürt hatte. Seine Knie knickten ein und seine Hand, die die Waffe hielt, senkte sich. Gleichzeitig versuchte sein eigener Geist, die Attacke abzuwehren. Aber er war nicht darauf vorbereitet.

Scheiße!

Der Vampir grinste ihn teuflisch an, dann hob er seine Waffe und zielte auf Eddie. Durch die Gedankenkontrolle, die der Vampir auf ihn ausübte, stand Eddie wie erstarrt und konnte sich nicht bewegen. Verdammt, er würde hier sterben, ohne Thomas nochmals in seinen Armen gehalten zu haben.

Der Klang einer Kugel flog an ihm vorbei, und plötzlich lockerten sich die unsichtbaren Ketten, die ihn festgehalten hatten und der Schmerz in seinem Kopf verschwand. Fassungslos starrte er auf seinen Angreifer und sah Blut aus einer Wunde in dessen Stirn sickern. Die Augen seines Gegners blickten ihn leer an und dann begann dessen Gesicht von innen heraus zu bröckeln und seine Haut blätterte wie Asche ab, bevor er in einen Haufen Staub zerfiel.

„Gern geschehen", sagte Amaury von hinter ihm.

Eddie drehte sich um und nickte seinem Schwager dankbar zu. „Lass uns dem Rest den Garaus machen."

In den Flur spähend sah er mehr Scanguards-Mitarbeiter von der Tür zum Treppenhaus hereineilen, ihre Schusswaffen im Anschlag.

Eddie stürmte in die entgegengesetzte Richtung, wo sich der Serverraum befand. Amaury blieb ihm dicht auf den Fersen. An der nächsten offenen Tür machte Eddie Halt und sah, wie Zane mit seinem Angreifer kämpfte, während Samson mit schmerzverzerrtem Gesicht auf die Knie gefallen war und beide Hände an seine Schläfen drückte.

„Verdammt!", fluchte Eddie und zielte auf den Vampir, der mit Zane kämpfte, aber Zane war im Weg. Eddie bekam keine klare Schusslinie. Er zögerte einen Moment, dann traf er eine Entscheidung. „Zane, duck dich!"

Sofort tauchte Zane zu Boden und gab ihm damit freie Bahn. Eddie drückte ab und die silberne Kugel traf ihr Ziel. Die vielen Stunden auf dem Schießstand hatten sich gelohnt.

Er wartete nicht, um zu sehen, wie der Vampir zu Staub zerfiel, sondern rannte weiter zum Ende des Ganges. Noch bevor er die offene Tür des

Serverraums erreichte, ahnte er, was dort vor sich ging. Zuckende Funken flogen im Raum umher und erhellten den Korridor.

Beim Blick hinein überfiel ihn ein Gefühl von Déjà-vu. Er hatte genau die gleiche Szene schon vor ein paar Monaten miterlebt. Thomas war inmitten eines Kampfes der Gedankenkontrolle mit seinem Schöpfer, Kasper. Damals hatte er sich Keegan genannt. Der Mann sah genauso aus wie Keegan. Wie es möglich war, wusste Eddie nicht, und es kümmerte ihn im Moment auch nicht. Alles, was jetzt zählte, war, diesen Kampf zu beenden und Thomas zu retten.

Ohne zu zögern zielte er. Aber genau wie Zane wirbelte auch Thomas um seinen Gegner herum und ermöglichte Eddie keinen klaren Schuss.

„Thomas“, rief er. „Runter!“

Aber Thomas reagierte nicht auf ihn, vermutlich zu sehr auf den geistigen Kampf konzentriert. Es war fraglich, ob er ihn überhaupt hörte.

„Verdammt!“, fluchte Eddie und hielt seine Pistole in Kaspers Richtung.

Seine Hand zitterte und Schweiß tropfte von seiner Stirn. Dann berührte eine beruhigende Hand seine Schulter.

„Warte“, sagte Zane, seine Stimme beruhigend. „Ziel dorthin, wo er sein wird, nicht wo er jetzt ist. Dann drück ab. So wie ich dich gelehrt habe. Was Portia sagte ist wahr. Ich habe dir ein Kompliment gemacht. Du bist ein ausgezeichneter Schütze.“

Zanes Vertrauen verlieh ihm Kraft, und er zwang seinen Herzschlag, sich zu verlangsamen und langsame Atemzüge zu nehmen.

„Drück ganz sanft ab“, wiederholte Zane.

Seinen Geist beruhigend gab Eddie die Kontrolle an seinen Körper ab und feuerte. Sein Herz hörte auf zu schlagen. Die Funken, die die Luft elektrisch geladen hatten, verloschen. Der Kampf der Gedankenkontrolle war vorbei.

Eddie starrte von Thomas zu Kasper und suchte nach der Einschussstelle. Kasper drehte plötzlich seinen Kopf zu ihm und Schock durchfuhr Eddies Körper. Hatte er sein Ziel verfehlt?

Dann sah er ein Rinnsal Blut von Kaspers Ohr über dessen Hals laufen. Wie in Zeitlupe sah Eddie, wie Kaspers Körper sich von innen heraus in Asche verwandelte.

Eddie spürte, wie sein Körper unkontrolliert zu zittern begann und griff nach dem Türrahmen, um nicht zusammenzubrechen. Dann fanden seine

Augen Thomas und die Kraft kehrte in seine Glieder zurück. Er stieß sich von der Tür ab und ließ seine Waffe auf einen Schreibtisch fallen.

Mit entschlossenen Schritten ging er auf Thomas zu und stoppte direkt vor ihm. „Es ist mir egal, wer uns sieht, aber ich brauche das jetzt."

Er legte seine Hand auf Thomas' Nacken, zog ihn an sich und sank seine Lippen auf ihn, um Thomas' Mund mit einem leidenschaftlichen Kuss zu verschließen. Eddie strich mit seiner Zunge zwischen die geöffneten Lippen seines Geliebten und genoss dessen männlichen Geschmack und die starken Schläge, mit denen Thomas seinen Kuss erwiderte. Kräftige Arme zogen ihn näher und hielten ihn fest. Eddie stöhnte auf, als er Thomas' harten Körper gegen seinen reiben spürte. Er legte eine Hand auf Thomas' Hintern, zog ihn näher und zeigte ihm sein Verlangen.

Als Thomas schließlich den Kuss unterbrach und ihn sanft wegdrückte, ließ er dies nur widerwillig geschehen.

„Wir müssen aufhören", flüsterte Thomas an Eddies Lippen. „Wir sind nicht alleine."

Erst jetzt hörte Eddie das Räuspern hinter sich. „Ich schäme mich nicht für dich. Für uns."

Thomas lächelte ihn an und seine Augen funkelten vor Zuneigung, als er Eddies Zugeständnis wortlos entgegennahm. Dann strich er mit den Fingerknöcheln über Eddies Wange.

Eddie drehte sich um und sah seine Kollegen, die nun alle im Serverraum standen und peinlich berührt in verschiedene Richtungen blickten. Einige starrten verlegen auf ihre Schuhe. Nina stand in ihrer Mitte und lächelte ihn strahlend an. Die Angst, die sie im Aufzug gehabt haben musste, war wie weggewischt. Er erwiderte ihr Lächeln.

„Ihr könnt jetzt wieder herschauen", sagte Eddie.

Mehrere Augenpaare landeten auf ihm und Thomas. Dann nahm er ganz bewusst Thomas' Hand in seine und schenkte seinem Geliebten ein Lächeln.

Thomas seufzte. „Es tut mir leid, was passiert ist. Ich hatte keine Kontrolle darüber, was ich tat. Kasper ..." Thomas zeigte dorthin, wo die Asche seines Erschaffers den Boden bedeckte.

Samson nickte. „Du hast am Ende das Richtige getan, indem du Eddie dein Passwort gegeben hast."

„Ich habe ein paar Minuten gebraucht, um es auszutüfteln. Zuerst dachte ich, du wärst vollkommen verrückt. Du hast mich noch nie ein

Computergenie oder einen Möchtegern-Informatiker genannt. Es machte keinen Sinn“, erklärte Eddie.

„Das sollte es auch nicht“, bestätigte Thomas. „Ich wusste, du würdest versuchen, herauszufinden, was ich mit dem Kauderwelsch meinte. Ich weiß, wie dein Verstand arbeitet.“

Eddie nickte, dann deutete er auf den Haufen Asche am Boden. „Und er? Wer war er?“

Thomas seufzte. „Kasper, mein Schöpfer.“

„Aber Kasper war schon tot! Rose hat ihn vor Monaten erschossen!“, protestierte Eddie.

Thomas schüttelte den Kopf. „Das dachten wir alle. Aber der Vampir, der in jener Nacht starb, war nicht Kasper sondern sein Zwillingsbruder Keegan. Niemand wusste, dass er einen Zwillingsbruder hatte, nicht einmal ich. Er hat uns alle getäuscht.“

Überraschte Laute hallten im Raum wider.

„Ist es jetzt vorbei?“, fragte Samson.

Thomas blickte seinen Chef lange an. „Ich weiß es nicht, Samson. Ich weiß es ehrlich nicht. Die dunkle Macht ist immer noch in mir. Sie wird immer da sein.“

„Du warst in der Lage, sie heute Abend zu besiegen. Du hast Kasper getrotzt, indem du Eddie dein Passwort gabst. Und dann hast du Kasper angegriffen. Es muss einen Grund geben, warum du gegen die Macht ankämpfen konntest“, meinte Samson.

Eddie sah Thomas eindringlich an, als sich dieser zu ihm wandte und ihre Blicke ineinander verschmolzen. „Es gab einen Grund. Als du mir deine Liebe gestanden hast, fühlte ich mich stärker, und ich war in der Lage, gegen den Einfluss, den Kasper über mich ausübte, anzukämpfen. Ich konnte endlich die dunkle Macht in mir bekämpfen, weil deine Liebe mein Herz erfüllte.“

Eddie legte seine Hand über Thomas’ Herz. „Dann wirst du dir nie wieder Sorgen machen müssen, dass die dunkle Macht dich je wieder beherrscht. Denn meine Liebe wird immer bei dir sein.“ Eddie beugte sich zu ihm.

„Äh, Jungs, bevor ihr euch wieder küsst“, unterbrach Gabriel, „könnt ihr vielleicht zuerst unsere Logins wieder aktivieren, damit wir den Laden aufräumen können?“

Thomas grinste. „Das kann arrangiert werden.“

43

Thomas wickelte das Handtuch aus reiner Gewohnheit um seinen Unterleib und trat aus seinem Bad. Sein Schlafzimmer war in weiches Licht gebadet, das von einer einzigen Nachttischlampe kam. Seine Augen wanderten über das Bett und nahmen die Szene vor ihm wahr.

„Ich weiß jetzt, dass ich schon immer davon geträumt habe, in deinem Bett auf dich zu warten", sagte Eddie, hob die dünne Bettdecke von seinem Körper und schob sie beiseite. „Nackt." Er legte seine Hand um seine Erektion und streichelte sie suggestiv. „Und hart."

Thomas ließ seine Augen über Eddies nackten Körper schweifen, über seine definierte, haarlose Brust, seine harte Bauchmuskulatur, das Nest von dunkelblonden Haaren, das seinen Schwanz umgab und die kräftigen Oberschenkel, die sich bald um seine Hüften schlingen würden, wenn Thomas in ihn eindrang.

Thomas war versucht, sich zu kneifen, um sicherzustellen, dass dies kein Traum war. Aber er wusste, es war ein Traum – ein Traum, der endlich in Erfüllung gegangen war. Eddie lag in seinem Bett, nackt und hungrig nach Sex. Nein, nicht nur nach Sex, korrigierte er sich, hungrig darauf, Liebe zu machen. Doch bevor er Eddie berührte, musste er noch etwas anderes tun.

Sein Herz klopfte ihm bis zum Hals, als er sich dem Bett näherte. Doch anstatt sich dort neben Eddie zu legen, ging er vor ihm auf ein Knie und holte seine Hand hinter dem Rücken hervor, um die kleine, mit Samt bezogene Schachtel zu enthüllen, die in seiner Handfläche lag.

Eddie setzte sich auf, rutschte zum Rand des Bettes und senkte seine Füße auf dem Boden, die Augen weit aufgerissen in Erkenntnis dessen, was Thomas vorhatte.

„Thomas –"

„Bitte lass es mich auf meine Art machen", forderte Thomas und versank in Eddies Augen.

Schweigend nickte Eddie.

„Ich liebte dich von dem Augenblick, als ich dich zum ersten Mal sah. Mein Herz brach im gleichen Moment, weil ich davon überzeugt war, dass du nie meine Gefühle erwidern könntest. Aber ich liebe die Folter, also habe ich dich bei mir aufgenommen. Ich war schon zuvor für andere Vampire ein Mentor, aber keiner von ihnen hat jemals bei mir gewohnt. Dich wollte ich jedoch nahe bei mir haben. Obwohl jeder Tag mit Schmerz gefüllt war, machte das die bittersüße Freude, die ich erlebte, wann immer ich Zeit mit dir verbrachte, wieder wett."

Eddie strich mit den Fingern über Thomas' Mund. „Es tut mir so leid. Ich war so blind. Jeder außer mir sah es."

Thomas nahm Eddies Hand und küsste dessen Fingerspitzen. „Niemand hätte jemals sehen dürfen, was ich für dich empfand. Ich wollte diese Gefühle wegschließen. Aber die Liebe kann man nicht einsperren. Sie findet immer einen Weg. Eddie, ich weiß, dass all das für dich wie in einem Wirbelsturm passiert ist, aber ich warte schon so lange darauf. Dich nur in meinem Bett zu haben, wäre nie genug für mich."

Eddie öffnete den Mund und beugte sich näher. Sein Atem strich über Thomas' Gesicht. „Ich meinte jedes Wort, das ich über die Sprechanlage sagte. Jedes einzelne Wort."

Thomas lächelte und sein Herz erwärmte sich bei Eddies beruhigenden Worten. Er blickte auf die Schachtel in seiner Hand, öffnete sie und enthüllte einen Platinring, der auf einem roten Samtkissen saß.

Eddie holte scharf Luft, als er auf den Ring starrte.

„Ich habe ihn in jener Nacht gekauft, als du mich in der Garage geliebt hast. Damals wurde mir klar, dass sich unsere Beziehung verändern würde. Und ich wollte dir zu verstehen geben, dass du nicht ein x-beliebiger

Liebhaber für mich bist. Ich wollte, dass du weißt, dass, wenn du mit mir zusammen bleibst, ich dir die Welt zu Füßen legen werde."

Eddies Hand auf seinem Kinn zog sein Gesicht näher. „Ich will nicht die Welt. Ich brauche nur dich. Das weiß ich jetzt." Dann lächelte er. „So, machst du mir jetzt einen Heiratsantrag oder soll ich stattdessen auf die Knie fallen und dich bitten?"

„Du bist ungeduldig, weißt du das?"

„Ja, weil ich über ein Jahr verschwendet habe, in dem wir uns nicht geliebt haben. Ich habe einiges aufzuholen." Eddie näherte sich Thomas' Lippen, dann wich er wieder zurück. Ihre Blicke verschmolzen ineinander. „Frag mich endlich, damit ich tun kann, was ich tun will."

Thomas unterdrückte die Freudentränen, die ihn zu entmannen drohten und konnte vor Aufregung kaum sprechen. „Willst du mich heiraten?"

Eddie legte seine Hand an Thomas' Nacken und zog ihn zu sich heran. „Ich dachte, du würdest nie fragen." Er seufzte. „Ja! Natürlich heirate ich dich." Er drückte einen Kuss auf Thomas' Lippen und ließ dann ebenso schnell von ihnen ab, bevor Thomas das Gefühl genießen konnte.

Als Eddie seinen Blick senkte, merkte Thomas, dass er noch immer die Schmuckschatulle in seiner Hand hielt.

„Oh!", sagte er plötzlich und wusste, worauf Eddie wartete. Thomas nahm seine Hand. „Tut mir leid. Dies ist das erste Mal, dass ich das tue." Bedächtig steckte er den Ring an Eddies Finger.

„Und es wird auch das einzige Mal sein", versprach Eddie. „Ich werde dich nie wieder gehen lassen."

Thomas ließ das Handtuch fallen, zog Eddie in seine Arme und sank mit ihm auf das Bett. Er bedeckte Eddie mit seinem Körper und der Haut-auf-Haut Kontakt entflammte seine Lust. „Ich habe nicht die Absicht, dich jemals wieder gehen zu lassen."

„Gut." Eddie stieß ihn plötzlich von sich und rollte ihn auf den Rücken. Dann setzte er sich rittlings auf ihn. „Ich wollte dies zwar auf meinen Knien tun, aber ich glaube diese Position funktioniert auch."

Thomas hob fragend eine Augenbraue, dann blickte er demonstrativ zu Eddies Schwanz. „Mit dir ist mir jede Position recht."

Eddie schüttelte den Kopf und lachte. „Denkst du jemals an was anderes als Sex?"

Thomas drückte seine harte Erektion an Eddie. „Tu jetzt nicht so schüchtern. Ich weiß, dass du genau dasselbe willst."

Eddies Körper senkte sich über ihn und seine Lippen waren nur wenige Zentimeter von Thomas' entfernt. „Ja, ich will es. Ich will, dass du mich nimmst, dass du mich zu deinem machst. Ich möchte, dass du mich lang und hart reitest und dann will ich spüren, wie du in mir kommst."

Eddies verlockende Worte ließen seinen Geliebten laut aufstöhnen. „Verdammt, Eddie, wenn du mich nicht jetzt gleich damit anfangen lässt, werde ich es nicht länger als zehn Sekunden aushalten."

„Geduld, mein süßer Geliebter. Es gibt noch etwas, das ich von dir will."

„Was?", knurrte Thomas ungeduldig und ergriff Eddies Hüften, um sich mit mehr Druck gegen ihn zu drängen. Sein Schwanz glitt gegen Eddies Haut und ließ das Feuer in Thomas' Bauch aufflammen.

„Ich will mehr als nur eine Ehe. Ich will einen Blutbund."

Bei Eddies Worten schoss Thomas schockiert hoch, sodass sie beide saßen, Eddie immer noch rittlings auf ihm.

„Eddie, das ist unmöglich! Das können wir nicht!"

„Willst du damit sagen, dass zwei männliche Vampire keinen Blutbund eingehen können?"

Thomas schüttelte den Kopf. „Nein! Theoretisch ist es möglich. Aber du und ich, wir können nicht."

Eddie wich zurück, ein verletzter Blick auf seinem Gesicht. „Das heißt, du willst es nicht?"

Thomas griff nach ihm, bevor er eine Chance hatte, sich von seinem Schoß zu erheben und hielt ihn fest. „Ich will es, wirklich, aber ich kann nicht." Als Eddie ihn einfach nur anstarrte, fuhr er fort: „Ich dachte, dir wäre klar, dass ich mich wegen meines Blutes nie mit jemandem binden kann. Kaspers Blut, es bedeutet Unheil. Wie kann ich so etwas mit dir teilen? Wie kann ich dich dem aussetzen? Ich liebe dich, Eddie, ich liebe dich mehr als mein Leben. Darum können wir das nicht tun. Eine Heirat muss reichen."

Langsam entspannte sich Eddie wieder und er umklammerte Thomas' Schultern. Verständnis machte sich auf seinem Gesicht breit – und Erleichterung. Dann bewegte er langsam seinen Kopf von Seite zu Seite. „Das war also der Grund, warum du nicht wolltest, dass ich deine Wunden lecke." Er seufzte. „Ach, Thomas, hast du schon vergessen, was heute Nacht passiert ist?"

Thomas antwortete ihm nur mit einem fragenden Blick.

„Du warst in der Lage, die dunkle Macht mit meiner Liebe zu bekämpfen. Gemeinsam sind wir stärker als das Böse in Kaspers Blut. Viel stärker. Weil wir einander lieben."

Eddies sanfter Druck gegen seine Schultern forderte ihn auf, sich wieder auf die Laken zu senken.

„Das kannst du nicht mit Sicherheit wissen."

„Doch. Unsere Liebe beschützt uns beide." Eddie drängte seine Hüften gegen Thomas' Leistengegend und entrang diesem dadurch ein leises Stöhnen. „Also frage ich nochmals." Er blickte auf seine Knie, die zu beiden Seiten von Thomas' Hüften abgestützt waren. „Sieht so aus, als wäre ich doch noch auf Knien vor dir, so wie ich es geplant hatte." Er hob seinen Blick wieder zu Thomas und fuhr fort: „Willst du einen Blutbund mit mir eingehen?"

Die Liebe und Zuneigung, die aus Eddies Augen schien, drang tief in Thomas' ganzen Körper, erfasste jede Zelle und verbreitete Wärme und Frieden. Instinktiv wusste er, dass Eddie recht hatte. Sie würden die dunkle Macht gemeinsam besiegen, denn ihre Liebe war stärker.

„Ja, ich will einen Blutbund mit dir." Und jetzt, wo er die Entscheidung getroffen hatte, konnte er keinen Moment länger warten. „Jetzt."

„Ja, jetzt", stimmte Eddie zu. „Mit deinem schönen großen Schwanz in mir."

Thomas konnte sich nichts Perfekteres vorstellen. Er rollte sich herum, sodass Eddie unter ihm lag. In die Augen seines Geliebten blickend, spreizte er dessen Beine, sodass dazwischen Platz für ihn war. „Ich warte schon so lange darauf."

Seine Hand wanderte zu Eddies Schwanz und drückte ihn kurz, bevor er über dessen Eier wanderte und sie sanft streichelte. Dann glitt ein Finger weiter zurück, und er bemerkte, wie Eddie die Knie anzog, indem er seine Fußsohlen flach aufs Bett setzte.

Eddie stieß ein Stöhnen aus. „Ich habe deine Berührung vermisst."

„Du wirst nie mehr einen Tag ohne meine Berührung verbringen", antwortete Thomas.

„Versprochen?"

Thomas lächelte ihn an. „Du wirst mich bald um eine Verschnaufpause bitten, so oft werde ich dich berühren."

„Ich brauche keine Verschnaufpause“, flüsterte Eddie. „Ich brauche deinen Schwanz. Jetzt sofort!“

Thomas beugte sich über ihn, legte seinen Mund auf Eddies Lippen und küsste ihn. Eddie öffnete seinen Mund; seine Zunge streichelte gegen Thomas’ und lud ihn ein, ihn zu erkunden. Thomas stöhnte vor Lust und schwelgte in Eddies maskulinem Geschmack, einer Mischung aus Leder und Holz, aus Moschus und Unschuld. Als er tiefer eindrang, spürte er, wie Eddies Arme ihn fester an sich pressten und wie er mit einer Hand seinen Hintern drückte, während er seinen Schwanz im gleichen Rhythmus gegen Thomas rieb wie seine Zunge.

Selbst in der Nacht, in der Eddie ihn mit seinem Mund befriedigt hatte, war sein Kuss nicht so leidenschaftlich wie jetzt gewesen. Es war, als ob alle Barrieren zwischen ihnen endlich gefallen wären und sie nun frei waren, sich zu lieben.

Schwer atmend riss Thomas seinen Mund von Eddies und starrte in seine voller Lust schimmernden Augen. „Ich kann nicht länger warten.“ Sein Schwanz sehnte sich nach Erlösung. Und sein Herz wartete ungeduldig darauf, ihn zu seinem Gefährten zu machen.

„Dann nimm mich. Mach mich zu deinem. Für immer.“

Thomas erhob sich von Eddie und griff zum Nachttisch. Er öffnete die Schublade und holte eine Tube Gleitmittel heraus. Als er sich wieder umdrehte, bemerkte er, wie Eddie sich auf den Bauch zu drehen versuchte.

„Nein“, hielt Thomas ihn davon ab und handelte sich damit einen fragenden Blick ein. „Ich will in deine Augen schauen, wenn ich in dir bin. Leg dich auf den Rücken.“

Eddie kam wortlos seiner Bitte nach und streckte sich auf den Laken aus, die Knie wieder angezogen, seine Oberschenkel breit gemacht. „So?“, fragte er und ließ einen verführerischen Blick über Thomas schweifen, bevor seine Augen auf dessen Erektion zu ruhen kamen.

Thomas rückte näher und drückte einen Klecks der Gleitcreme auf seine Finger. „Perfekt.“ Als er sich zwischen Eddies Oberschenkel niederließ und seine Hand auf dessen Spalte legte, blickte er weiterhin in Eddies Augen.

„Ich werde zärtlich sein. Entspann dich!“

Thomas glitt mit dem mit Gleitgel bedeckten Finger zwischen Eddies Pobacken. Automatisch zog Eddie seine Knie näher an seinen Oberkörper, was Thomas den Zugang zu dessen Öffnung erleichterte. Thomas spürte den starken Muskelring, der Eddies engen Kanal bewachte und rieb langsam und sanft seinen Finger darüber.

Eddies Augenlider flatterten. „Oh!“ Er stieß einen Seufzer aus.

„Ja, entspann dich einfach!“, gurrte Thomas. „Ich kümmere mich schon um dich.“ Er fuhr fort, die Stelle zu reiben, bis Eddie sich gegen seinen Finger presste. Thomas fügte noch mehr Gleitgel hinzu und drückte gegen den Muskelring. Diesmal durchdrang er ihn und ließ seinen Finger bis zum ersten Fingerknöchel hineingleiten.

Eddie stöhnte laut auf.

„Tue ich dir weh?“

„Oh Gott nein! Gib mir mehr.“

Angespornt von Eddies Worten drang Thomas tiefer in ihn ein, immer noch langsam und sanft, aber ohne die Bewegung abzubrechen, bis sein ganzer Finger in ihm steckte. Zu spüren, wie Eddies innere Muskeln sich um ihn verkrampften, sandte einen Bolzen des Begehrens durch Thomas. Sein Schwanz würde Eddies jungfräulichen Arsch nicht lange aushalten, das wusste er jetzt schon.

„Oh Gott, bist du eng“, sagte Thomas.

„Genau wie du es warst, als ich in dir war“, antwortete Eddie. Lust loderte aus seinen Augen. „Jetzt fick mich schon.“

„Du bist noch nicht soweit“, warnte Thomas und zog seinen Finger heraus, um mehr Gleitmittel zuzufügen, bevor er einen Moment später wieder eindrang.

Eddie schob sich ihm entgegen und nahm seinen Finger tiefer in sich auf. „Ich bin bereit.“

Eddies Eifer erwärmte sein Herz, aber er ließ sich nicht täuschen. Sein Geliebter war noch nicht bereit, seinen Schwanz aufzunehmen. Aber bald würde er soweit sein.

„Ich werde dich vorbereiten“, versprach Thomas und trieb seinen Finger tiefer und härter hinein und erhöhte sein Tempo. Mit Genugtuung beobachtete er, wie Eddies Augen zurückrollten und unkontrolliertes Stöhnen von seinen geöffneten Lippen kam, während sein Körper sich synchron mit Thomas' Stößen bewegte.

„Bald“, flüsterte Thomas, als er einen zweiten Finger hinzufügte und tiefer hineinstieß.

Eddie hob fast von der Matratze ab, dann fiel er wieder in die Laken und ein Stöhnen löste sich aus seiner Brust. „Verdammt, ja!"

Als Thomas ihn mit zwei Fingern fickte, fühlte er, wie seine eigene Körperwärme mit dem Verlangen anstieg. Aus seinem Schwanz sickerte schon Samenflüssigkeit, und wenn er nicht vorsichtig war, würde er schon dabei kommen, Eddie nur zu beobachten. Zu sehen, wie der andere Vampir sich ihm so frei und mit solcher Leidenschaft hingab, trieb ihn vor Lust fast zum Wahnsinn.

„Ach, fuck!", fluchte Thomas und zog seine Finger aus Eddies Loch, cremte seinen eigenen Schwanz mit Gleitmittel ein und positionierte sich an Eddies Eingang.

Als seine Schwanzspitze Eddies Loch berührte, blickte Thomas tief in die Augen seines Geliebten. „Ich liebe dich."

Eddies Lippen wiederholten die Worte lautlos, während Thomas nach vorne stieß und mit einem Schub in Eddie hineinfuhr.

Eddie keuchte und ein sichtbarer Schauer raste durch seinen Körper.

„Alles okay?" Besorgnis machte sich in Thomas breit, und er stoppte in seinen Bewegungen.

„Verdammt, bist du groß!"

Thomas wich zurück, aber Eddies Hände auf seinen Hüften hielten ihn davon ab, seinen Schwanz komplett herauszuziehen.

„Wage es ja nicht, jetzt aufzuhören!" Ein verruchtes Grinsen lag auf Eddies Gesicht. „Ich glaube, ich mag groß."

Thomas fühlte, wie Eddies Hände ihn wieder näher zogen, und er drang wieder in ihn ein.

Eddies Augen blitzten rot auf und zwischen seinen geöffneten Lippen konnte Thomas jetzt seine Fänge sehen. „Ja, ich mag groß und hart und tief."

Thomas konnte das Lächeln, das seine Lippen nun umspielte, nicht aufhalten. „Wie hart?"

„Ich bin ein Vampir, Thomas. Ich kann es so hart nehmen, wie du es liefern kannst."

„Ein Mann nach meinem Geschmack." Bevor das letzte Wort seine Lippen verließ, stieß Thomas tief in Eddie hinein, seine Bewegungen immer noch langsam, aber mit jedem Stoß und jeden Entzug beschleunigte er sein Tempo, und mit jedem Stöhnen aus Eddies Kehle übergab er mehr Kontrolle an seinen Körper und schwelgte in den Empfindungen, die seine Verbindung mit Eddie in ihm hervorzauberte.

Eddies Muskeln drückten ihn hart, aber das Gleitmittel verwandelte jeden Stoß in einen weichen Eintritt ins Paradies. Wärme umschlang seine Erektion und Eddies Kanal hielt ihn in einem Käfig gefangen, dem er nie wieder entkommen wollte.

Nicht einmal in seinen Träumen war es so gut gewesen. Die Wirklichkeit war aufregender, als jeder Traum es jemals sein könnte. Sie waren zwei männliche Körper, die sich synchron bewegten; ihre Hände streichelten einander, ihre Münder waren zu einem leidenschaftlichen Kuss verschmolzen. Gegen seinen Bauch spürte Thomas Eddies harten Schwanz pulsieren, und dessen Hitze trieb einen Speer der Begierde in ihn hinein und trug zu dem Nervenkitzel bei, endlich diesen Mann lieben zu dürfen und ihn zu seinem zu machen. Ihn zu besitzen, so wie Eddie ihn besaß. Sein Herz, seine Seele.

Thomas hob seine Lippen von Eddies, denn er konnte sich nicht länger zurückhalten. „Jetzt", flüsterte er und spürte, wie sein Geliebter nickte.

Thomas Reißzähne fuhren sich aus. Eddie neigte einladend seinen Hals zur Seite. Ohne Hast senkte Thomas seinen Mund und schabte mit seinen Fängen gegen die zarte Haut.

„Ich liebe dich, Thomas."

Thomas schloss seine Augen, sank seine Reißzähne in Eddies Haut und sog an der prallen Vene. Gleichzeitig fühlte er die scharfen Spitzen von Eddies Fängen seine Schulter durchbohren.

Während sein Schwanz weiter in Eddie stieß, füllte Eddies reichhaltiges Blut Thomas' Mund, und der Geschmack explodierte auf seiner Zunge. Er schluckte das Blut hinunter, ließ es seine Kehle ummanteln und fühlte, wie jegliche Anspannung seinen Körper verließ. Alles um ihn herum schien zu verschwinden. Die dunkle Macht in ihm zog sich immer weiter zurück, bis er sie nicht mehr spüren konnte.

Gleichzeitig fühlte er eine andere Kraft in sich eindringen. Diese Invasion begrüßte er. Liebe und Frieden breiteten sich in ihm aus, als die Mauer um sein Herz zerbröckelte. Er fühlte den Sog von Eddies Reißzähnen an seiner Vene nun stärker, genauso wie er Eddies bevorstehenden Orgasmus spüren konnte.

Ich komme, hörte er Eddies Gedanken in seinem Kopf so klar, als ob dieser die Worte ausgesprochen hätte.

Ich auch, antwortete Thomas wortlos.

Eddies Muskeln um seinen Schwanz zuckten, Sperma schoss gegen Thomas' Bauch und Thomas fühlte seinen eigenen Schwanz explodieren. Sein Samen raste durch seine Erektion und füllte seinen Geliebten mit heißer Gischt. Sein Körper bebte von den Wellen seines Orgasmus und rang jedes letzte bisschen Energie von ihm, bis er auf Eddie zusammenbrach, unfähig sich weiter zu bewegen. Er konnte nicht verhindern, dass sein Körper zitterte und bemerkte, dass es Eddie genauso ging.

Zu erschöpft, um zu sprechen, sandte Thomas seinen Geist zu ihm. *Du gehörst jetzt mir.*

Und du mir, hörte er Eddies Stimme in seinem Kopf.

Dann drehte Eddie seinen Kopf, um seine Lippen leicht über Thomas' zu streifen.

„Das kannst du machen, wann immer du willst."

Thomas hob den Kopf. „Du solltest mir keine Carte Blanche geben oder dein heißer Hintern wird für das nächste Jahrhundert wund sein und du wirst mich verfluchen."

„Nur für das nächste Jahrhundert?", zog Eddie ihn auf.

Thomas fühlte, wie sich ein Lachen in seiner Brust bildete. Als er es herausließ und Eddie mitlachte, umhüllte ihn das Glück wie eine flauschige Decke. Er wusste nun, dass die dunkle Macht in seinem Blut nie wieder emporsteigen würde, da die Liebe sie auf ewig wegsperrte.

~

Lesereihenfolge der Scanguards Vampire & Hüter der Nacht

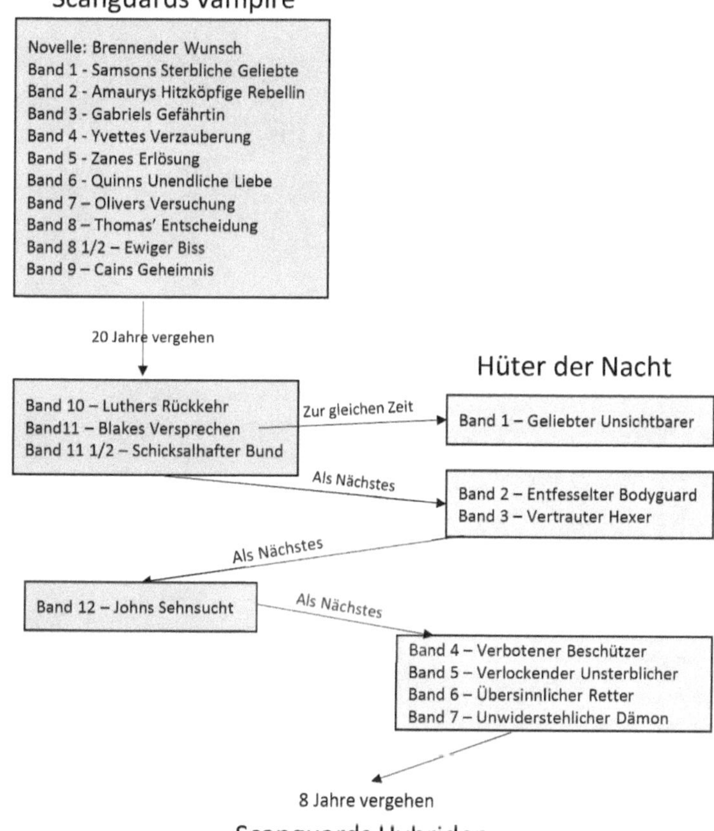

Scanguards Hybriden

Die Bände in der Scanguards Hybriden Serie werden zusätzlich auch in der Scanguards Vampir Serie nummeriert. (SV Band 13 = SH Band 1)

Band 1 (SV 13) – Ryders Rhapsodie
Band 2 (SV 14) – Damians Eroberung
Band 3 (SV 15) – Graysons Herausforderung
Band 4 (SV 16) – Isabelles Verbotene Liebe

ÜBER DIE AUTORIN

Tina Folsom ist gebürtige Deutsche und lebt schon seit über 25 Jahren im englischsprachigen Ausland, seit 2001 in Kalifornien, wo sie mit einem Amerikaner verheiratet ist.

Im Herbst 2008 schrieb sie ihren ersten Liebesroman.

Vampire haben es ihr schon immer angetan. Mittlerweile hat sie 50 Bücher in Englisch sowie Dutzende in anderen Sprachen (Französisch, Spanisch und Deutsch) herausgegeben.

Webseite: https://tinawritesromance.com/deutscheleser/
Sie können ihr auch eine Email schicken: tina@tinawritesromance.com

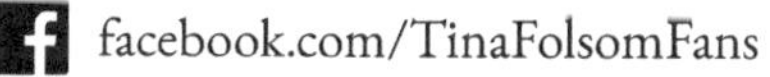

Zeitfracht Medien GmbH
Ferdinand-Jühlke-Straße 7
99095 Erfurt, Deutschland
produktsicherheit@kolibri360.de